# SAISON

A2+

## MÉTHODE DE **FRANÇAIS**

Marie-Noëlle Cocton
Coordination pédagogique

Anouchka De Oliveira
Anneline Dintilhac

Dorothée Dupleix (DELF)
Delphine Ripaud (phonétique)

didier

# Une démarche pour construire

## 1 JE DÉCOUVRE

**4 pages de découverte**

- Une entrée en matière en vidéo.
- Des activités et des stratégies de compréhension.
- Un travail sur le lexique, la communication et la grammaire.
- L'éveil à la phonétique.
- Des micro-productions orales et écrites.

### ➤ Le lexique

Je complète le tableau *Mots et expressions*.

### ➤ La phonétique

Je repère les sons à l'oral.

### ➤ La grammaire

J'observe la construction de la langue.

## 2 JE COMPRENDS LE FONCTIONNEMENT

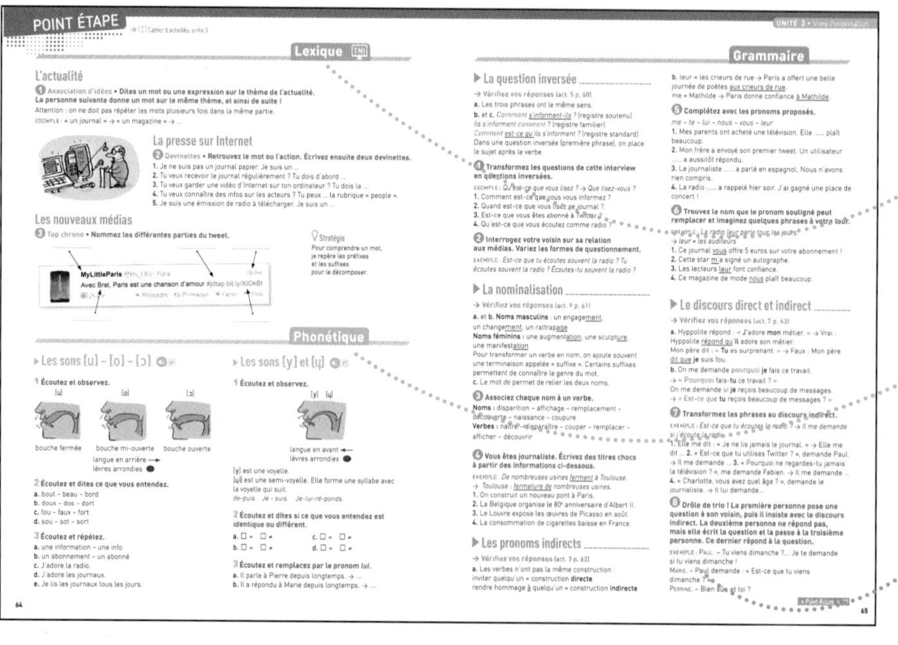

**1 double page d'acquisition**

S'approprier les compétences lexicales, phonétiques et linguistiques.

### ➤ Le lexique

- Je réemploie le lexique dans des activités ludiques collectives.
- J'apprends des stratégies pour mémoriser.

### ➤ La phonétique

- J'observe le fonctionnement à l'aide de schémas.
- J'écoute et je répète pour m'entraîner.

### ➤ La grammaire

- Je vérifie les réponses à mes hypothèses.
- Je systématise avec deux activités pour chaque point de langue.

# du sens étape par étape

## 3 JE PRODUIS

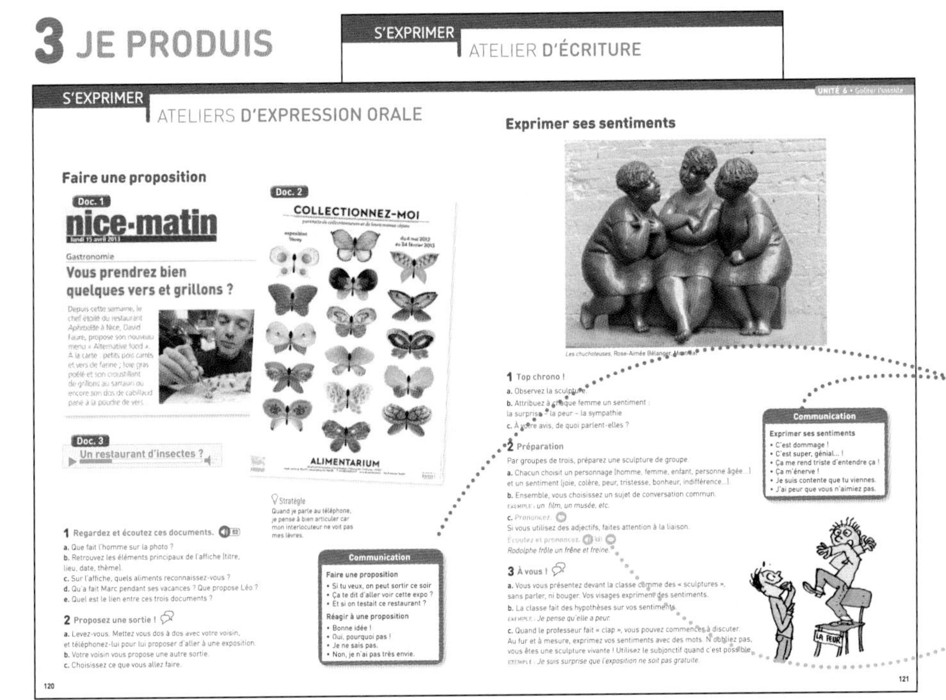
S'EXPRIMER | ATELIER D'ÉCRITURE

S'EXPRIMER | ATELIERS D'EXPRESSION ORALE

Faire une proposition

Doc. 1 nice-matin

Vous prendrez bien quelques vers et grillons ?

Doc. 2 COLLECTIONNEZ-MOI

ALIMENTARIUM

Doc. 3 Un restaurant d'insectes ?

1 Regardez et écoutez ces documents.

2 Proposez une sortie !

Communication

Faire une proposition

Exprimer ses sentiments

1 Top chrono !

2 Préparation

3 À vous !

Communication

Exprimer ses sentiments

**4 pages pour s'exprimer à l'oral et à l'écrit**

- Des productions orales et écrites.
- Des aides à la communication et des stratégies de production.
- La publication de l'*Atelier 2.0.*

### La communication orale et écrite

- Je produis à l'oral en trois temps.
- Je produis à l'écrit en trois temps.
- Je trouve de l'aide dans le tableau *Communication.*

### La phonétique

- Je prononce en contexte.
- Je reproduis les sons avec un virelangue.

## 4 JE RETROUVE L'ESSENTIEL

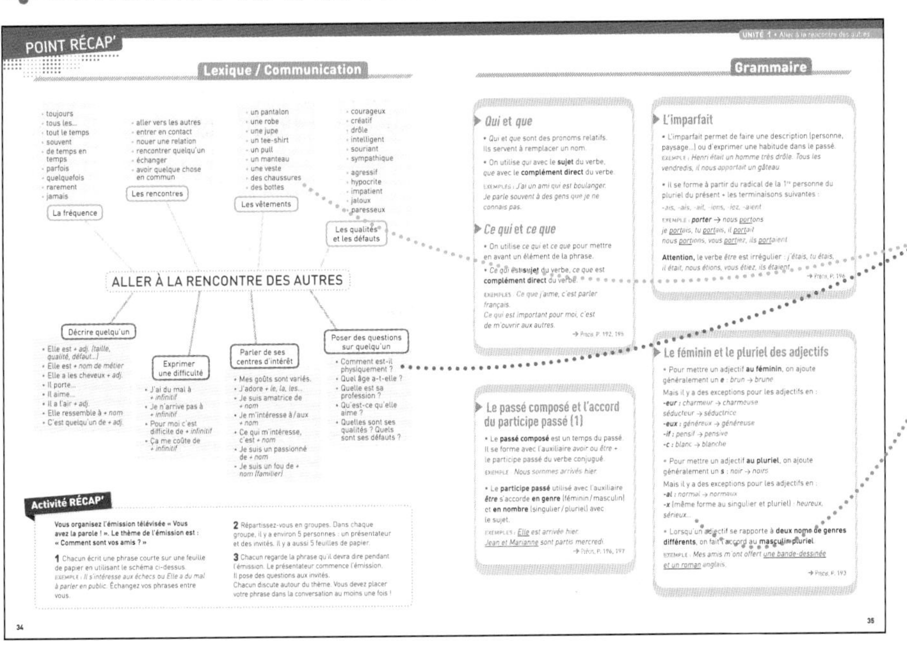
POINT RÉCAP'

Lexique / Communication

ALLER À LA RENCONTRE DES AUTRES

Grammaire

Qui et que

Ce qui et ce que

L'imparfait

Le passé composé et l'accord du participe passé (1)

Le féminin et le pluriel des adjectifs

Activité RÉCAP'

**Une double page récapitulative**

**Un schéma synthétique du lexique et de la communication.**

### Le lexique

Je réemploie le lexique et les actes de parole dans un autre contexte.

### La grammaire

Je consulte la référence.

## Les +

- Une unité 0 avec vidéo.
- ***SE COMPRENDRE*** : toute l'actualité culturelle francophone.
- Une préparation au DELF à chaque unité.
- Une épreuve blanche en unité **6**.

# Un avant-goût de *Saison*...

***Saison*** est une méthode de français sur quatre niveaux qui s'adresse à des apprenants adultes ou grands adolescents. Ce deuxième niveau couvre la fin du niveau A2 (unités 0 à 6) et le début du niveau B1 (unités 7 à 9), soit 100 à 120 heures d'enseignement.

***Saison*** s'appuie bien sûr sur les principes pédagogiques décrits par le CECRL, référent de l'enseignement / apprentissage des langues et s'inscrit dans la lignée des approches communicative et actionnelle.
***Saison*** s'appuie aussi sur le savoir-faire d'une équipe d'auteurs ayant une **pratique d'enseignement dynamique et stimulante**. Il s'agit de faire en sorte que la classe de français soit animée et vivante : lancement de chaque unité par une **vidéo**, diversité des activités à l'oral comme à l'écrit sur des thématiques actuelles et engageantes, variété des formes de travail, jeux pour développer son lexique, projets à mener seul ou à plusieurs... Dès le début de ce manuel, l'unité 0 *La langue française en action* sollicite de façon originale les apprenants pour rafraîchir leurs connaissances de la langue française !
La méthode est dotée d'une structure très rigoureuse, **progressant par étapes clairement identifiées** (voir la présentation p. 2-3) qui aidera chaque enseignant à conduire son cours et chaque apprenant à se construire des repères simples et efficaces.
Parmi les singularités de la méthode, citons la très belle place accordée au **lexique** (dans le manuel *via* des schémas facilitant sa mémorisation et dans le cahier, mais aussi *via* les activités TNI pour la classe et l'appli *Dico*), à la **phonétique** travaillée régulièrement et en contexte, et à la **grammaire** (approche équilibrée entre découverte en contexte et solide systématisation, dans le manuel et le cahier).

Enfin, pour vérifier les acquisitions, trois types d'**évaluation** sont proposés :
- une préparation régulière au DELF (4 compétences) dans le manuel, validant le niveau A2 pour ce niveau 2 ;
- des bilans après chaque unité dans le cahier d'activités ;
- des tests sommatifs dans le guide pédagogique.

Ces quelques lignes ne sont que l'avant-goût d'une méthode riche et stimulante par ses contenus et ses supports.
Rendez-vous sur le site Didier pour découvrir compléments d'information, extraits, ressources complémentaires, interviews d'auteurs...

**Très belle découverte !**

# Tableau des contenus

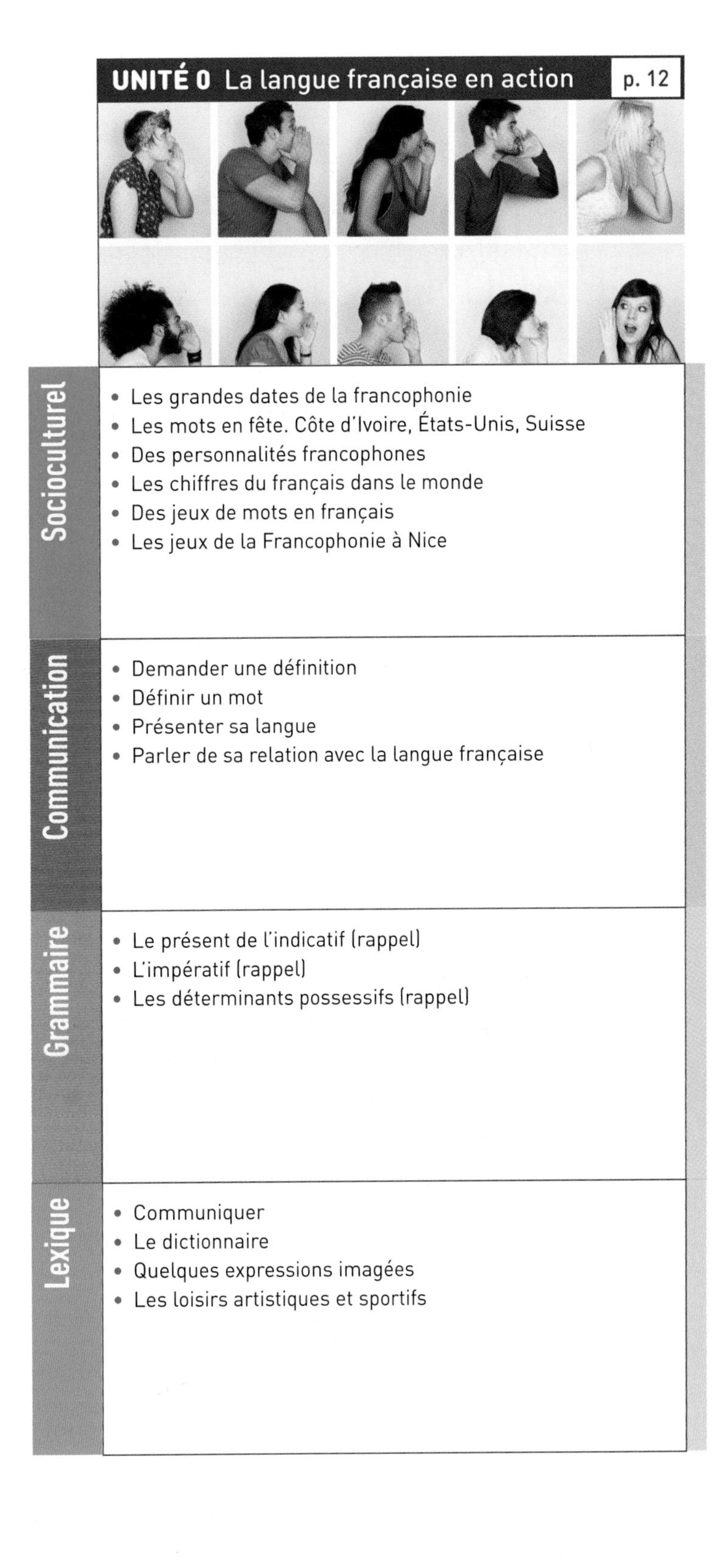

## UNITÉ 0 La langue française en action

p. 12

| | |
|---|---|
| Socioculturel | • Les grandes dates de la francophonie<br>• Les mots en fête. Côte d'Ivoire, États-Unis, Suisse<br>• Des personnalités francophones<br>• Les chiffres du français dans le monde<br>• Des jeux de mots en français<br>• Les jeux de la Francophonie à Nice |
| Communication | • Demander une définition<br>• Définir un mot<br>• Présenter sa langue<br>• Parler de sa relation avec la langue française |
| Grammaire | • Le présent de l'indicatif (rappel)<br>• L'impératif (rappel)<br>• Les déterminants possessifs (rappel) |
| Lexique | • Communiquer<br>• Le dictionnaire<br>• Quelques expressions imagées<br>• Les loisirs artistiques et sportifs |

# Module 1

## MULTIPLIER SES CONTACTS

**UNITÉ 1** Aller à la rencontre des autres p. 22

| | |
|---|---|
| **Socioculturel** | • Les voisins<br>• Le site *contactsfrancophones.com*<br>• Les centres d'intérêt<br>• Les émotifs anonymes |
| **Communication** | • Parler de ses centres d'intérêt<br>• Décrire quelqu'un<br>• Écrire un message pour proposer une sortie<br>• Exprimer une difficulté<br>• Poser des questions sur quelqu'un<br>• Écrire un poème |
| **Grammaire** | • Le passé composé et l'accord du participe passé (1)<br>• Les pronoms relatifs *qui* et *que*<br>• *Ce qui* et *ce que*<br>• Le féminin et le pluriel des adjectifs<br>• L'imparfait<br>• Le verbe *boire* |
| **Lexique** | • La fréquence<br>• Les rencontres<br>• Les vêtements<br>• Les qualités et les défauts<br>• **Activité Récap** : Organiser l'émission télévisée *Vous avez la parole !* |
| **Phonétique** | • La liaison (1)<br>• Les consonnes finales |

▶ **Actu culture** Talents littéraires • Pierre Lemaitre, prix Goncourt • La Foire du livre de Brive • *Au pied de la lettre.*

▶ **Atelier 2.0** **Organiser un café-rencontre**

▶ **Préparation au DELF** A2

## UNITÉ 2 Enrichir son réseau p. 40

- La création d'un réseau social
- Activer son réseau
- Des conseils de Pôle emploi
- Changer de métier grâce à ses contacts
- Des témoignages de professionnels : un chargé de relations internationales à Lille, un traducteur
- Le forum des métiers insolites à Paris

- Présenter ses études
- Échanger sur un parcours
- Donner des conseils
- Demander des conseils
- Écrire une lettre de présentation

- Les pronoms directs
- L'impératif avec les pronoms directs
- Le passé composé et l'imparfait (emplois)
- Le conseil
- Les indicateurs de temps
- Le verbe *mettre* et ses composés

- Les réseaux
- Les études
- Les compétences
- Le travail
- **Activité récap** : Convaincre une connaissance d'université de rejoindre le réseau des anciens étudiants

- Le *e* muet
- L'enchaînement vocalique (1)

▶ Actu culture Le travail à la française... • Les Français et leurs motivations • À savoir et à éviter • *Être assis entre deux chaises.*

▶ Atelier 2.0 **Créer le réseau de la classe**

▶ **Préparation au DELF** A2

## UNITÉ 3 Vivre l'information p. 58

- L'« infomaton » à Namur, Belgique
- Le site *lemurdelapresse.com*
- Un jour de tweets à Paris
- Un crieur public à Mayenne
- « La voix des peuples d'Afrique », émission de radio

- Écrire des tweets
- Rapporter des paroles
- Exprimer son point de vue
- Demander l'avis de quelqu'un
- Exprimer sa surprise
- Raconter une rumeur
- Écrire un tweet littéraire

- La question inversée
- La nominalisation
- Les pronoms indirects
- Le discours direct et indirect
- Le verbe *suivre*

- L'actualité
- La presse sur internet
- Les nouveaux médias
- **Activité Récap** : Organiser une conférence sur les nouveaux médias

- Les sons [u] – [o] – [ɔ]
- Les sons [y] et [ɥ]

▶ Actu culture L'information, de nombreux acteurs • Arte • Le Prix du journalisme des radios francophones publiques • *Donner sa langue au chat.*

▶ Atelier 2.0 **Faire une mini-revue de presse**

▶ **Préparation au DELF** A2

# Module 2

## ÉVOLUER DANS UN ENVIRONNEMENT

**UNITÉ 4** Interroger le passé p. 76

ALÉSIA

| | |
|---|---|
| **Socioculturel** | • *La Nostalgie heureuse*, d'Amélie Nothomb<br>• La mode rétro<br>• Le logement intergénérationnel<br>• Acheter vintage<br>• L'immigration en France<br>• Extrait d'un roman de Jean-Louis Fournier |
| **Communication** | • Décrire un objet<br>• Écrire une petite annonce pour vendre un objet<br>• Parler de ses origines<br>• Se renseigner par téléphone<br>• Écrire un souvenir d'enfance |
| **Grammaire** | • Le comparatif et le superlatif<br>• Le plus-que-parfait et les temps du passé<br>• L'accord du participé passé (2)<br>• Les pronoms démonstratifs et interrogatifs<br>• Les verbes *vivre* et *valoir* |
| **Lexique** | • Les souvenirs<br>• La mode du passé<br>• La famille et les relations<br>• **Activité Récap** : Organiser une émission télévisée sur la vie secrète de... |
| **Phonétique** | • Les sons [y] – [ø] – [œ]<br>• Les sons [i] – [e] – [ε] |

▶ **Actu culture** Passé et avenir de l'écrit • Les lettres • La Poste • *Découvrir le pot-aux-roses.*

▶ **Atelier 2.0** **Créer une capsule temporelle**

▶ **Préparation au DELF** A2

## UNITÉ 5 Explorer l'inconnu

- Des Français à l'étranger
- Les démarches administratives pour partir
- Le site *routard.com*
- Les Français vus d'ailleurs
- Des normes culturelles
- Des règles de savoir-vivre
- Le repas sénégalais

- Parler de clichés
- Exprimer une norme sociale
- Exprimer un intérêt
- Exprimer l'indifférence
- Exprimer son ignorance
- Rassurer quelqu'un
- Écrire un questionnaire

- Les pronoms relatifs *où* et *dont*
- Le gérondif
- Les pronoms *en* et *y*
- Le subjonctif
- L'obligation
- Le verbe *accueillir*

- Les voyages
- Les démarches administratives
- Les stéréotypes
- **Activité Récap** : Organiser une « foire aux pays »

- Les sons [ɑ̃] et [ɔ̃]
- Les sons [i] et [j]

▶ Actu culture Savoir-vivre, une question de culture et de codes... • Bonnes et mauvaises manières • Bien se tenir à table • *Mettre les pieds dans le plat* et *Mettre son grain de sel..*

▶ Atelier 2.0 **Créer un jeu de société**

▶ **Préparation au DELF** A2

## UNITÉ 6 Goûter l'insolite

- Le festival « cuisine et cinéma » à Vaux-sur-Seine
- L'exposition *À voir et à manger*
- Un festival gastronomique et musical en Saône-et-Loire
- La cuisine de demain
- Des insectes dans nos assiettes
- Le musée de l'alimentation en Suisse
- *Les chuchoteuses* de Montréal

- S'informer sur une exposition
- Décrire une tendance
- Parler d'une sortie
- Faire une proposition
- Réagir à une proposition
- Exprimer ses sentiments
- Écrire un commentaire sur un forum

- La place des adjectifs
- La restriction
- Le subjonctif et les sentiments
- Le futur simple et le futur proche
- Le verbe *craindre*

- Les sorties
- La programmation
- La nourriture
- Les insectes
- **Activité Récap** : Organiser une mini-conférence sur la cuisine de demain

- La liaison et l'enchaînement vocalique (2)
- Le son [ʀ]

▶ Actu culture À table ! • Montréal à table (MTL) • Le bistrot sauce nippone • *Avoir les yeux plus gros que le ventre* (France) et *Faire patate* (Québec).

▶ Atelier 2.0 **Créer un menu artistique**

▶ **Épreuve blanche DELF** A2

# Module 3

## CHANGER LE MONDE

### UNITÉ 7 Consommer autrement

p. 134

| | |
|---|---|
| **Socioculturel** | • *Indignez-vous !* de Stéphane Hessel<br>• La consommation collaborative des Français<br>• Un exemple de commerce participatif<br>• Vivre sans argent<br>• L'accorderie de Belleville à Paris<br>• Une autre monnaie à Toulouse |
| **Communication** | • Expliquer un choix<br>• Formuler des hypothèses<br>• Exprimer sa colère<br>• Exprimer une intention<br>• Exprimer sa désapprobation<br>• Exposer des principes<br>• Réclamer<br>• Écrire un manifeste |
| **Grammaire** | • La cause<br>• La conséquence<br>• Les déterminants indéfinis<br>• L'hypothèse au présent<br>• Les adverbes en *-ment*<br>• Le verbe *produire* |
| **Lexique** | • La crise économique<br>• Les statistiques<br>• Le commerce participatif<br>• L'argent et la banque<br>• **Activité Récap** : Animer une émission de débat à la radio |
| **Phonétique** | • L'enchaînement consonantique<br>• Les sons [ɛ̃] et [ɑ̃] |

▶ **Actu culture** Question de génération… • La génération Y • *Slow food* • *Ne pas être né de la dernière pluie* (France) et *Avoir déjà vu neiger* (Québec).

▶ **Atelier 2.0** **Proposer un projet de financement collaboratif**

▶ **Préparation au DELF** B1

## UNITÉ 8 S'engager pour une cause p. 152

- Un millionnaire dans les Alpes maritimes
- Euforia, une organisation pour les jeunes à Genève
- Marie-José Pérec, au marathon de New York
- L'association Les Blouses Roses en Bretagne
- Les banques alimentaires
- L'illettrisme en France

- Exprimer le but
- Écrire une brève pour raconter un événement
- Exprimer des souhaits ou un espoir
- Exprimer des degrés de certitude
- Encourager
- Exprimer un engagement
- Écrire une lettre officielle
- Écrire une lettre à un mécène

- L'hypothèse à l'imparfait
- Le but
- Le passif
- Les doubles pronoms
- Le verbe *vaincre*

- Les problèmes sociaux
- L'engagement
- Le sport
- La santé
- **Activité Récap** : Organiser une rencontre pour fêter les 15 ans d'une association

- Les sons [u] et [w]
- Voyelles orales et voyelles nasales

▶ **Actu culture** S'engager aujourd'hui pour transformer demain • Les auteurs engagés • Du côté des jeunes • *Remuer ciel et terre.*

▶ **Atelier 2.0** **Réaliser une vidéo au profit d'une cause**

▶ **Préparation au DELF** B1

## UNITÉ 9 Repenser le quotidien p. 170

- Les logements étudiants à la ferme
- Les rurbains
- Oakoak, un artiste de rue
- Un quartier éphémère à Marseille
- Le festival du mot et du son nouveau

- Raconter une expérience artistique
- Décrire un changement
- Expliquer un mot
- Exprimer son désaccord
- Prendre et garder la parole
- Écrire un texte pour présenter une opinion

- L'opposition et la concession
- *Avant* et *après*
- Le subjonctif et l'infinitif : synthèse
- La mise en relief avec l'apposition
- Les verbes *conclure* et *résoudre*

- Le logement
- La ville et la campagne
- Les profils sociologiques
- L'urbanisme
- L'art
- **Activité Récap** : Organiser une consultation des habitants de votre ville

- Le jeu des sons

▶ **Actu culture** L'art au coin de la rue... • Parcours Saint-Germain 2013 • Festival International du Film Francophone de Namur • *Ça ne court pas les rues.*

▶ **Atelier 2.0** **Réaliser une exposition sur des expressions françaises**

▶ **Préparation au DELF** B1

# Unité 0

# La langue française en action

## Ouverture sur le monde
- Demander et donner une définition
- Présenter sa langue

## Le français et moi
- Lire un graphique
- Expliquer son rapport au français

## Jeux de mots, jeux de langue
- Découvrir des expressions imagées
- Le dictionnaire

## Des talents francophones !
- Les loisirs
- Faire connaître ses talents

# Ouverture sur le monde

## 1. Arrêt sur image

**Regardez la vidéo.**

**a.** Quels noms de pays apparaissent dans la vidéo ?

**b.** Combien de personnes lisent ou parlent le français dans le monde ?

**c.** Combien d'États ont le français comme langue officielle ?

**d.** Dans la vidéo, on dit que la langue française est « la langue des arts ». Et de quoi d'autre ?

## 2. Avec ou sans majuscule ?

**Écoutez le document.** 1

**a.** Que fait la personne ?
☐ Elle donne une définition.
☐ Elle raconte une histoire.
☐ Elle présente le journal.

**b.** Le mot « francophonie » a deux sens.
Qu'est-ce qui fait changer le sens ?
☐ la prononciation du mot
☐ la majuscule du mot

**c.** Quelle est l'origine de ce mot ?

**d.** Cochez les deux définitions du mot.
☐ les personnes qui ont le français comme langue maternelle
☐ les personnes qui parlent français
☐ les livres et les journaux publiés en français
☐ les gouvernements ou institutions qui utilisent le français dans leurs échanges
Dans quel cas met-on une majuscule ?

**Communication**

**Demander une définition**
- Qu'est-ce que ça signifie ?
- Que veut dire... ?
- Ça veut dire quoi, ... ?

**Donner une définition**
- ..., ça veut dire...
- La francophonie, c'est...
- ..., c'est quand...
- ..., c'est pour...

## 3. Un peu d'histoire...

**1880** Le géographe français Onésime Reclus invente le mot « francophonie ».

**années 1960** Sédar Senghor et d'autres personnalités proposent de regrouper des pays qui partagent la langue et la culture française.

**1970** Création de l'Agence de coopération culturelle et technique, ancêtre de l'Organisation internationale de la Francophonie (OIF), renommée en 2005.

**1986** Premier sommet de la Francophonie à Paris.

**2010** Pour la 3e fois, Abdou Diouf est élu Secrétaire général de l'OIF.

**Observez cette frise chronologique.**

**a.** Que raconte-t-elle ?

**b.** Qui a inventé le mot « francophonie » ? Quand ?

**c.** Que signifie « OIF » ? Quand cet organisme a-t-il pris son nom actuel ?

**d.** Votre pays fait-il partie de l'OIF ? ou d'une organisation semblable ?

## 4. Ma langue et moi

**Présentez votre langue.** 

**a.** Combien de personnes parlent votre langue ? Dans quels pays ?

**b.** Dans la vidéo, on dit que le français est la langue de l'art, de la culture, des affaires... À votre tour, associez votre langue à des mots clés.

EXEMPLE : *Pour moi, l'espagnol c'est le flamenco, Cervantès...*
*Moi, j'associe l'arabe à...*

### Rappel

**Le présent de l'indicatif**

• On utilise beaucoup le présent à l'oral.
Pour les verbes en *-er* (1er groupe), les terminaisons sont : *-e,-es, -e, -ons, -ez, -ent.*
EXEMPLE : *chanter → je chante...*

• Pour les verbes du 2e *(-ir)* et du 3e groupe, le radical change. Les terminaisons sont : *-s,-s, -t* ou *-d, -ons, -ez, -ent.*
EXEMPLE : *finir → je finis, nous finissons...*
*boire → je bois, nous buvons...*

### Point culturel

Abdou Diouf a d'abord été directeur de cabinet du président sénégalais Léopold Sédar Senghor. En 1981, il devient **président de la République du Sénégal**. Il assure cette fonction jusqu'en 2000. En 2002, il est élu Secrétaire général de la Francophonie. Aujourd'hui encore, il est à la tête de l'**Organisation internationale de la Francophonie** (OIF). Abdou Diouf a toujours cherché à faire entendre la voix du Sénégal et à **rapprocher les peuples**.

# Le français et moi

*Des jeunes de plus de cinquante pays ont participé au concours des « mots en fête ». Le jury a sélectionné 30 participants et leur a posé la question : « Pourquoi aimez-vous la langue française ? » Voici leurs réponses.*

« **Pierre OUYABE, 10 ans**
Avec la langue française, je peux communiquer avec d'autres enfants. Elle est belle à écouter et à parler. J'aime ses sonorités. »

« **Anthony JOHNS, 9 ans**
Chez moi, on parle en français et en anglais mais moi, je préfère lire en français. En Louisiane, il y a beaucoup de gens qui parlent les deux langues. »

« **Élodie GOURD, 11 ans**
Souvent, je m'invente des histoires avec les mots français. Je trouve qu'ils racontent beaucoup de choses. Dans le

mot « bateau », on a le mot « eau », alors, on imagine facilement un bateau qui avance sur l'eau. »

## 1. Les mots en fête

**Lisez le document.**

**a.** Qu'est-ce que c'est ?
☐ des témoignages ☐ des nouvelles ☐ des définitions

**b.** Pourquoi ces jeunes ont-ils écrit ces textes ?

**c.** Associez chaque idée à une ou plusieurs personnes.

La langue française est belle. •
Je m'amuse à imaginer avec la langue française. •
Cette langue invite à de nouvelles rencontres. •
J'aime lire en français. •

• Pierre
• Anthony
• Élodie

**Communication**

**Communiquer**
- un mot
- une phrase
- parler, dire
- écouter
- comprendre
- demander
- expliquer

## 2. Des projets en français

**Écoutez le document.** 

**a.** Qu'est-ce que c'est ?

**b.** Cochez la bonne réponse. Ces personnes...
☐ sont françaises.
☐ apprennent le français.
☐ vont apprendre le français.

**Réécoutez le document.** 

**c.** Quelle est la nationalité de chaque personne ?
Sok Dara : ..........................................
Oxana Tornea : ..........................................
Rodrigo : ..........................................

**d.** Quels sont leurs projets ?

# 3. Vous apprenez le français ?

Observez ce document.

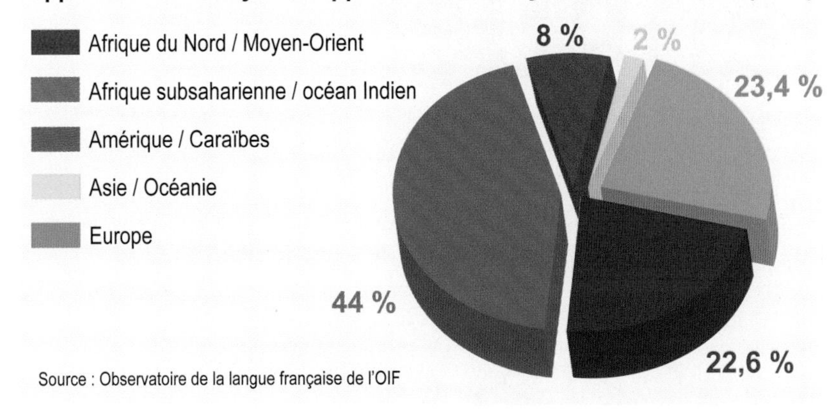


**a.** Qu'est-ce que c'est ?

☐ une illustration
☐ un graphique
☐ un tableau

**b.** Que représentent les différentes couleurs ?

**c.** Vrai ou faux ? Cochez les bonnes réponses.

| | | |
|---|---|---|
| En Asie, il y a beaucoup d'apprenants. | ☐ Vrai | ☐ Faux |
| L'Europe est la deuxième région du monde en nombre d'apprenants. | ☐ Vrai | ☐ Faux |
| L'Afrique subsaharienne et l'océan Indien regroupent la moitié des apprenants. | ☐ Vrai | ☐ Faux |
| La région Afrique du Nord / Moyen-Orient a moins d'apprenants que la région Amérique / Caraïbes. | ☐ Vrai | ☐ Faux |

# 4. Une belle histoire

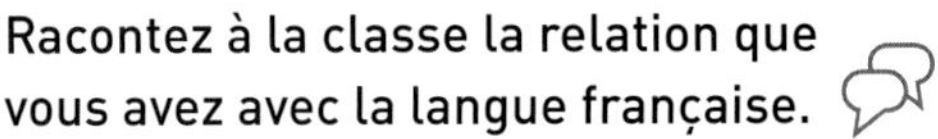

**Racontez à la classe la relation que vous avez avec la langue française.**

**a.** Depuis quand est-ce que vous apprenez le français ?
**b.** Qu'est-ce que vous aimez dans la langue française ?
**c.** Quels sont vos projets avec cette langue ?

## Point culturel

**Qui sont les écrivains francophones connus ?**

**1.** Je suis italien, mais j'ai écrit mes Mémoires en français.
☐ Marco Polo ☐ Casanova ☐ Umberto Eco

**2.** Parmi ces écrivains de langue anglaise, lequel a écrit en français ?
☐ Virginia Woolf ☐ Samuel Beckett ☐ J.K. Rowling

**3.** Milan Kundera est un écrivain français d'origine...
☐ allemande ☐ polonaise ☐ tchécoslovaque

**Réponses : 1.** Casanova, entre 1789 et 1798. **2.** Samuel Beckett a par exemple écrit *En attendant Godot*. **3.** Milan Kundera est d'origine tchécoslovaque.

# Jeux de mots, jeux de langue

## 1. Le français en images

**Regardez les illustrations.**

**a.** Sur chaque image, que fait l'homme ?

**b.** Retrouvez l'expression qui correspond à chaque image.
*avoir la frite – avoir la tête dans les nuages – avoir le coup de foudre*

**c.** Retrouvez le sens figuré de ces expressions.

| | | |
|---|---|---|
| avoir la tête dans les nuages : | ☐ voyager | ☐ rêver |
| avoir le coup de foudre : | ☐ tomber amoureux | ☐ tomber malade |
| avoir la frite : | ☐ avoir faim | ☐ être en forme |

Vérifiez vos réponses dans le dictionnaire.

**Mots et expressions**

**Le dictionnaire**
- *n.f.* = nom féminin
- *n.m.* = nom masculin
- *adj.* = adjectif
- *inv.* = invariable
- sens propre = sens premier d'un mot ou expression
  → *une clé pour ouvrir la porte*
- sens figuré = sens imagé d'une expression
  → *une clé = une solution*

..............................................

..............................................

**C'est à vous !** 

Formez des groupes. Pensez à une expression dans votre langue puis expliquez-la ou dessinez-la. Les autres personnes du groupe essaient de deviner son sens.

## 2. Un jour, une expression

**Écoutez le document.** 

**a.** De quoi s'agit-il ?

**b.** Combien d'expressions sont expliquées ?

**c.** Réécoutez l'émission et complétez le tableau.

| | Origine | Synonyme |
|---|---|---|
| « Parler à travers son chapeau » | *Québec* | ... |
| « Être bleu de quelqu'un » | ... | ... |
| « Palabrer » | ... | ... |

## 3. Dis-moi dix mots !

**Observez ce document.**

**a.** Qu'est-ce que c'est ?
☐ une carte ☐ une affiche ☐ un dessin

**b.** Décrivez le document.
Donnez le titre, la date, le lien Internet.
Nommez les couleurs, et dites quels dessins vous voyez.

**c.** D'après vous, que propose l'affiche ?
☐ un voyage dans un pays francophone
☐ une soirée musicale
☐ un concours de la langue française.

**d.** Retrouvez les deux verbes à l'impératif.

**C'est à vous !** 
Avez-vous déjà participé à cette opération ?
Quelle production avez-vous proposée ?

**Rappel**

**L'impératif**

- L'impératif sert à **inviter à faire quelque chose.** Il permet aussi de donner des ordres, des instructions ou conseiller.
- Il se forme comme le présent. Mais il n'y a que **trois personnes** : la 2e personne du singulier, la 1e et la 2e du pluriel.

Attention, à l'impératif, il n'y a **pas de pronom personnel.**

EXEMPLE : *Sors ! Sortons ! Sortez !*

## 4. Mes dix mots préférés 

**a.** Formez des groupes de 4. Pensez à dix mots français que vous aimez et écrivez-les sur une feuille.

**b.** Montrez vos mots aux autres personnes du groupe. Chacun entoure un mot de son choix sur chaque feuille.

**c.** Reprenez votre feuille et expliquez votre relation avec les trois mots entourés.

### Point culturel

Les mots et les expressions ont une histoire. Pour savoir d'où ils viennent et ce qu'ils racontent, il est intéressant de chercher leur étymologie, c'est-à-dire leur origine.
Le mot « **assiette** », par exemple, vient du mot latin « **assedita** », la manière d'être assis pour un cavalier. Puis, quand on a commencé à manger assis, on a appelé « assiette » le plat qui se trouvait devant nous !

# Des talents francophones !

## 1. Les jeux de la Francophonie

**Observez l'affiche.**

**a.** C'est quoi ? C'est où ? C'est quand ?
**b.** À votre avis, qui peut participer aux jeux de la Francophonie ?
**c.** Quelles activités pratiquent les gens sur l'affiche ?
**d.** Est-ce que ces jeux sont proches des jeux Olympiques ?
Avez-vous déjà participé à ce type d'événement ? Est-ce que vous aimeriez le faire ?

### Point culturel

Pendant les jeux de la Francophonie à Nice, plus de 3 000 jeunes entre 18 et 35 ans ont participé à une dizaine de compétitions culturelles du 7 au 15 septembre.
La **création numérique** faisait partie des nouvelles disciplines inscrites au programme des concours culturels de cette année 2013.

## 2. Tu vas t'inscrire ?

**Écoutez le document.**  4

**a.** C'est quand ? C'est où ?
**b.** Qui sont les deux personnes ?
**c.** De quoi parlent-elles ?

**Réécoutez.** 4

**a.** Associez chaque discipline à une phrase.

| | |
|---|---|
| le basket-ball • | • Je suis nul ! |
| le judo • | • Tu es arrivé troisième. |
| le hip-hop • | • Tu sais super bien danser. |
| le handisport • | • Il faut que je m'entraîne. |

**b.** Pourquoi sont-ils tous les deux jaloux ?

**c.** Finalement, que vont-ils faire ?

### Mots et expressions

**Les loisirs...**

**... artistiques**
- la peinture, la sculpture
- la chanson
- la danse
- la lecture
- la photographie
- la jonglerie

.......................................

**... sportifs**
- l'athlétisme
- le football
- le judo
- le tennis
- la natation

.......................................

## 3. Jouons !

**Attribuez à chaque photo le nom de l'activité.**

- Je suis un sport qui regroupe plusieurs disciplines : le lancer, le saut, la course.
- Je suis un art de la rue qui consiste à lancer, rattraper et relancer des objets en l'air.
- Je suis un art visuel qui utilise des pinceaux et des couleurs.
- Je suis un sport qui utilise une raquette et une balle jaune.
- Je suis une discipline artistique. Avec de la musique, j'invite à mettre le corps en mouvement.

**Et vous...** 

**a.** Aimeriez-vous être spectateur d'une ou plusieurs de ces activités ? Expliquez.

**b.** Pourriez-vous vous inscrire à ces jeux ? Dans quelle discipline avez-vous du talent* ?

* Avoir du talent, c'est avoir des capacités, être fort dans un sport, un art, une discipline.

**Rappel**

**Les déterminants possessifs**

Ils indiquent l'idée d'appartenance ou de possession ou bien une relation.

| | | |
|---|---|---|
| mon<br>ma<br>mes | ton<br>ta<br>tes | son<br>sa<br>ses |
| notre<br>nos | votre<br>vos | leur<br>leurs |

EXEMPLE : *Quels sont tes talents ?*

dans les jardins et l'auditorium de l'INSTITUT FRANÇAIS LAOS
(à partir de 16 heures)

## 4. Fêtons nos talents

**Vous proposez une fête des talents dans votre école de langue.**

**a.** Décidez du jour, du lieu et des horaires.

**b.** Chacun écrit ses talents sur un papier. Formez des groupes avec les personnes qui ont les mêmes talents que vous.

**c.** Ensemble, proposez des activités, défis et jeux liés à vos talents.

**d.** Puis, échangez avec la classe pour proposer un programme.

**e.** Créez l'affiche et publiez-la !

# Unité 1

# Aller à la rencontre des autres

## S'INFORMER

### DÉCOUVRIR
- Des manières de faire connaissance
- Les contacts par Internet

### RÉAGIR
- Décrire quelqu'un
- Proposer une sortie

## S'EXPRIMER

### ATELIERS D'EXPRESSION ORALE
- Exprimer une difficulté
- Poser des questions sur quelqu'un

### ATELIER D'ÉCRITURE
- Écrire un poème

### L'ATELIER 2.0
▶ Organiser un café-rencontre

## S'ÉVALUER

- DELF A2

**On en parle ?**

Qui sont ces gens ?
Que font-ils ?
Pour vous, est-ce que c'est habituel ?

DÉCOUVRIR

# On se rencontre ?

## Petites annonces en vidéo 2

**1 Qu'est-ce que vous voyez ?**

Qui sont les trois personnes ?
Pourquoi est-ce qu'elles se rencontrent ?
Qu'est-ce qui est amusant ?

**LE + INFO**

« Leboncoin.fr » est un site français de petites annonces. En 2012, il est devenu le 2e site le plus populaire en France pour le temps passé dessus (2 h 15 en moyenne par mois). *(Mediamétrie, 2012)*

## Qui êtes-vous ?

**2 Écoutez les dialogues.** 5

Où se passent les rencontres ?
Associez chaque photo à un dialogue.

**3 Réécoutez les dialogues.** 5

**a.** Retrouvez le dialogue qui correspond à chaque situation.
Une personne veut donner quelque chose à quelqu'un.
Une personne cherche le code d'entrée.
Une personne veut connaître des horaires.

**b.** Qui a rencontré l'ancienne boulangère ? la factrice ? le nouveau voisin ?

**c.** Tendez l'oreille. Dites si vous entendez la liaison entre les groupes de mots. 6

**Stratégie**

Quand j'écoute deux personnes parler entre elles, je repère l'utilisation de *tu* ou *vous*. Cela me donne des informations sur leur relation.

**4 Écoutez une dernière fois. Vrai ou faux ? Justifiez.** 

**a.** Monsieur Ferrand connaît M. Breton. ☐ Vrai ☐ Faux
**b.** Les enfants de Catherine vont souvent au cours de natation. ☐ Vrai ☐ Faux
**c.** Mme Chauvel reçoit peu de visite. ☐ Vrai ☐ Faux

**Mots et expressions**

**La fréquence**
- tous les samedis
- souvent
- rarement
- jamais
- ......................................
- ......................................

**5 Observez ces phrases.**

*Je ne vous ai jamais vu.* *J'ai tout vendu.* *Nous sommes arrivés hier.*

**a.** Soulignez les verbes. Ils sont composés de deux éléments. Lesquels ?
**b.** Au passé composé, est-ce qu'on utilise plus *avoir* ou *être* ?
On utilise *être* avec quels verbes ?
**c.** À votre avis, pourquoi écrit-on « arriv**és** » ?

▶ Le passé composé et l'accord du participe passé (1) → Vérifiez et exercez-vous : 1-2 p. 29

# Vous parlez français ?

### 6 Observez le document.

**a.** « Contactsfrancophones.com » est un site pour :

☐ multiplier ses contacts ☐ apprendre le français ☐ voyager avec d'autres

**b.** Est-ce qu'il faut s'inscrire ?

### 7 Lisez le document. Vrai ou faux ? Justifiez.

| | | |
|---|---|---|
| **a.** C'est un site de rencontres amoureuses. | ☐ Vrai | ☐ Faux |
| **b.** Il faut être Français pour s'inscrire. | ☐ Vrai | ☐ Faux |
| **c.** Il faut parler français pour comprendre ce qui est proposé sur ce site. | ☐ Vrai | ☐ Faux |
| **d.** On peut nouer des relations de travail ou d'amitié. | ☐ Vrai | ☐ Faux |

### 8 Répondez aux questions.

**1. Observez ces phrases.**

*Contactsfrancophones.com : le site que les francophones recommandent.*
*Rencontrez des hommes et des femmes qui parlent le français.*

**a.** Est-ce qu'on peut remplacer la première phrase par :
« Contactsfrancophones est un site. Les francophones recommandent ce site » ?

**b.** À quoi servent *qui* et *que* ? Lequel est sujet ? Lequel est complément ?

**2. Observez ces phrases.**

*Ce qu'ils ont en commun ? La langue française.*
*Ce qui les intéresse ? Les rencontres.*

**a.** Est-ce qu'on peut remplacer la première phrase par :
« Ils ont la langue française en commun » ?
Quelle phrase pourrait remplacer la deuxième ?

**b.** *Ce qui / ce que* : lequel est sujet, lequel est complément ?

**c.** Pourquoi mettre *ce qui* ou *ce que* en début de phrase ?

▶ *Qui / que* et *ce qui / ce que* → Vérifiez et exercez-vous : 3-4 p. 29

**Mots et expressions**

**Les rencontres**

- entrer en contact
- nouer une relation
- rencontrer quelqu'un
- avoir quelque chose en commun
- ........................................
- ........................................

## Parlez de l'info !

### 9 Quelles sont les différentes façons d'aller vers les autres ?

### 10 Et vous, comment faites-vous de nouvelles rencontres ?

# On sort ?

## Je suis... je cherche...

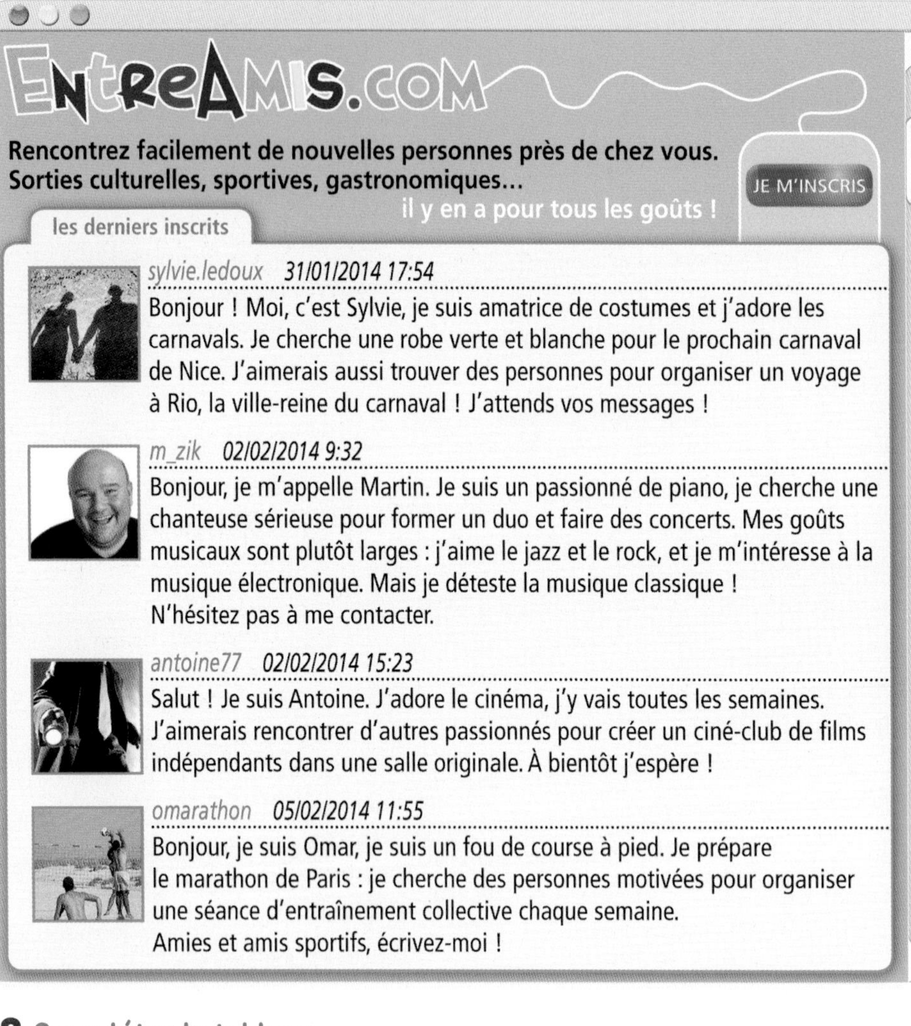

ENTREAMIS.COM

**Rencontrez facilement de nouvelles personnes près de chez vous.**
**Sorties culturelles, sportives, gastronomiques...**
il y en a pour tous les goûts !

JE M'INSCRIS

les derniers inscrits

*sylvie.ledoux* *31/01/2014 17:54*
Bonjour ! Moi, c'est Sylvie, je suis amatrice de costumes et j'adore les carnavals. Je cherche une robe verte et blanche pour le prochain carnaval de Nice. J'aimerais aussi trouver des personnes pour organiser un voyage à Rio, la ville-reine du carnaval ! J'attends vos messages !

*m_zik* *02/02/2014 9:32*
Bonjour, je m'appelle Martin. Je suis un passionné de piano, je cherche une chanteuse sérieuse pour former un duo et faire des concerts. Mes goûts musicaux sont plutôt larges : j'aime le jazz et le rock, et je m'intéresse à la musique électronique. Mais je déteste la musique classique !
N'hésitez pas à me contacter.

*antoine77* *02/02/2014 15:23*
Salut ! Je suis Antoine. J'adore le cinéma, j'y vais toutes les semaines. J'aimerais rencontrer d'autres passionnés pour créer un ciné-club de films indépendants dans une salle originale. À bientôt j'espère !

*omarathon* *05/02/2014 11:55*
Bonjour, je suis Omar, je suis un fou de course à pied. Je prépare le marathon de Paris : je cherche des personnes motivées pour organiser une séance d'entraînement collective chaque semaine.
Amies et amis sportifs, écrivez-moi !

### 1 Observez le document.

**a.** À quoi sert ce site ?
**b.** Qui peut-on rencontrer ?
**c.** Quelles sorties sont proposées ?

**Communication**

**Parler de ses centres d'intérêt**

- J'adore la cuisine.
- Je m'intéresse aux échecs.
- Je suis amateur de photographie.
- Je suis un passionné de piano.

### 2 Complétez le tableau.

| | Centres d'intérêts | Ce qu'il / elle cherche |
|---|---|---|
| Sylvie | *amatrice de costumes, s'intéresse aux carnavals* | *une robe ...* |
| Martin | ... | ... |
| Antoine | ... | ... |
| Omar | ... | ... |

### 3 Observez ces groupes de mots.

*amatrice de costumes • une robe verte et blanche • une chanteuse sérieuse • des goûts musicaux larges • une séance d'entraînement collective • amies et amis sportifs*

**a.** Relevez les adjectifs au féminin singulier et mettez-les au masculin.
Généralement, comment se forme le féminin d'un adjectif ?
**b.** Généralement, quelle est la marque du pluriel ? Relevez les adjectifs au pluriel et mettez-les au singulier.
**c.** Dans la dernière phrase, pourquoi est-ce qu'on écrit « sportifs » ?

▶ Le féminin et le pluriel des adjectifs → Vérifiez et exercez-vous : 5-6 p. 29

# La première fois que je l'ai vu

**4 Écoutez les témoignages.** 7

a. On entend combien de personnes ?
b. De quoi parlent-elles ?

**5 Où ont eu lieu les rencontres ? Reliez.**

| | |
|---|---|
| avec Serena • | • au cours de danse |
| avec Claudia • | • à l'école |
| avec Julien • | • à l'université |

**6 Réécoutez et complétez les descriptions physiques.** 7

| | Comment était-il / elle ? | Que portait-il / elle ? |
|---|---|---|
| Serena | *Elle était très grande et avait les cheveux roux.* | ... |
| Claudia | ... | ... |
| Julien | ... | ... |

**7 Répondez aux questions.** 7

a. Pour chaque personne, retrouvez une qualité ou un défaut.
Serena : ........................ Claudia : ........................ Julien : ........................

b. Tendez l'oreille. Dites si les adjectifs suivants qualifient un homme ou une femme. Justifiez. 

**8 Observez ces phrases.**

*1. Elle avait de longs cheveux bruns. Elle portait souvent des collants.*
*2. À la cafétéria, elle buvait toujours un jus de tomate !*
*3. Le midi, il lisait un livre.*

a. Regardez les terminaisons des verbes. Quels temps les utilisent ?

b. Dans la phrase 2, observez la partie soulignée du verbe. Dans quel autre temps de *boire* est-ce qu'on la retrouve ?

c. Pour chaque phrase, dites si elle exprime :
– une description dans le passé ;
– une habitude dans le passé.

▶ L'imparfait → Vérifiez et exercez-vous : 7-8 p. 29
▶ *boire* → Précis p. 199

**Mots et expressions**

**Les vêtements**
- un pantalon
- des chaussures
- une veste
- un manteau

..............................................
..............................................

**Les qualités et les défauts**
- généreux, généreuse
- souriant(e)
- étourdi(e)
- jaloux, jalouse

..............................................
..............................................

**Communication**

**Décrire quelqu'un**
- Elle est grande, brune...
- Elle a les cheveux bruns.
- Il ressemble à un acteur.
- C'est quelqu'un de gentil.

## Réagissez !

**9** Souvenez-vous de votre première rencontre avec un de vos amis. Qu'est-ce que vous avez remarqué chez lui / elle ?
EXEMPLE : *Quand je l'ai rencontrée, Lola était étudiante. Elle avait toujours son casque audio autour du cou.*

## Agissez !

**10** Vous êtes inscrit sur le site « entreamis.com ». Écrivez un message pour vous présenter et proposez une activité.

→ Cahier d'activités, unité 1

## Lexique

### Les vêtements

**1 Devinette • Choisissez une personne dans la classe. Faites sa description. Les autres doivent deviner de qui vous parlez !**

**Stratégie**
Pour me souvenir d'un mot, je l'écris dans une liste de mots de la même famille, et je complète cette liste régulièrement.

### Les qualités et les défauts

**2 Top chrono ! • Retrouvez les qualités ou les défauts de ces personnes.**

EXEMPLE : *Pierre ne prête jamais ses affaires, il est égoïste.*
1. Manon me fait toujours rire quand elle parle, elle est ...
2. Alex m'invite souvent au restaurant, il est ...
3. Je n'ai jamais entendu Medhi dire du mal de quelqu'un, il est ...
4. Gabriel a du mal à parler aux gens, il est ...
5. Paula est en colère : son amie porte la robe qu'elle voulait acheter, elle est ...

### La fréquence et les rencontres

**3 Jeu d'imagination • Sont-ils faits pour se rencontrer ? Par deux, essayez d'imaginer des situations possibles de rencontres entre ces personnes.**

EXEMPLE : *Tous les soirs, Noémie promène son chien au parc. Paul court souvent dans le parc après son travail. Un jour, ils vont entrer en contact !*
1. Paul aime la cuisine et les bandes dessinées. Il aime courir dans les parcs.
2. Laure fait du tennis et de la musique classique. Elle aime aller au restaurant.
3. Félix joue d'un instrument et travaille à la bibliothèque. Il n'est pas sportif.
4. Noémie écrit des livres de cuisine. Elle a un chien.

*Vous pouvez penser à d'autres personnes !*

## Phonétique

### ▸ La liaison (9)

**1 Écoutez et observez.**

• Quand un mot se termine par une consonne muette et que le mot suivant commence par une voyelle, ces deux mots peuvent se retrouver « liés ».

• La liaison est obligatoire (devant une voyelle ou un *h* muet) :
– entre le déterminant et le nom ;
*les‿enfants les‿habitants*
– avant le verbe ;
*Vous‿êtes nouvelle. Je ne vous‿ai jamais vu.*
– dans les locutions figées.
*de temps‿en temps tout‿à fait*

Attention ! La liaison est généralement interdite après le nom, le verbe (sauf après *être* et *avoir*), après *et* (*mes filles et mon mari*).

**2 Écoutez. Barrez les lettres non prononcées et notez les liaisons.**

a. Ils ont un enfant.
b. Ils ont des enfants.
c. Elles ont des habits neufs.
d. Elles ont deux habits neufs.

**3 Écoutez et répétez.**

a. J'ai un ami sportif.
b. J'ai des amies sportives.
c. Elle est étudiante.
d. Elle est étudiante.

### ▸ Les consonnes finales (10)

**1 Écoutez et observez.**

*gentil – gentille* *sportif – sportive*
*jaloux – jalouse* *roux – rousse*

• On ne prononce pas les consonnes finales (sauf s'il s'agit des consonnes *r, l, c, q, f*).

• Quand un mot se termine par *e*, on ne prononce pas le *e* muet mais on prononce la consonne qui précède.

• Pour [p], [b], [t], [d], [k], [g], on place la langue sur le point d'articulation et on la retire d'un coup.
*fort – forte*
*grand – grande*

**2 Écoutez et dites si ce que vous entendez est identique ou différent.**

a. ☐ = ☐ ≠
b. ☐ = ☐ ≠
c. ☐ = ☐ ≠
d. ☐ = ☐ ≠

**3 Écoutez et mettez au féminin.**

a. Il est gentil. → ...
b. Il est créatif. → ...
c. Il est intelligent. → ...
d. Il est courageux. → ...

# Grammaire

## ▶ Le passé composé et l'accord du participe passé (1)

→ **Vérifiez vos réponses** (act. 5 p. 24)

**a.** *Je ne vous ai jamais vu.*
*J'ai tout vendu.*
*Nous sommes arrivés hier.*
Chaque verbe est composé d'un **auxiliaire** (*être* ou *avoir*) et d'un **participe passé**.
**b.** On utilise plus *avoir*. *Être* s'emploie avec les verbes *aller, venir, arriver, partir...*
**c.** On écrit « arrivés » car ce **participe passé s'accorde** avec le sujet « nous » (= M. Breton et sa famille).

**1 Conjuguez les verbes au passé composé.**

Marion décide de prendre une semaine de vacances. Elle va dans une agence de voyages. Elle choisit un séjour au Maroc. Le lendemain, elle reçoit un coup de téléphone. Sa cousine de Montréal l'invite à venir chez elle. Marion retourne à l'agence pour annuler le séjour au Maroc.

**2 À partir de la situation de départ, imaginez ce qui s'est passé ensuite.**

EXEMPLE : *Sylvie cherchait quelqu'un pour aller à Rio. Trois personnes ont répondu. Sylvie a organisé un déjeuner pour faire connaissance, et ils ont décidé de partir au Brésil. Puis...*

1. Noé cherchait un guitariste pour monter un groupe.
2. Zora cherchait des volontaires pour former un atelier d'écriture.
3. Géraud cherchait des personnes pour aller danser.

## ▶ *Qui / que* et *ce qui / ce que*

→ **Vérifiez vos réponses** (act. 8 p. 25)

**1. a.** Oui, mais dans cette phrase, la répétition du mot « site » n'est pas jolie.
**b.** *Qui* et *que* servent à relier deux phrases. Ils permettent d'éviter une répétition : ce sont des **pronoms relatifs**.
« Qui » (= « d'autres personnes ») est **sujet** du verbe « parlent ». « Que » (= « le site ») est **complément** du verbe « recommandent ».
**2. a.** Oui. On pourrait remplacer « Ce qui les intéresse ? Les rencontres » par « Les rencontres les intéressent. »
**b.** « Ce qui » est **sujet** du verbe « intéresse » et « ce que » est **complément** du verbe « avoir en commun ».
**c.** On met *ce qui* ou *ce que* en début de phrase pour **mettre en avant un élément** de la phrase.

**3 Complétez avec *qui, que, ce qui* ou *ce que*.**

Pour moi, ............ est intéressant, c'est de rencontrer des personnes ............ ne me ressemblent pas, des personnes ............ rien ne rassemble. ............ je recherche, c'est la différence : connaître des personnes ............ je ne rencontre pas habituellement et ............ m'apportent quelque chose de nouveau.

**4 Mettez en valeur les qualités et défauts des membres de votre famille et discutez avec votre voisin.**

EXEMPLE : *Ce qui me plaît chez mon père, c'est sa générosité. Ce que je n'aime pas...*

## ▶ Le féminin et le pluriel des adjectifs

→ **Vérifiez vos réponses** (act. 3 p. 26)

**a.** amatrice → amateur ; verte → vert ; blanche → blanc ; sérieuse → sérieux ; collective → collectif
Généralement, on ajoute un **e** à l'adjectif au masculin pour former le féminin (vert → verte).
**b.** musicaux → musical ; larges → large ; motivées → motivé ; sportifs → sportif
Généralement, on ajoute un **s** à l'adjectif pour le mettre au pluriel (large → larges).
**c.** « Sportifs » s'accorde avec « amies et amis » : quand un adjectif qualifie deux noms au féminin et au masculin, il s'accorde au masculin pluriel.

**5 Mettez ces adjectifs au féminin (1.) et au pluriel (2.).**

1. heureux – grand – agréable – aimable – généreux – vif – franc
2. gris – intelligent – égoïste – peureux – normal – beau – spécial

**6 À votre avis, comment sont les Français ? Et les Françaises ? Décrivez-les.**

## ▶ L'imparfait

→ **Vérifiez vos réponses** (act. 8 p. 27)

**a.** L'imparfait et le conditionnel ont les mêmes terminaisons : *-ais, -ais, -ait, -ions, -iez, -aient.*
**b.** À l'imparfait, le verbe a le même radical qu'au présent avec *nous* et *vous* : *nous buvons → elle buvait.*
**c.** La phrase 1 exprime une description dans le passé, les phrases 2 et 3 expriment une habitude dans le passé.

**7 Complétez ces annonces à l'imparfait.**

1. Je t'ai vu jeudi dernier à 19 h 20. Tu *(porter)* ...... une chemise rayée et un pantalon clair. Tu *(transporter)* ...... une valise grise et tu *(lire)* ...... un livre. *(partir)* ...... -tu en vacances ? S'il te plaît, écris-moi !
2. Nos regards se sont croisés à 20 h 53. Vous *(porter)* ...... une guitare et un chapeau noir. Vous *(parler)* ...... à votre petit chien qui vous *(écouter)* ...... . Moi, je vous *(observer)* ...... discrètement.

**8 Racontez votre enfance à votre voisin : où vous habitiez, comment vous étiez, ce que vous aimiez faire.**

EXEMPLE : *Quand j'étais petit, j'habitais à la campagne. La maison de mes parents était en pierre. J'étais timide.*

→ Point Récap p.35

## Exprimer une difficulté

**Doc. 1**

**Doc. 2**

### LES ÉMOTIFS ANONYMES ★★★☆

♦ Jean-Pierre Améris ♦ 2010 ♦ 80 min ♦ France

*Certaines personnes n'arrivent pas à contrôler leurs émotions. Ces difficultés affectives compliquent beaucoup leur vie et leurs relations sociales : on les appelle les hyperémotifs.*

**L'HISTOIRE** : Jean-René et Angélique sont hyperémotifs. Ce qui les rapproche, c'est leur passion pour le chocolat : Jean-René est le patron d'une fabrique et Angélique est chocolatière. Ils tombent amoureux, mais leur timidité maladive ne facilite pas les choses.
Est-ce qu'ils vont réussir à maîtriser leurs émotions et dévoiler leurs sentiments ?

**Doc. 3**

Une réunion d'émotifs

### 1 Regardez et écoutez ces documents. 

a. Qu'est-ce qu'un hyperémotif ?
b. De quoi parle le film ?
c. Quelles difficultés rencontrent ces personnes ?
d. Comment font Caroline et Sophie lorsqu'elles rencontrent des gens ?

### 2 Exprimez vos difficultés !

a. Connaissez-vous des personnes hyperémotives ? Racontez.
b. Et vous, quelles difficultés rencontrez-vous parfois avec les autres ?
EXEMPLE : *Pour moi, c'est difficile d'exprimer des sentiments.*

**Communication**

**Exprimer une difficulté**
- J'ai du mal à parler.
- Je n'y arrive pas.
- Pour moi, c'est difficile de prendre une décision.
- Ça me coûte d'aller vers les autres.

# Poser des questions sur quelqu'un

**Benoît Poelvoorde**

**caractéristiques physiques :** grand, châtain clair
**profession :** comédien
**goûts :** passionné de photographie
**qualités :** généreux, sympathique, souriant

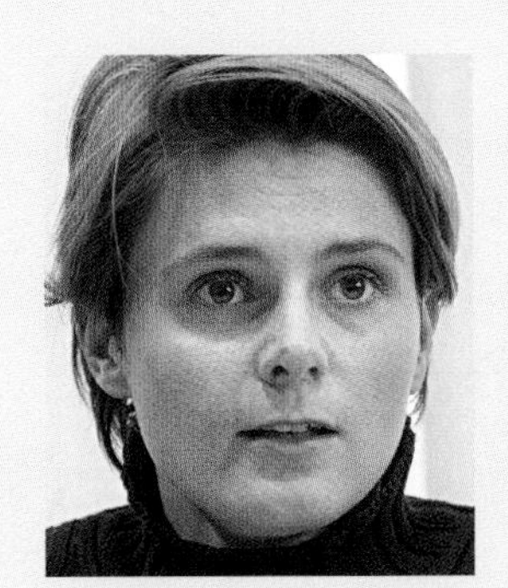

**Caroline Fourest**

**caractéristiques physiques :** blonde, fine
**profession :** journaliste
**goûts :** aime les voyages
**qualités :** déterminée, observatrice, intelligente

**Jean Dujardin**

**caractéristiques physiques :** brun, élégant
**profession :** comédien
**goûts :** aime imiter les autres
**qualités :** drôle, intelligent, honnête

**Gad Elmaleh**

**caractéristiques physiques :** grand, brun, yeux bleus
**profession :** comique
**goûts :** adore le théâtre
**qualités :** dynamique, exigeant, imprévisible

**Laure Manaudou**

**caractéristiques physiques :** mince, musclée
**profession :** nageuse
**goûts :** s'intéresse à la décoration d'intérieur
**qualités :** ambitieuse, précise, sensible

**Philippe Starck**

**caractéristiques physiques :** costaud, barbu
**profession :** architecte d'intérieur / designer
**goûts :** amateur de bonne cuisine
**qualités :** créatif, original, travailleur

## 1 Top chrono !

Lisez les caractéristiques de ces 6 personnalités et listez les différents éléments utilisés pour décrire quelqu'un.

## 2 Préparation

**a.** Formez des groupes de trois ou quatre, puis écoutez la description de Benoît Poelvoorde.
**b.** Chacun choisit un personnage et prépare sa description.
**c.** Prononcez.

En fonction du personnage choisi (homme ou femme), faites attention à prononcer (ou non) la dernière consonne des adjectifs.

## 3 À vous !

Vous êtes maintenant votre personnage ! Votre groupe pose des questions pour deviner qui vous êtes. Vous répondez en utilisant les éléments de la description que vous avez préparée.

**Communication**

**Poser des questions sur quelqu'un**

- Comment est-il physiquement ?
- Quel âge a-t-elle ?
- Quelle est sa profession ?
- Quelles sont ses qualités ?

# Écrire un poème

## *L'effet papillon**

Un insecte qui a un peu froid
S'installe au chaud dans une pomme
Qu'une voyageuse achète au Canada
Le jour de son départ pour Rome.

À son arrivée en Italie,
L'insecte qui a un peu trop chaud
Sort de la pomme ; il n'a qu'une envie :
Piquer la voyageuse et partir à Rio !

La voyageuse se met à crier
Sa voisine qu'elle n'a jamais rencontrée
Lui propose de l'aider :
Voici comment est née leur amitié.

* L'effet papillon est une théorie scientifique. Le simple battement d'ailes d'un papillon peut déclencher une tempête à l'autre bout du monde… ou une rencontre !

## 1 Réaction

**1. Lisez le poème et répondez.**

**a.** Ce poème parle :

☐ d'un voyage ☐ d'une rencontre entre voisines ☐ d'une épidémie d'insectes

**b.** Pourquoi l'insecte entre-t-il dans la pomme ? Pourquoi en sort-il ?

**c.** Dans quels pays voyage l'insecte?

**d.** Qui rencontre la voyageuse ?

**2. Observez la forme du poème.**

**a.** Combien de parties voyez-vous dans ce poème ? À quoi correspondent-elles ?

**b.** Dans un poème, il y a généralement des rimes à la fin des vers (= des sons identiques). Soulignez-les. EXEMPLE : pomme / Rome

**c.** Est-ce que les phrases sont longues ?
Est-ce qu'il y a beaucoup de détails sur la voyageuse, l'insecte, la voisine ?

**Stratégie**

Quand j'écris un poème, je le divise en plusieurs parties (une idée par partie) et j'utilise des phrases courtes.

## 2 Préparation

Réfléchissez à une histoire avec un effet papillon qui se termine par une rencontre.
Notez vos idées et divisez votre histoire en 3 ou 4 parties.

## 3 Rédaction

À votre tour, racontez votre histoire sous la forme d'un poème.
Respectez bien la forme de ce type de texte !

# L'ATELIER 2.0

## Organiser un café-rencontre

**La ville de Boulogne a lancé en 2013 un projet original pour lutter contre la solitude et amener les gens à se rencontrer. Sur ce principe, vous organisez des rencontres dans la classe.**

### 1 On s'organise

Commencez par faire la liste des thèmes de discussion que vous aimeriez aborder.
EXEMPLE : *les loisirs, l'amitié, les rencontres sur Internet,* etc.

### 2 On se prépare

**a. Inscription**
En fonction de vos centres d'intérêts, choisissez un sujet de discussion.
Écrivez-le sur un papier. Ajoutez votre prénom.

**b. Tirage au sort**
On tire les papiers deux par deux. Au tableau, on note le nom des personnes qui se rencontrent et les sujets à aborder.

**c. Des difficultés à communiquer ?**
Vous avez 5 minutes pour chercher quelques mots pratiques dans le dictionnaire ou demander au professeur.

### 3 On présente à la classe

Après la rencontre, chaque duo raconte son expérience à la classe. Seul, vous rédigez un petit texte pour dire ce que vous avez aimé et ce que vous n'avez pas aimé dans cette rencontre.

### 4 On publie

La classe rédige un texte pour présenter le projet et le publie sur l'espace de son choix (mur(s), blog...) avec les textes de chacun.

# POINT RÉCAP'

## Lexique / Communication

# ALLER À LA RENCONTRE DES AUTRES

### La fréquence

- toujours
- tous les...
- tout le temps
- souvent
- de temps en temps
- parfois
- quelquefois
- rarement
- jamais

### Les rencontres

- aller vers les autres
- entrer en contact
- nouer une relation
- rencontrer quelqu'un
- échanger
- avoir quelque chose en commun

### Les vêtements

- un pantalon
- une robe
- une jupe
- un tee-shirt
- un pull
- un manteau
- une veste
- des chaussures
- des bottes

### Les qualités et les défauts

- courageux
- créatif
- drôle
- intelligent
- souriant
- sympathique

- agressif
- hypocrite
- impatient
- jaloux
- paresseux

### Décrire quelqu'un

- Elle est + *adj. (taille, qualité, défaut...)*
- Elle est + *nom de métier*
- Elle a les cheveux + *adj.*
- Il porte...
- Il aime...
- Il a l'air + *adj.*
- Elle ressemble à + *nom*
- C'est quelqu'un de + *adj.*

### Exprimer une difficulté

- J'ai du mal à + *infinitif*
- Je n'arrive pas à + *infinitif*
- Pour moi c'est difficile de + *infinitif*
- Ça me coûte de + *infinitif*

### Parler de ses centres d'intérêt

- Mes goûts sont variés.
- J'adore + *nom*
- Je suis amatrice de + *nom*
- Je m'intéresse à / aux + *nom*
- Ce qui m'intéresse, c'est + *nom*
- Je suis un passionné de + *nom*
- Je suis un fou de + *nom (familier)*

### Poser des questions sur quelqu'un

- Comment est-il physiquement ?
- Quel âge a-t-elle ?
- Quelle est sa profession ?
- Qu'est-ce qu'elle aime ?
- Quelles sont ses qualités ? Quels sont ses défauts ?

## Activité RÉCAP'

**Vous organisez l'émission télévisée « Vous avez la parole ! ». Le thème de l'émission est : « Comment sont vos amis ? »**

**1** Chacun écrit une phrase courte sur une feuille de papier en utilisant le schéma ci-dessus.
EXEMPLE : *Il s'intéresse aux échecs* ou *Elle a du mal à parler en public.* Échangez vos phrases entre vous.

**2** Répartissez-vous en groupes. Dans chaque groupe, il y a environ 5 personnes : un présentateur et des invités. Il y a aussi 5 feuilles de papier.

**3** Chacun regarde la phrase qu'il devra dire pendant l'émission. Le présentateur commence l'émission. Il pose des questions aux invités.
Chacun discute autour du thème. Vous devez placer votre phrase dans la conversation au moins une fois !

# Grammaire

## *Qui* et *que*

• *Qui* et *que* sont des pronoms relatifs. Ils servent à remplacer un nom.

• On utilise *qui* avec le **sujet** du verbe, *que* avec le **complément direct** du verbe.

EXEMPLES : *J'ai un ami qui est boulanger.*
*Je parle souvent à des gens que je ne connais pas.*

## *Ce qui* et *ce que*

• On utilise *ce qui* et *ce que* pour mettre en avant un élément de la phrase.

• *Ce qui* est **sujet** du verbe, *ce que* est **complément direct** du verbe.

EXEMPLES : *Ce que j'aime, c'est parler français.*
*Ce qui est important pour moi, c'est de m'ouvrir aux autres.*

→ Précis, P. 192, 195

## Le passé composé et l'accord du participe passé (1)

• Le **passé composé** est un temps du passé. Il se forme avec l'auxiliaire *avoir* ou *être* + le participe passé du verbe conjugué.

EXEMPLE : *Nous sommes arrivés hier.*

• Le **participe passé** utilisé avec l'auxiliaire ***être*** s'accorde **en genre** (féminin/masculin) et **en nombre** (singulier/pluriel) avec le sujet.

EXEMPLES : *Elle est arrivée hier.*
*Jean et Marianne sont partis mercredi.*

→ Précis, P. 196, 197

## L'imparfait

• L'imparfait permet de faire une description (personne, paysage...) ou d'exprimer une habitude dans le passé.

EXEMPLE : *Henri était un homme très drôle. Tous les vendredis, il nous apportait un gâteau.*

• Il se forme à partir du radical de la 1re personne du pluriel du présent + les terminaisons suivantes :

*-ais, -ais, -ait, -ions, -iez, -aient*

EXEMPLE : ***porter*** → *nous portons*
*je portais, tu portais, il portait*
*nous portions, vous portiez, ils portaient*

**Attention,** le verbe *être* est irrégulier : *j'étais, tu étais, il était, nous étions, vous étiez, ils étaient.*

→ Précis, P. 196

## Le féminin et le pluriel des adjectifs

• Pour mettre un adjectif **au féminin**, on ajoute généralement un **e** : *brun → brune*

Mais il y a des exceptions pour les adjectifs en :
***-eur :*** *charmeur → charmeuse*
*séducteur → séductrice*
***-eux :*** *généreux → généreuse*
***-if :*** *pensif → pensive*
***-c :*** *blanc → blanche*

• Pour mettre un adjectif **au pluriel**, on ajoute généralement un **s** : *noir → noirs*

Mais il y a des exceptions pour les adjectifs en :
***-al :*** *normal → normaux*
**-x** (même forme au singulier et pluriel) : *heureux, sérieux...*

• Lorsqu'un adjectif se rapporte à **deux noms de genres différents**, on fait l'accord au **masculin pluriel**.

EXEMPLE : *Mes amis m'ont offert une bande dessinée et un roman anglais.*

→ Précis, P. 193

# Talents littéraires

**Prix Goncourt**
**1902** Prix littéraire le plus ancien et le plus prestigieux

## Pierre Lemaitre

### En bref

**Lieu de naissance :** Paris
**Date de naissance :** 19/04/1951

### Ses livres

**2013** *Au revoir là-haut*
**2012** *Sacrifices*
**2010** *Cadres noirs*
**2009** *Alex*
**2006** *Travail soigné*
*Robe de mariée*

### Ses Prix

**2013** Prix Goncourt
**2010** Prix du polar européen
**2009** Prix du lecteur du livre de poche
**2009** Prix sang d'encre
**2009** Prix du polar francophone
**2006** Prix du premier roman du festival de Cognac

### En quelques mots

roman romans policiers et polars
roman historique **suspense** thriller roman noir
policier français prix goncourt
**amitié** folie vengeance
rentrée littéraire 2013 France **littérature française**

Auteur de polar, Pierre Lemaitre a commencé à écrire très tard. Il a enseigné les littératures françaises et américaines.

En 2013, avec *Au revoir là-haut*, il passe du genre policier au genre historique. Il reçoit alors la plus grande distinction littéraire en France : le prix Goncourt.

**Son mot favori**
Bienvenu

**Ses maîtres**
Émile Gaboriau
Alexandre Dumas

**Ses qualités**
Généreux
Travailleur

**Son héros**
Nelson Mandela

**Son dîner idéal**
Marcel Proust
Pierre Scipion, son éditeur

**1** **Lisez les informations et répondez aux questions.**

1. Qui est Pierre Lemaitre ?
2. À quel genre littéraire appartient-il ?
3. Qui sont ses auteurs préférés ?
4. Qu'est-ce que le prix Goncourt ?

# Et aussi...

## La Foire du livre de Brive

### En quelques chiffres

**32e foire** en 2013
**80 000** visiteurs
**350** écrivains
**50** débats, forums, lectures

### À l'affiche

- **2013 :** président de la Foire du livre : Alain Mabanckou
- **Quelques habitués de la Foire**
  Amélie Nothomb
  Alexandre Jardin
  Bernard Werber
  Alain Rey
  Éric-Emmanuel Schmitt...

### En quelques lignes

La Foire de Brive est un rendez-vous incontournable de la rentrée littéraire. C'est l'écrivain franco-congolais Alain Mabanckou qui présidait la Foire du livre de Brive du 8, 9 et 10 novembre 2013.

Cette année, les thèmes choisis par le président de la Foire étaient : l'écriture, la lecture, les questions d'origine et d'identité.

Alain Mabanckou en a profité pour rendre hommage au prix Nobel de littérature J.M.G. Le Clezio.

Alain Mabanckou

### La foire en images

Amélie Nothomb

### Du côté des Prix littéraires de la Foire de Brive

- **Grand Prix de poésie de l'Académie Mallarmé :** Alain Duault
Créé en 1986, il récompense l'œuvre d'une personnalité qui a contribué à illustrer la qualité et la beauté de la langue française.
- **Prix de la langue française :** Jean Rolin, journaliste
- **8e Prix des lecteurs de la Ville de Brive :** Émilie Frèche pour son roman *Deux étrangers*

### Drôle d'expression

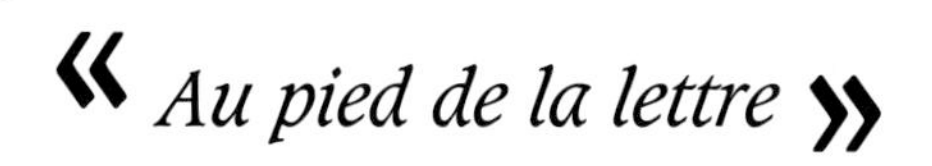


contexte L'auteur a pris tes conseils au pied de la lettre. Il a suivi toutes tes instructions pour écrire son roman.

**2** Lisez les informations et répondez aux questions.

**1.** De quel événement parle-t-on ?
**2.** Qui préside cet événement ?
**3.** Quels prix sont décernés à cette occasion ?

**3** Lisez l'expression et répondez.

**1.** Dessinez l'expression.
**2.** D'après le contexte, quel est le sens figuré de l'expression *Au pied de la lettre* ?
**3.** Cette expression date XVIe siècle. Utilisez-la dans une nouvelle phrase.

# PRÉPARATION AU **DELF A2**

 Les documents sonores sont téléchargeables sur le site www.didierfle.com/saison.

## PARTIE 1 Compréhension de l'oral

**Vous allez entendre 2 fois un document. Vous avez 30 secondes de pause entre les 2 écoutes puis 30 secondes pour vérifier vos réponses. Lisez les questions.**

**Vous êtes en France. Vous entendez cette conversation. Répondez aux questions.**

**1.** Pourquoi est-ce que Sophie appelle Lucas ?

..................................................

**2.** Dans la semaine, quand Lucas peut-il aider Sophie ?

..................................................

**3.** Qu'est-ce que Lucas propose à Sophie ?

☐ Passer une petite annonce dans le journal.
☐ Utiliser les réseaux sociaux.
☐ Contacter ses amis.

**4.** Qu'est-ce que Lucas conseille à Sophie de faire sur Facebook ?

..................................................

**5.** Qu'est-ce qui va permettre à Sophie de contacter plus de monde ?

☐ Créer un compte sur un autre réseau social.
☐ Utiliser sa page Facebook personnelle.
☐ Écrire des mails à ses amis.

**6.** Qu'est-ce que Sophie va pouvoir faire avec la page Facebook de son association ?
Donnez 2 réponses.

..................................................

..................................................

## PARTIE 2 Compréhension des écrits

**Vous lisez l'article suivant sur Internet.**

**Le Québec entre amis**

### Sortir avec de nouveaux amis

Vous venez d'arriver à Québec ? Vous ne connaissez pas beaucoup de monde ? Rejoignez le réseau amical « Le Québec entre amis » ! Grâce à ce réseau, vous allez rencontrer des membres, qui, comme vous, cherchent à rencontrer de nouveaux amis de manière conviviale et agréable.
Simple d'utilisation, le site Internet « Le Québec entre amis » vous permet d'entrer en relation avec des personnes bien réelles qui cherchent à faire des rencontres amicales.

### Comment se font les rencontres ?

Pour faciliter les sorties entre membres, chaque personne doit décrire ses loisirs et centres d'intérêts préférés.
Imaginez. Vous cherchez un(e) ami(e) pour faire une sortie dans un musée. Sélectionnez simplement dans le moteur de recherche l'activité « musée ». Le site propose alors la liste de tous les membres qui correspondent à votre recherche.
Autre façon d'organiser une sortie : il vous suffit de créer un événement. Décrivez l'activité que vous voulez organiser en indiquant le lieu, la date et l'heure de l'événement. Après validation, votre sortie est visible par tous les autres membres qui peuvent choisir de s'inscrire.
Tous les membres peuvent créer des événements sur le site, et ils peuvent décider de rendre l'accès privé ou public, c'est-à-dire qu'ils peuvent choisir les membres qui consultent et s'inscrivent à leurs événements.
Enfin, en tant que membre, vous pouvez ouvrir une page personnelle (rien d'obligatoire !) où vous pouvez donner des informations personnelles ou raconter vos expériences. Les autres membres peuvent publier un message sur votre page. C'est aussi un moyen efficace pour chercher des amis...

**Répondez aux questions.**

**1.** Que propose le site « Le Québec entre amis » ?

..........

**2.** Qui s'inscrit sur ce site ?

..........

**3.** Vrai ou faux ? Justifiez vos réponses.
Le site Internet est difficile à utiliser.
☐ Vrai ☐ Faux
Le site Internet s'adresse aux personnes qui veulent rencontrer un(e) petit(e) ami(e).
☐ Vrai ☐ Faux

**4.** Qu'est-ce qui permet de trouver des amis sur le site ?
☐ Les petites annonces.
☐ Le moteur de recherche.
☐ La page personnelle.

**5.** Sur le site, que pouvez-vous faire quand vous créez un « événement » ?

..........

**6.** Que peut-on faire sur sa page personnelle ?
☐ Proposer des sorties.
☐ Laisser des messages.
☐ Envoyer des photos.

## PARTIE 3 Production écrite

**Vous lisez le message suivant sur Internet. Vous répondez à Jim pour vous présenter et lui proposer une rencontre.**

LES MESSAGES ▼

**Jim** • *15/01/2014*

Salut, je cherche du monde pour sortir à Bordeaux car je ne connais pas grand monde ici ☺
Merci de vos réponses,

Jim

## PARTIE 4 Production orale

### EXERCICE 1 – Entretien dirigé

**Répondez aux questions suivantes à l'oral.**

- Comment avez-vous rencontré votre meilleur(e) ami(e) ?
- Quelles sont vos qualités ?
- Comment faites-vous pour rencontrer de nouveaux amis ?

### EXERCICE 2 – Monologue suivi

**Choisissez un sujet et exprimez-vous.**

**Sujet 1** À votre avis, quelle(s) qualité(s) doit posséder un ami ? Expliquez pourquoi.

**Sujet 2** Pensez-vous que les réseaux sociaux sont utiles dans la vie aujourd'hui ?

### EXERCICE 3 – Exercice en interaction

**Choisissez un sujet. Jouez la situation avec l'examinateur.**

**Sujet 1**
Vous êtes en France, en vacances. Il fait très froid. Vous voulez acheter des vêtements. Vous entrez dans un magasin et vous posez des questions au vendeur. Vous choisissez quelques articles.
Voici quelques idées pour vous aider.

**Sujet 2**
Samedi, vous avez organisé une fête pour vos amis. Votre cousin anglais, qui parle français et qui est en vacances chez vous, vous demande de lui raconter la soirée.

# Enrichir son réseau

## S'INFORMER

### DÉCOUVRIR
- La richesse des relations
- La création d'un réseau social

### RÉAGIR
- Conseiller un ami
- Présenter ses études

## S'EXPRIMER

### ATELIERS D'EXPRESSION ORALE
- Échanger sur un parcours
- Demander et donner des conseils

### ATELIER D'ÉCRITURE
- Écrire une lettre de présentation

### L'ATELIER 2.0
▶ Créer le réseau de la classe

## S'ÉVALUER

- DELF A2

### On en parle ?
Que représente cette image ?
Pourquoi ces personnes sont-elles reliées ?
Pour vous, c'est quoi un réseau ?

DÉCOUVRIR

# Tous connectés !

## Réseaux en vidéo 3

**1 Qu'est-ce que vous voyez ?**

De quoi parle Isabelle Houdon ?

Quels groupes de personnes remercie-t-elle ?

Pourquoi ?

**LE + INFO**

Savez-vous qu'il n'y a que 5 personnes entre vous et toute personne sur la planète ? C'est la théorie des 6 degrés de séparation.

## L'union fait la force

**2 Écoutez le document.** 

a. Qu'est-ce que c'est ?

□ une publicité □ une émission de radio □ un dialogue entre amis

b. Quel est le sujet ?

□ les relations de travail □ l'utilité de nos contacts

□ les réseaux sociaux sur Internet

c. De quels réseaux parle-t-on ? Soulignez.

les professeurs • les anciennes connaissances • les amis • les voisins • le cercle familial • les connaissances virtuelles

**3 Écoutez à nouveau.** 

a. Comment les membres de notre réseau peuvent-ils nous aider ?
Donnez deux exemples par domaine.

Le travail : ... La vie de famille : ...

b. Tendez l'oreille. Combien de syllabes entendez-vous ? 

**4 Associez ces verbes du document à leur définition.**

| | |
|---|---|
| transmettre • | • faire connaître quelqu'un |
| mettre en relation • | • contacter quelqu'un |
| perdre de vue • | • donner (une information aux autres) |
| entrer en relation avec • | • ne plus être en relation avec quelqu'un |

**Mots et expressions**

**Les réseaux**

- un ami, un copain
- une collègue
- entrer en relation avec quelqu'un
- partager quelque chose avec quelqu'un

.............................................

.............................................

**5 Observez ces phrases.** 

*Vos groupes, vous les connaissez ?*
*Si vous donnez votre CV, ils le transmettront.*
*S'ils connaissent une solution, ils la partageront avec vous.*

a. Dans ces phrases, quels mots remplacent les mots soulignés ?

b. Réécoutez le document pour supprimer les répétitions.

*Un ami a besoin du numéro de votre baby-sitter ? Vous aidez votre ami.*
*Chaque personne de votre réseau peut vous aider. Alors, comment cultiver votre réseau ?*

c. Pourquoi utilise-t-on ces formes différentes : *le*, *la*, ou *les* ?

▶ Les pronoms directs → Vérifiez et exercez-vous : 1-2 p. 47 ▶ *mettre / transmettre* → Précis p. 199

# La toile professionnelle

■ Actualités numériques

28.11.2013

## *Wijob*, un site à découvrir !

*par Myriam Oumnia*

**Qui se cache derrière Wijob, ce réseau social professionnel pour étudiants et jeunes diplômés ?**

Interview avec Sébastien Pelet, co-fondateur du site.

*Bonjour Sébastien, tu as créé Wijob en 2012, comment tu as eu cette idée ?*

Avec mes amis, nous étions en dernière année d'école de commerce, en master, et nous voulions développer notre réseau sur Internet. Tout de suite, on a vu que c'était difficile : il y avait soit des réseaux personnels, soit des réseaux pour les gens avec de l'expérience. Donc, on s'est dit : « Là, il y a quelque chose à faire », et on a créé *wijob.com*.

*Comment ça s'est passé au début, pour trouver le fonctionnement ?*

Quand on a eu notre diplôme, un jour, on s'est réunis, et on a cherché comment faire. À la pause-déjeuner, on parlait de nos histoires de cœur, et on a eu l'idée de faire comme un site de rencontres amoureuses, avec un programme qui associe les recherches et les demandes. On voulait vraiment intéresser les écoles, les jeunes diplômés et les entreprises, pour un stage ou un premier emploi...

*Maintenant, vous en êtes où ?*

Là, nous travaillons à l'international avec des écoles dans des domaines comme l'hôtellerie, les arts, des écoles d'ingénieurs, et aussi avec des universités. On les aide à avoir un réseau d'anciens étudiants dynamique.

La page d'accueil du site *Wijob*

le réseau des étudiants et jeunes diplômés

Wijob

Prenez votre avenir en main !

### 6 Observez l'image de l'article.

À quoi sert ce site ? Qui met-il en contact ?

### 7 Lisez l'interview et cochez les phrases vraies.

a. ☐ Sébastien a mis en place un réseau social.
   ☐ Sébastien a voulu s'inscrire sur un réseau social.

b. ☐ Les sites pour les étudiants étaient chers.
   ☐ Il n'y avait pas de sites pour les nouveaux diplômés.

c. ☐ Le site fonctionne comme un site de rencontres.
   ☐ Sébastien et ses amis sont tombés amoureux sur Internet.

d. ☐ Des écoles veulent développer leur réseau avec Wijob.
   ☐ Sébastien va faire des études dans d'autres pays.

### 8 Dans la première partie de l'interview, soulignez les verbes au passé. Puis classez-les.

Verbes qui décrivent une situation : ..........

Verbes qui expriment une action : ..........

Que remarquez-vous ?

▶ Passé composé et imparfait : la différence → Vérifiez et exercez-vous : 3-4 p. 47

**Mots et expressions**

**Les études**
- un diplôme
- un master
- un stage
- une université
- ..........
- ..........

**Parlez de l'info !**

**9** À quels membres de votre réseau pouvez-vous demander un service ? Est-ce que ça vous est déjà arrivé ?

**10** Utilisez-vous des réseaux sociaux en ligne ? Pourquoi ?

RÉAGIR

# Mon réseau en action

## Vous vous souvenez de moi ?

### Faire appel à ses **relations** pour **chercher** du travail !

**Comment procéder ? Réponse en 5 étapes**

**1. Reprise de contact**
Cette phase est plus ou moins longue suivant votre relation et l'ancienneté de votre dernière rencontre. Vous pourriez commencer par poser des questions. Parlez d'abord de la personne avant de parler de vous.
Exemple : *Alors, qu'est-ce que tu deviens ?*

**2. Objectif du contact**
Expliquez assez rapidement la raison de votre démarche. Parlez de recherche d'informations ou de pistes plutôt que de recherche d'emploi.
Exemple : *J'aimerais bien avoir ton avis sur...*

**3. Pourquoi cette personne vous intéresse-t-elle ?**
Vous devez préciser les atouts qu'elle possède et l'importance qu'elle peut avoir pour vous. Ajoutez que vous n'attendez pas une aide directe mais des informations.
Exemple : *Peut-être peux-tu m'éclairer sur...*

**4. Ce que vous recherchez**
Donnez à votre interlocuteur suffisamment d'informations sur vous : il vous connaîtra mieux sur le plan professionnel. Vous devriez pour cela lui parler de vos compétences et de vos qualités.
Exemple : *J'ai déjà une bonne expérience dans ce domaine...*

**5. Conclusion**
Vous pouvez annoncer à votre interlocuteur que vous reprendrez contact avec lui, pour lui laisser le temps de réfléchir.
Exemple : *Le plus simple, c'est que je te recontacte dans une semaine si tu es d'accord.*

D'après Pôle emploi.

### 1 Observez le document.

**a.** Qu'est-ce que c'est ?
☐ un guide
☐ une publicité
☐ un CV

**b.** À quoi sert-il ?

### 2 Lisez le document.

**a.** Pourquoi est-il intéressant de reprendre contact avec une ancienne connaissance ?

**b.** Quelles sont les 5 étapes listées ?

**c.** À quelles étapes du document correspondent les phrases suivantes ?
*« Nous nous sommes rencontrés en juin, à la foire du livre. »*
*« J'essaie d'élargir mon réseau dans le domaine de l'édition. »*

### 3 Observez ces phrases.

*Vous pourriez commencer par poser des questions.*
*Parlez d'abord d'elle.*
*Vous devez préciser les atouts qu'elle possède.*
*Vous devriez parler de vos compétences.*
*Vous pouvez annoncer que vous reprendrez contact.*

**a.** Soulignez les formes du conseil. Quels verbes sont utilisés sous deux formes différentes ?

**b.** Observez ces phrases à l'impératif et cochez.
*Appelez-moi.* *Ne la laissez pas trop attendre.*

| | | |
|---|---|---|
| Le pronom complément est avant le verbe. | impératif ☐ positif | ☐ négatif |
| Le pronom complément est après le verbe, relié par un trait d'union. | impératif ☐ positif | ☐ négatif |
| *Me* se transforme en *moi*. | impératif ☐ positif | ☐ négatif |

▶ Le conseil → Vérifiez et exercez-vous : 5-6 p. 47

**Stratégie**
Avant de lire un document, je cherche sa source pour comprendre d'où il vient.

**Mots et expressions**

**Les compétences**
- un atout
- un savoir-faire
- je maîtrise (ce logiciel...)
- je sais faire...
- ........................................
- ........................................

# Que sont-ils devenus ?

## 4 Écoutez le document. 

a. Où se passe la scène ? À qui parlent les deux personnes ?
b. Pourquoi Céline Bodin est-elle invitée ?

## 5 Écoutez à nouveau. 

a. Quel est le métier de Céline Bodin ? Comment a-t-elle trouvé ce travail ?
b. Quel poste va-t-elle bientôt avoir ? Quand ?
c. Tendez l'oreille. Dites si vous entendez une pause entre les mots. 

**Mots et expressions**

**Le travail**
- un emploi
- dans le domaine de
- embaucher quelqu'un
- travailler comme designer
- ......................................................
- ......................................................

## 6 Choisissez la bonne définition pour ces mots.

| | |
|---|---|
| un CV | une pratique qui apporte des connaissances |
| un poste | une spécialité d'activité |
| une expérience | un document qui présente un parcours |
| un domaine | la fonction d'une personne dans une entreprise |

## 7 Écoutez une dernière fois. 

a. Classez les événements dans l'ordre chronologique.
- master : ...
- emploi dans l'ameublement : ....
- inscription sur le site des anciens : ....
- responsable des jeux en bois : ....
- designer junior : ....
- soirée des anciens étudiants : ....

b. Relevez les indications de temps associées à ces événements. Placez-les sur la frise.

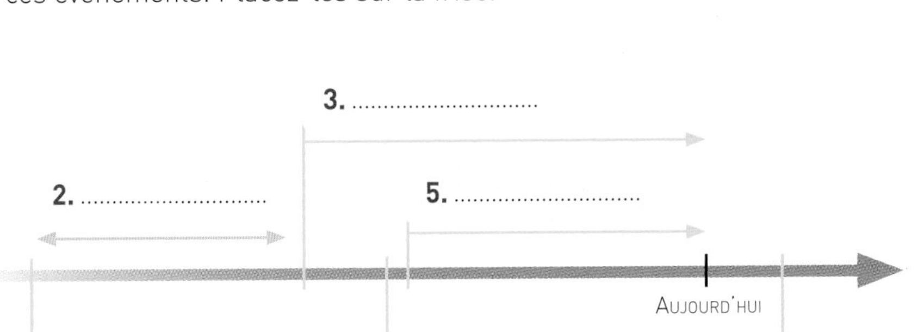


c. Quels indicateurs de temps utilise-t-on pour indiquer :
- la date précise d'un événement ?
- la durée d'une action ?
- une action qui continue ?
- la durée entre une action terminée et maintenant ?
- la durée entre maintenant et une action future ?

▶ Les indicateurs de temps → Vérifiez et exercez-vous : 7-8 p. 47

## Réagissez ! 

**8** Vous avez besoin de conseils pour être moins stressé, et votre voisin a besoin de conseils pour trouver un emploi. Vous vous aidez mutuellement.
EXEMPLE : *Tu devrais lire un peu avant d'aller au lit.*

## Agissez ! 

**9** Votre ancienne école veut publier des témoignages d'anciens étudiants dans son journal. Vous écrivez un court texte pour présenter vos études.

→ Cahier d'activités, unité 2

Lexique TNI

## Les études et le travail

**1 Texte à trous • Placez ces mots sur le CV.**

*baccalauréat – domaine – emploi – expérience – formation – licence – master – université*

Laure ENCRENAZ
8 chemin de la Brosse
56000 Vannes
Née le 13 avril 1985
06 61 01 01 01

.................... actuel : guide touristique

....................

- 2010 : .................... dans le .................... du tourisme durable (.................... de Toulon)
- 2006 : .................... en langues (anglais-espagnol-italien)
- 2003 : .................... littéraire, mention assez bien

.................... professionnelle

- Depuis novembre 2012 : guide touristique, ville de Vannes
- 2010-2012 : agent d'accueil à l'office de tourisme de Lausanne
- 2004 : animatrice pour enfants au Club Med de Cancún (Mexique)

## Les réseaux

**2 Dialogue • Comparez vos réseaux.**

- Notez 5 personnes que chacun peut avoir dans son réseau. Par trois, mettez en commun vos listes.
- Chacun cite une personne, et les deux autres doivent expliquer la nature de leur contact avec elle.

EXEMPLE : *« ton meilleur ami de lycée »* → *« J'ai perdu contact »* ou *« Bonne idée, je vais reprendre contact ! »*

## Les compétences

**3 Jeu de comparaison • Dites ce que vous savez faire.**

- Une personne décrit une de ses compétences.
- Toutes les personnes qui savent faire la même chose se placent à côté d'elle.
- La dernière personne décrit une autre compétence, et on recommence.

EXEMPLE : *« Je sais marcher sur les mains »* ou *« J'ai des compétences dans le domaine du marketing. »*

### Stratégie

Pour comprendre le sens d'un mot, je cherche dans un dictionnaire unilingue.

Phonétique

## ▸ Le *e* muet 17

**1 Écoutez et observez.**

Quand un *e* sans accent :
– est placé à la fin d'un mot et suivi d'une voyelle, on ne le prononce pas ; *une équipe*
– est précédé de deux consonnes prononcées et suivi d'une consonne prononcée, on doit le prononcer ; *votre fils*
– est précédé d'une consonne prononcée et suivi d'une seule consonne prononcée, on peut le prononcer, ou non. *bienvenue* ou *bienvenue*

**2 Écoutez et barrez les e muets.**

a. une famille – votre famille – les membres de votre famille
b. une équipe – votre équipe – votre équipe de foot

**3 Écoutez et répétez.**

a. Premièrement, il le contacte.
b. Deuxièmement, il le met en relation.
c. Premièrement, je le contacte.
d. Deuxièmement, je le mets en relation.

## ▸ L'enchaînement vocalique 18

**1 Écoutez et observez.**

Quand deux voyelles sont côte à côte dans un même mot ou dans un même groupe de mots, on les prononce dans le même souffle (sans coup de glotte) mais dans deux syllabes différentes.

*créer*

*J'ai obtenu*

**2 Écoutez et dites si ce que vous entendez est identique ou différent.**

a. ☐ = ☐ ≠ c. ☐ = ☐ ≠
b. ☐ = ☐ ≠ d. ☐ = ☐ ≠

**3 Écoutez et répétez.**

a. Il a créé un réseau.
b. Léo a créé un réseau.
c. Léa a créé un réseau.
d. J'étais étudiant. – J'ai été étudiant.

# Grammaire

## ▶ Les pronoms directs

→ **Vérifiez vos réponses** (act. 5 p. 42)

**a.** et **b.** *Les* remplace « vos groupes » (pluriel).
*Le* remplace « votre CV » (masculin singulier).
*La* remplace « la solution » (féminin singulier).
**c.** Votre ami a besoin du numéro de votre baby-sitter ? Vous l'aidez.
Chaque personne de votre réseau peut vous aider. Alors, comment le cultiver ?

**1 Complétez les phrases avec le bon pronom.**

*me – te – le/la – nous – vous – les*

1. Bien sûr, je ... appelle pour te dire quand j'arrive.
2. Ta photo de CV ? Je ... trouve très bien.
3. Je connais ce logiciel, je ... utilise tous les jours.
4. Mes parents et moi ? Nous ... appelons une fois par semaine.
5. Mes anciens collègues ? Je ne ... vois plus.

**2 Écrivez 5 phrases avec des pronoms pour faire deviner des personnes à vos voisins.**

EXEMPLE : *Il n'est pas dans mes amis Facebook mais je le vois tous les jours. Il me donne des cours.*
*→ mon professeur !*

## ▶ Passé composé et imparfait : la différence

→ **Vérifiez vos réponses** (act. 8 p. 43)

Les verbes qui décrivent une situation sont à l'**imparfait** : « nous étions », « nous voulions », « c'était », « il y avait ».
Les verbes qui expriment une action sont au **passé composé** : « tu as créé », « tu as eu », « on a vu », « on s'est dit », « on a créé ».

**3 Entourez le bon temps.**

1. Je *commençais / J'ai commencé* à travailler en 1989. Il *n'y avait pas / n'y a pas eu* beaucoup d'ordinateurs.
2. Le directeur *téléphonait / a téléphoné* mais nous *étions / avons été* en réunion.
3. À 18 ans, je *passais / j'ai passé* le bac, et en septembre, je *commençais / j'ai commencé* un BTS.
4. Avant, il *gagnait / a gagné* un bon salaire. Malheureusement, il *perdait / a perdu* son travail en mai.

**4 Écrivez 5 phrases au passé composé et cachez-les. Votre voisin ajoute une description à l'imparfait. Lisez le résultat !**

EXEMPLE : *En juin, j'ai passé mes examens. Mon frère chantait.*

## ▶ Le conseil

→ **Vérifiez vos réponses** (act. 3 p. 44)

**a.** *vous pourriez* ; *parlez* ; *vous devez* ; *vous devriez* ; *vous pouvez*
*Devoir* et *pouvoir* sont au présent (*vous devez / vous pouvez*) ou au conditionnel (*vous devriez / vous pourriez*).
**b.** Avec un impératif **positif**, le pronom complément est placé **après le verbe**, il est relié au verbe par un trait d'union. Le pronom *me* se tranforme en *moi*.
Avec un impératif **négatif**, le pronom complément est placé **avant le verbe**.

**5 Transformez les phrases avec une autre forme de conseil et un pronom.**

EXEMPLE : *Vous devez contacter vos amis → Contactez-les !*

1. Tu ne dois pas arrêter tes études.
2. Tu devrais envoyer ton CV.
3. Nous devons étudier le français.
4. Vous devriez lire ces dossiers.
5. Tu dois m'écouter.

**6 Par deux ou trois, choisissez une personne que vous connaissez et écrivez 5 conseils pour elle.**

EXEMPLE : *le directeur de l'école → Vous devriez offrir le petit-déjeuner aux étudiants.*

## ▶ Les indicateurs de temps

→ **Vérifiez vos réponses** (act. 7 p. 45)

**a.** et **b.** « en juin 2005 » (master) – « depuis 2007 » (inscription sur le site) – « pendant 2 ans et demi » (emploi dans l'ameublement) – « il y a quatre ans » (soirée des anciens étudiants) – « depuis quatre ans » (designer junior) – « dans trois mois » (responsable des jeux en bois)
**c.** la date précise d'un événement : en
la durée d'une action : pendant
une action qui continue : depuis
la durée entre une action terminée et maintenant : il y a
la durée entre maintenant et une action future : dans

**7 Relisez le CV p. 46 et complétez les phrases avec les bons indicateurs de temps.**

Laure a fait un stage au Mexique ..... six mois ..... 2004. ..... plus de 10 ans, elle a le bac. Elle espère changer de travail ..... peu de temps. Elle a commencé à travailler ..... plus de 15 ans. Elle est guide ..... 2012.

**8 Utilisez un indicateur de temps pour faire des phrases avec ces éléments.**

*étudier le français – il pleut / il a plu – faire du sport – réfléchir pour faire une phrase – sortir de la classe*

EXEMPLE : *être assis → Je suis assis depuis une heure.*

→ Point Récap p.53

# Échanger sur un parcours

**Doc. 1**

Publié par Laurent *24 juin 2013 09:53*

15 COMMENTAIRES ▼

**J'aime parler de mon métier.**
**Mais ce que j'apprécie le plus, ce sont les réactions.**

**Il y a les intrigués :**
– Tu fais de la traduction ? C'est marrant, j'ai jamais rencontré de traducteurs.
*Ben tiens. Moi j'ai jamais rencontré d'astronaute.*

**Et mes préférés, les enthousiastes (on peut leur parler de la traduction pendant des heures !)**
– Mais c'est génial comme boulot ! T'es indépendant ? J'aimerais trop être mon propre chef. Mais c'est absolument génial, si tu savais comme je t'envie !
*C'est pas faux, c'est un métier qui permet différents modes de vie. Mais c'est pas tous les jours rose !*

www.anothertranslator.eu

**Doc. 2**

Ce soir, je vais à l'anniversaire d'une amie de lycée. Dans ce genre de soirée, à un moment ou à un autre, on est amené à dire ce qu'on fait comme boulot ou comme études. Dans mon cas, personne ne comprend ce que je fais...

**Doc. 3**

**Le parcours de Nicolas Pottiez**

## 1 Regardez et écoutez ces documents. 

Dans quel(s) document(s) se trouvent ces éléments ?

**a.** Se présenter : ...
**b.** Présenter ses études, son travail : ...
**c.** Raconter son parcours : ...
**d.** Expliquer les avantages d'une expérience : ...
**e.** Réagir à la présentation d'un métier : ...

## 2 Échangez sur un parcours ! 

**a.** Quels sont les deux moments importants de votre parcours pour l'instant ? Racontez-les et expliquez les avantages de ces expériences.
**b.** Choisissez une personne de votre entourage avec une profession que vous connaissez bien. Présentez ce métier, et échangez avec votre voisin à ce sujet.

**Communication**

**Échanger sur un parcours**

- Tu veux faire quoi comme métier ?
- Qu'est-ce que tu fais dans la vie ?
- Je suis... ça consiste à faire...
- J'ai eu la possibilité de partir...
- Grâce à cette expérience, j'ai pu...
- C'est super comme métier !

# Demander et donner des conseils

**Stratégie**
Quand je m'exprime, j'utilise des intonations différentes pour les affirmations et les questions.

## 1 Top chrono !

Observez l'affiche.

**a.** À votre avis, quels métiers sont représentés ?

**b.** Quels métiers préférez-vous ?

**c.** Connaissez-vous d'autres métiers insolites ? Notez-les au tableau.

## 2 Préparation

**a.** Formez des groupes de deux. Chaque groupe choisit un métier parmi ceux écrits au tableau.

**b.** Préparez des conseils pour une personne qui veut faire ce métier.
EXEMPLE : *Prenez des cours de couture !*

**c.** Préparez des questions à poser sur un métier qui vous intéresse.

**d.** Prononcez.
Barrez les éventuels *e* muets et notez les enchaînements vocaliques dans vos questions.
Écoutez et prononcez. 20
*Es-tu allé à Tahiti ou à Haïti ?*

## 3 À vous !

Organisez un forum des métiers insolites, avec un stand par métier. La moitié des groupes se déplace pour se renseigner sur un métier et obtenir des conseils, l'autre moitié répond aux questions. Ensuite, vous inversez les groupes.

### Communication

**Demander des conseils**
- Quelles qualités sont importantes ?
- Quelles sont les compétences nécessaires ?
- Qu'est-ce que vous pourriez me conseiller comme école, études... ?

**Donner des conseils**
- Vous pouvez commencer par un stage.
- Vous devriez suivre une formation dans le domaine de...
- Ce métier demande des compétences en...

# ATELIER D'ÉCRITURE

## Écrire une lettre de présentation

**Talents Coaching**

Des talents pour une vie
Un coach pour les révéler

- Vous ne savez pas quoi faire dans la vie ?
- Vous rêvez de changer de métier ?
- Nos conseillers peuvent vous accompagner dans ce choix.

Pour un premier contact, envoyez-nous une lettre manuscrite pour vous présenter (modèle disponible sur www.talentscoaching.com) à cette adresse :

**Talents Coaching**
17 rue Victor-Hugo
25000 Besançon

*MODÈLE DE LETTRE DE TALENTS COACHING*

Marion Erkens
12 boulevard des Français
25000 Besançon
Tél : 06.05.04.03.02
macot@francais.fr

Besançon, le 9 février 2014

Talents Coaching
17 rue Victor-Hugo
25000 Besançon

Objet : Présentation

Madame, Monsieur,

J'ai lu votre publicité dans le magazine *Bien-être*. Vos services m'intéressent car je souhaite changer de métier.

On dit que je suis patiente, travailleuse et que je réussis à comprendre des personnes très différentes de moi.

Mes études m'ont permis d'acquérir des compétences en psychologie. En tant qu'actrice, je suis capable de m'adapter à différentes situations. Je sais respecter des consignes et travailler en équipe. J'ai également développé mon sens de l'organisation au cours de mes différentes expériences.

Cette présentation n'est pas complète, mais j'espère qu'elle a attiré votre attention. Pourrions-nous fixer une date afin de nous rencontrer prochainement ?

Sincères salutations,

M. Erkens

### 1 Réaction

**a.** Lisez les documents. De quoi s'agit-il ?
**b.** Que propose « Talents Coaching » ?
**c.** Que faut-il leur envoyer ?

### 2 Préparation

**a.** Observez la lettre et mettez ces éléments dans l'ordre.
*pourquoi on écrit – présentation des qualités – conclusion – présentation des compétences*
**b.** Dans la lettre, soulignez les qualités et les compétences de Marion Erkens de deux couleurs différentes.
**c.** Faites la liste des qualités et des compétences que vous voulez décrire dans votre lettre.

### 3 Rédaction

Écrivez une lettre de présentation à « Talents Coaching » : rédigez deux paragraphes pour présenter vos qualités et vos compétences.
Pour introduire et conclure votre lettre, vous pouvez reprendre les éléments de la lettre de Marion Erkens.

# L'ATELIER 2.0

## Créer le réseau de la classe

**Vous créez le réseau des élèves de la classe de français.**

### 1 On s'organise

En classe, trouvez la forme que vous voulez donner à votre réseau : blog, journal de témoignages, album photos...
Précisez les éléments que vous souhaitez faire apparaître : coordonnées, photo, diplômes, compétences, souhaits professionnels...

### 2 On se prépare

Faites la liste des tâches à faire. Formez des groupes, et donnez une tâche à chaque groupe : préparer un questionnaire à remplir, prendre les photos, créer un logo, etc.
Dans chaque groupe, répartissez-vous les rôles.
EXEMPLE : *Prendre les photos → Zora cherche un lieu agréable ; Timon crée le planning des séances photos, etc.*

### 3 On présente à la classe

Chaque groupe présente le résultat de sa partie. Les autres groupes réagissent et proposent des améliorations si besoin.

### 4 On publie

Créez votre réseau sous la forme choisie et publiez certains éléments sur l'espace de votre choix : mur(s), blog... Vous pouvez inviter les anciens élèves de votre école à rejoindre votre réseau !

## Lexique / Communication

# ENRICHIR SON RÉSEAU

### Les réseaux

- la famille
- un(e) ami(e)
  un copain, une copine
- un(e) collègue
- entrer en relation avec quelqu'un
- partager quelque chose avec quelqu'un
- perdre de vue
- reprendre contact

### Les études

- un lycée
- un étudiant
- une (grande) école
- une université
- un diplôme
- un master
- un stage
- passer, obtenir un examen

### Les compétences

- un atout
- une qualité
- un savoir-faire
- je sais + *infinitif*
- je connais + *nom*
- je maîtrise + *nom*
- je suis capable de + *infinitif*

### Le travail

- une candidature
- un CV
- un emploi, un poste, un métier
- une expérience
- dans le domaine de
- embaucher quelqu'un
- travailler comme + *métier*

### Interroger quelqu'un sur son métier

- Qu'est-ce que tu fais dans la vie ?
- Tu as fait quoi comme études ?
- Ça consiste en quoi ?
- C'est + *adj.* comme métier !

### Donner des conseils

- Partez étudier un an à...
- Vous pouvez commencer par + *nom* ou + *infinitif*
- Vous pourriez suivre une formation...
- Vous devez apprendre...

### Parler de son parcours

- Pendant mes études, j'ai...
- Après mon bac, j'ai décidé de + *infinitif*
- J'ai eu la possibilité de + *infinitif*
- Grâce à cette expérience, j'ai...
- Ça m'a permis de + *infinitif*
- Si je suis devenu + *métier*, c'est parce que...
- Je suis..., ça consiste à + *infinitif*

### Demander des conseils

- Quelles qualités sont importantes ?
- Quelles sont les compétences nécessaires pour être... ?
- Je ne suis pas... Qu'est-ce que vous pourriez me conseiller ?

## Activité RÉCAP'

**Nous sommes en 2033. Vous êtes deux amis ; vous retrouvez dans la rue une ancienne connaissance qui a fait ses études avec vous et qui est devenue célèbre.**

**1** Par trois, choisissez un personnage célèbre et imaginez ses études et ses expériences professionnelles.

**2** Préparez votre dialogue : vous allez échanger sur vos trois parcours et vous allez essayer de convaincre la personne célèbre de s'inscrire sur le réseau des anciens étudiants de votre lycée.

**3** Jouez la scène devant la classe.

# Grammaire

## Les pronoms directs

• Le pronom sert à **remplacer un nom**.
On utilise les pronoms directs avec des verbes construits **sans préposition**.

EXEMPLE : *Je te contacte pour un service.*

• Le choix du pronom dépend de la personne (*je, tu, il…*), du genre (*masculin/féminin*), du nombre (*singulier/pluriel*).

EXEMPLE : *Il corrige sa lettre. → Il la corrige.*

Les pronoms directs sont :

| me, m' | te, t' | le, la, l' | nous | vous | les |
|---|---|---|---|---|---|

→ Précis, P. 192

## Le conseil

Il y a plusieurs manières d'exprimer un conseil.

• *Devoir* ou *pouvoir* au présent + infinitif

EXEMPLE : *Vous devez écrire une lettre de présentation.*

• *Devoir* ou *pouvoir* au conditionnel + infinitif

EXEMPLE : *Ils devraient contacter leurs anciens collègues.*

• L'impératif

EXEMPLE : *Changez de métier !*

→ Précis, P. 196

## Passé composé et imparfait : la différence

• L'**imparfait** décrit une situation passée.

EXEMPLE : *Il y avait beaucoup de monde à la réunion.*

• Le **passé composé** exprime les actions terminées, datées, du passé.

EXEMPLE : *Je vous ai écrit le 16 juin.*

On peut employer ces deux temps dans une même phrase.

EXEMPLE : *Je regardais mes messages quand le téléphone a sonné.*

→ Précis, P. 196

## L'impératif et les pronoms directs

• À **l'impératif positif**, le pronom se place après le verbe, avec un trait d'union.

EXEMPLE : *Vous transférez son CV.*
*→ Transférez-le.*

Attention, *me* et *te* changent de forme s'ils sont après le verbe :

EXEMPLES : *Tu me contactes. → Contacte-moi.*
*Tu te prépares. → Prépare-toi.*

• À **l'impératif négatif**, les pronoms se placent avant le verbe.

EXEMPLE : *Ne l'appelle pas tout de suite.*

→ Précis, P. 196

## Les indicateurs de temps

• ***En*** indique la **date** d'un événement avec un mois ou une année.

EXEMPLE : *J'ai commencé en septembre.*

• ***Depuis*** (+ date ou durée) indique une **action** ou une **situation qui continue** maintenant.

EXEMPLES : *J'étudie le français depuis novembre.*
*Je travaille ici depuis un an.*

• ***Pendant*** indique la **durée totale** d'une action.

EXEMPLE : *J'ai travaillé pendant deux ans comme décoratrice.*

• ***Il y a*** indique la **durée** entre une **action terminée** et maintenant.

EXEMPLE : *Je me suis inscrit il y a un an.*

• ***Dans*** indique la **durée** entre maintenant et une **action future**.

EXEMPLE : *Je vais partir dans une heure.*

→ Précis, P. 195

# Le travail à la française...

## En quelques mots

Salaire Management Présentéisme CDD CDI
35 heures Temps partiel Grève Horaires
Compte épargne temps congés Métro Boulot dodo
productivité Stress open space public Privé

## LES FRANÇAIS ET LEURS MOTIVATIONS

### En quelques chiffres en 2013

**22,4 millions** d'actifs (INSEE 2011)
**59,1 %** hommes
**40,9 %** femmes

### Salaires : 6 chiffres clés

(mensuels bruts)

- **Secteur privé ou public :** 2830 €
- **Employés :** 2049 €
- **Ouvriers :** 2137 €
- **Cadres :** 5 385 €
- **SMIC :** 1430,22 € (salaire minimum)
- **Hommes et femmes :** 19 % écart de salaire

*Source* : Insee 31/10/13

### En quelques lignes

**Fâchés avec le travail, les Français ?**

Les Français accordent beaucoup d'importance au travail mais ils sont souvent très insatisfaits et déçus par leurs employeurs. Ils ont du mal à concilier vie professionnelle et vie familiale.

### Ce qui rend les Français heureux au travail

**1.** bonnes relations avec les collègues
**2.** être passionnés par leur travail
**3.** la reconnaissance de leur supérieur
**4.** bonnes conditions matérielles
**5.** travail utile à la société
**6.** travail non précaire

*Source* : Sondage viavoice

### Causes de démotivation des salariés français

**1.** manque de reconnaissance financière ou matérielle
**2.** pression du manager ou mauvaises conditions de travail
**3.** sentiment de précarité

**1 Lisez les informations et répondez.**

**1.** Quel est le salaire moyen des employés en France ?
**2.** Quel est l'écart de salaires entre hommes et femmes ?
**3.** Quelles sont les motivations des Français au travail ?
**4.** Qu'est-ce qui les déçoit ?
**5.** Que pensez-vous des critères qui rendent les Français heureux au travail ?

# Et aussi…

## À savoir, à éviter

### Le tutoiement

En France, on utilise le prénom et le tutoiement bien plus souvent qu'en Allemagne où deux collègues peuvent travailler ensemble sans jamais utiliser leur prénom ou se tutoyer.

### Le bureau

Les Français gardent leur porte ouverte et ne la ferment que pour se concentrer ou pour organiser une réunion importante.

### Les déjeuners

Les longs repas d'affaires font partie de l'environnement du travail, beaucoup de choses se passent à table.

### La raison

*Le Discours de la méthode* de Descartes a beaucoup influencé la pensée française. La rationalité et la logique sont la clé de tous les problèmes.
« Si des Anglais ont un tunnel à creuser, ils creusent. Les Français, eux, préparent, réfléchissent, font des plans avant d'envisager de creuser. »

### À savoir pour travailler avec les Français

- Être logique, mais souple
- Savoir généraliser
- Être prêt à de longues discussions sur le projet
- Avoir une réflexion sur le long terme

**À éviter**

- Silences prolongés, les Français n'aiment pas ça.
- Le sarcasme et l'ironie

**2 Quiz. Vrai ou faux ?**

**1.** Les Français ne sont pas proches de leurs collègues.
**2.** Les Français règlent leurs affaires au restaurant.
**3.** Le philosophe Descartes est important dans la pensée française.
**4.** Au bureau, on ne se tutoie jamais.
**5.** Les Français planifient les projets sur 3 ans.

**Les réponses**

1. F, 2. V, 3. V, 4. F, 5. V

**Pratique**
**Durée légale du temps de travail : 35 heures**
**Congés payés : 5 semaines par an**
**Jours fériés : 11**

## Drôle d'expression

*« Être assis entre deux chaises. »*

contexte Elle n'ose pas donner sa démission avant d'avoir eu une réponse de son futur employeur. Elle est assise entre deux chaises.

**3 Lisez l'expression et répondez aux questions.**

**1.** Dessinez l'expression.
**2.** D'après le contexte, quel est le sens figuré de cette expression ?
**3.** Écrivez un petit dialogue dans lequel vous placerez cette expression.
**4.** Avez-vous une expression similaire dans votre langue ?

S'ÉVALUER

# PRÉPARATION AU **DELF A2**

 Les documents sonores sont téléchargeables sur le site www.didierfle.com/saison.

## PARTIE 1 Compréhension de l'oral

**Vous allez entendre 2 fois un document. Vous avez 30 secondes de pause entre les 2 écoutes puis 30 secondes pour vérifier vos réponses. Lisez les questions.**

**Vous êtes en France. Vous entendez cette émission à la radio. Répondez aux questions.**

**1.** Quel est le sujet de l'émission ?

.................................................................................................

**2.** Qu'est-ce qui est essentiel pour trouver un travail ?

.................................................................................................

**3.** Dans quelles écoles les réseaux sont-ils le plus efficaces ?

.................................................................................................

**4.** Quel est l'objectif principal des associations ?
- ☐ Organiser des conférences.
- ☐ Réduire le chômage.
- ☐ Aider les jeunes.

**5.** Où Oscar travaille-t-il ?
- ☐ Dans une grande école.
- ☐ Dans une entreprise internationale.
- ☐ Dans une agence pour l'emploi.

**6.** Après son stage, comment Oscar a-t-il fait pour chercher du travail ?

.................................................................................................

**7.** Comment Oscar a-t-il trouvé son travail ?

.................................................................................................

## PARTIE 2 Compréhension des écrits

**Vous lisez l'article suivant sur Internet.**

### Les astuces pour tirer profit du web

**Internet offre de nouvelles possibilités pour trouver du travail *via* les réseaux sociaux LinkedIn, Viadeo, Facebook, Twitter... Comment faire ?**

**1 Choisissez les bons outils**

Utilisez Viadeo et LinkedIn pour présenter votre parcours d'études et votre projet professionnel. Vous pourrez aussi vous faire de nouveaux contacts (qui sont en réseau avec vos amis ou collègues). Si vous avez un blog ou un compte Twitter, écrivez-le sur votre page personnelle. Enfin, participez à des forums et partagez des liens sur Facebook... Cela vous permettra de vous faire connaître !

**2 Faites attention à vos informations personnelles**

Tout ce que vous écrivez sur les réseaux sociaux donne des informations sur vous et votre image. Ces renseignements peuvent être utilisés par les chefs d'entreprise. Attention donc à ne pas mettre en ligne des informations négatives. Ne mettez pas de photos de vous en maillot de bain ou pendant une fête. Cela ne fait pas très sérieux ! Faites attention aux messages et aux commentaires que vous écrivez sur les réseaux sociaux...

**3 Contrôlez vos informations personnelles**

Faites souvent une recherche sur votre propre nom. Pour cela, il existe une solution simple : tapez votre nom dans un moteur de recherche (Google...). Vous allez ainsi pouvoir connaître les informations qui apparaissent sur les réseaux sociaux comme Facebook ou Twitter... et vérifier qu'elles ne sont pas négatives.

**Répondez aux questions.**

**1.** D'après l'article, que pouvez-vous faire sur les réseaux sociaux ?

..........

**2.** Que pouvez-vous faire sur Viadeo et LinkedIn ?

..........

**3.** Où devez-vous indiquer que vous avez un blog ?

..........

**4.** Vrai ou faux ? Justifiez.
Les chefs d'entreprise utilisent les réseaux sociaux pour connaître leurs futurs employés.

☐ Vrai ☐ Faux

**5.** Qu'est-ce qui ne fait pas sérieux sur un réseau social ?
☐ Des photos trop personnelles.
☐ Des informations sur votre blog.
☐ Des contacts professionnels.

**6.** À quoi faut-il faire attention ?

..........

**7.** Que peut-on faire pour contrôler ses informations personnelles sur Internet ?
☐ Faire des recherches sur des sites.
☐ Bloquer son profil.
☐ Ne pas partager de liens.

## PARTIE 3 Production écrite

**Vous lisez l'annonce suivante.
Vous répondez pour vous présenter et proposer votre candidature. N'oubliez pas de parler de vos points positifs ! (80 mots)**

..........

..........

..........

..........

**Association des parents d'élèves**

Recherche personne pour donner des cours d'informatique aux enfants (6-10 ans).
4 heures par semaine.
15 € de l'heure.

Contactez M. Deloffre, directeur de l'école (tel. 06 67 78 90 89 ou delofre@gmail.com)

## PARTIE 4 Production orale

### EXERCICE 1 – Entretien dirigé

**Répondez aux questions suivantes à l'oral.**

- Quelles études faites-vous ?
- Quel est votre métier ?

### EXERCICE 2 – Monologue suivi

**Exprimez-vous sur ce sujet.**

Est-ce que vous utilisez un ordinateur pour vos études ou pour votre travail ? Aimez-vous travailler de cette manière ?

### EXERCICE 3 – Exercice en interaction

**Choisissez un sujet. Jouez la situation avec l'examinateur.**

**Sujet 1**
Vous avez terminé vos études et vous aimeriez partir travailler un an en France. Vous demandez conseil à un professeur en lui expliquant ce que vous aimez faire et ce que vous recherchez.

**Sujet 2**
Vous venez de déménager à Bruxelles avec votre famille. Vous voulez inscrire vos enfants dans une école française. Vous allez voir le directeur d'une école pour vous renseigner. Vous présentez vos enfants et vous lui parlez des études dans votre pays.

Unité 3

# Vivre l'information

## S'INFORMER

### DÉCOUVRIR
- Les médias
- La presse sur Internet

### RÉAGIR
- Vivre un jour de tweets à Paris
- Rencontrer un crieur public

## S'EXPRIMER

### ATELIERS D'EXPRESSION
- Exprimer son point de vue
- Rapporter des paroles
- Exprimer sa surprise

### ATELIER D'ÉCRITURE
- Écrire un tweet littéraire

### L'ATELIER 2.0
▶ Faire une mini-revue de presse

## S'ÉVALUER

- DELF A2

**On en parle ?**

Quels médias reconnaissez-vous ?
À quoi servent-ils ?
Quels médias utilisez-vous au quotidien ?

DÉCOUVRIR

# L'info, où la trouver ?

## La presse en vidéo

▶II 4

**1 Qu'est-ce que vous voyez ?**

Que font les gens ? Pourquoi ?

Comment va être le nouveau journal ?

Et vous, vous lisez ce type de presse ?

**LE + INFO**

Savez-vous que *Metronews* (ancien *Métro*) est le 2^e^ quotidien le plus lu en France ? Présent dans 33 villes, ce journal gratuit touche 2 866 000 lecteurs chaque jour.

## Comment s'informent-ils ?

**2 Écoutez la première partie du reportage.** 

**a.** C'est une cabine pour :

☐ des jeunes ☐ des électeurs ☐ des acteurs

**b.** Pourquoi a-t-on créé cette cabine ?

**3 Écoutez la suite du reportage.** 

**a.** Sur quoi portent les questions ?

La personne : ☐ son nom ☐ son âge ☐ sa nationalité

L'information : ☐ les types de médias utilisés
☐ le prix de l'abonnement
☐ la manière de s'informer

**b.** À partir de ces réponses, formulez les questions posées.

EXEMPLE : *Comment vous appelez-vous ?*

**4 Écoutez à nouveau.** 

**a.** Dites comment s'informent ces quatre jeunes et pourquoi.

EXEMPLE : Assma → par Internet car « C'est facile », « On y trouve tout ».

**b.** Tendez l'oreille. Dites si vous entendez [u], [o], [ɔ]. 

**5 Observez ces phrases.**

*Comment s'informent-ils ?*
*Ils s'informent comment ?*
*Comment est-ce qu'ils s'informent ?*

**a.** Est-ce qu'elles ont le même sens ?

**b.** Dans chaque phrase, où est placé le mot interrogatif « comment » ? Relevez la différence de construction entre la première et la dernière phrase.

**c.** Soutenu, standard, familier : quel registre pour quelle question ?

▶ La question inversée → Vérifiez et exercez-vous : 1-2 p. 65
▶ *suivre* → Précis p. 200

**Mots et expressions**

**L'actualité**

- la « une », les (gros) titres
- feuilleter un magazine
- lire la presse écrite
- regarder le journal télévisé

..............................................................

..............................................................

# Et sur le net ?

## 6 Observez ce document.

**a.** À votre avis, à quoi sert le site « Le mur de la presse » ?
**b.** Quels sont les noms des journaux ?

**Stratégie**
Quand j'observe un document, je commence par lire le titre pour savoir de quoi il parle.

## 7 Écoutez le document. 

**a.** Combien de rubriques y a-t-il sur le site ? Nommez-les.
**b.** Attribuez une rubrique à chaque titre d'article.
**c.** Que peut-on faire aussi sur ce site ?

## 8 Lisez les titres suivants, puis réécoutez. 23 Dans quel ordre apparaissent les informations ?

... France : augmentation du prix des carburants
... Les sculptures du nouveau musée de Lens à découvrir !
... Politique commune des pêches : enfin un engagement pour les océans !
... Changement d'image pour Hollande
... Tennis : rattrapage de Federer
1 Espagne : diminution du nombre de chômeurs

**Mots et expressions**

**La presse sur Internet**
- un journal électronique
- cliquer sur un titre
- consulter une rubrique
- s'abonner à une revue de presse
- ..................................................
- ..................................................

## 9 Répondez aux questions.

**a.** Dans les titres de l'exercice précédent, retrouvez le nom qui correspond à chaque verbe.

EXEMPLE : *diminuer → diminution*

*engager →* ................ *augmenter →* .................. *manifester →* ..................
*rattraper →* .................. *changer →* ...................... *sculpter →* ......................

**b.** Dans chaque nom, soulignez la terminaison qui a permis de transformer le verbe.
À l'aide d'un dictionnaire, dites si ces noms sont féminins ou masculins.

**c.** Quel est le rôle du mot *de* dans le titre « Rattrapage de Federer » ?

▶ La nominalisation → Vérifiez et exercez-vous : 3-4 p. 65

## Parlez de l'info ! 

**10** Comment peut-on s'informer aujourd'hui ?

**11** Quels magazines ou journaux francophones connaissez-vous ?

RÉAGIR

# Drôles d'oiseaux !

## Un jour de tweets à Paris

En 2013, la ville de Paris a lancé l'opération « Un jour de tweets à Paris ». Elle a invité les Parisiens, les visiteurs et tous les amoureux de Paris à reproduire l'exercice de l'écrivain français Georges Perec en 140 caractères. C'était l'occasion de lui rendre hommage et de célébrer Paris, ses plaisirs, ses humeurs et ses habitants comme il l'avait fait en 1974. Les participants ont pu échanger sur Paris pendant une journée, de midi à minuit, sur le réseau social Twitter grâce au hashtag #jdtap (le nom de l'opération) *via* leur tablette ou smartphone. Des crieurs de rue présents dans 6 quartiers ont ensuite déclamé les 10 000 tweets écrits au cours de ces 24 heures. Paris leur a offert une belle journée de poètes !

www.paris.fr

**Béatrice Logeais** @BeatriceLogeais 19 Avr
Le crieur de tweets aux halles @Paris #jdtap
pic.twitter.com/T55SKf7i2B
Ouvrir

**Mathilde Pieraut** @MPieraut 19 Avr
"Paris me donne confiance, Paris me révèle. Paris se rêve, Paris se savoure." #jdtap
Ouvrir

### 1 Lisez l'article.

**a.** Quel est le nom de cette opération ? Quand a-t-elle lieu ?
**b.** Quel est l'objectif de cette journée ?
**c.** Quel média est utilisé ?

### 2 Relisez l'article et observez les tweets.

**a.** Combien de caractères peut-on utiliser pour écrire un tweet ?
**b.** Qui sont les auteurs de ces deux tweets ?
**c.** Quel est le mot-clé de l'opération ? Sur Twitter, quel symbole est utilisé pour signaler un mot-clé ?
**d.** Quel symbole est utilisé pour créer un lien vers un profil ?

### 3 Répondez aux questions.

**a.** Observez ces phrases. Est-ce que les verbes se construisent de la même manière ?
*La ville a invité les Parisiens.* *Paris a rendu hommage à Perec.*

**b.** Lisez ces phrases et retrouvez dans l'article le mot ou le groupe de mots que le pronom remplace.
EXEMPLE : *C'était l'occasion de lui rendre hommage. → lui = Georges Perec*
Paris leur a offert une belle journée de poètes ! → leur = ........................
Paris me donne confiance. → me = ........................

**c.** Réécrivez maintenant les phrases précédentes comme dans l'exemple.
EXEMPLE : *C'était l'occasion de rendre hommage à Georges Perec.*

▶ Les pronoms indirects → Vérifiez et exercez-vous : 5-6 p. 65

**Mots et expressions**

**Les nouveaux médias**
- un réseau social
- un smartphone
- une tablette
- tweeter *(verbe)*

..............................................
..............................................

# Hyppolite, crieur public

10 actualités — Pays de la Loire — Ouest-France dimanche 13 mars 2011

## Hyppolite le crieur public a trouvé son public à Mayenne

**Il a clamé ses premiers messages, coups de cœur, coups de gueule et petites annonces, samedi matin, sur le marché local.**

« Avis à la population ! » Il n'a pas besoin de micro, Hyppolite le crieur public. Le samedi matin, sur le marché de Mayenne, il fait revivre un métier oublié. Son rôle ? Clamer haut et fort des messages déposés dans des boîtes aux lettres, placées dans une trentaine de lieux de la ville. Un service 100 % gratuit et ouvert à tous. D'abord surpris, les passants se sont peu à peu approchés. Ils ont souri. Parfois ri et souvent applaudi. Un passant nous confie : « Mon père était crieur public. Il montait sur une pierre, le dimanche, à la sortie de l'église. C'était la meilleure façon d'informer la population ».

*Julien Belaud*

### 4 Lisez ce document.

a. D'où vient ce document ? Dans quelle rubrique est-il classé ?
b. De qui parle-t-on ? Quel est son métier ?
c. Quel type de messages clame-t-il ? Où est-ce qu'il reçoit les messages ?
d. Quelle est la réaction des gens ? Que pense le passant ?

### 5 Dans le texte, retrouvez les phrases entre guillemets : « ... »

a. Qui dit la première phrase ?
b. Qui dit la deuxième phrase ?
c. Comment le savez-vous ?

### 6 Écoutez le podcast. 

a. Ce document est : ☑ un reportage ☐ une interview
b. Hyppolite raconte : ☐ son histoire ☑ l'histoire de son père
c. Que voulait-il faire avant de devenir crieur public ?
d. Qu'est-ce qui est important pour Hyppolite ?
e. Tendez l'oreille. Dites si vous entendez [y], [ɥ] ou les deux. 25

### 7 Répondez aux questions.

a. Vrai ou faux ? Justifiez avec les phrases du podcast. 
Hyppolite répond : « J'adore mon métier. » ☐ Vrai ☐ Faux
Son père dit : « Tu dois changer de métier. » ☐ Vrai ☐ Faux

b. Lisez les phrases suivantes et retrouvez les questions posées à Hyppolite.
EXEMPLE : *On me demande si j'aime mon métier.*
*→ « Est-ce que tu aimes ton métier? »*
On me demande pourquoi je fais ce travail. → ..........................
On me demande si je reçois beaucoup de messages. → ..........................

▶ Le discours direct et indirect → Vérifiez et exercez-vous : 7-8 p. 65

**Communication**

**Rapporter des paroles**
- Elle dit : « je suis l'actualité ».
- Elle dit qu'elle suit l'actualité.
- Il affirme (que)...
- Elle demande (si, pourquoi...)...

**Réagissez !** 

**8** Vous écrivez deux tweets sur Paris à l'occasion de l'opération « Un jour de tweets à Paris ». N'oubliez pas : votre message ne doit pas dépasser 140 caractères !

**Agissez !** 

**9** Vous rapportez à la classe les tweets rédigés par votre voisin. Utilisez les verbes du discours indirect.
EXEMPLE : *Il dit que Paris est une ville magnifique.*

→ Cahier d'activités, unité 3

## Lexique 

### L'actualité

**1 Association d'idées • Dites un mot ou une expression sur le thème de l'actualité. La personne suivante donne un mot sur le même thème, et ainsi de suite !**

Attention : on ne doit pas répéter les mots plusieurs fois dans la même partie.

EXEMPLE : « un journal » → « un magazine » → ...

### La presse sur Internet

**2 Devinettes • Retrouvez le mot ou l'action. Écrivez ensuite deux devinettes.**

1. Je ne suis pas un journal papier. Je suis un ...
2. Tu veux recevoir le journal régulièrement ? Tu dois d'abord ...
3. Tu veux garder une vidéo d'Internet sur ton ordinateur ? Tu dois la ...
4. Tu veux connaître des infos sur les acteurs ? Tu peux ... la rubrique « people ».
5. Je suis une émission de radio à télécharger. Je suis un ...

### Les nouveaux médias

**3 Top chrono • Nommez les différentes parties du tweet.**

**Stratégie**

Pour comprendre un mot, je repère les préfixes et les suffixes pour le décomposer.

## Phonétique

### Les sons [u] – [o] – [ɔ] (26)

**1 Écoutez et observez.**

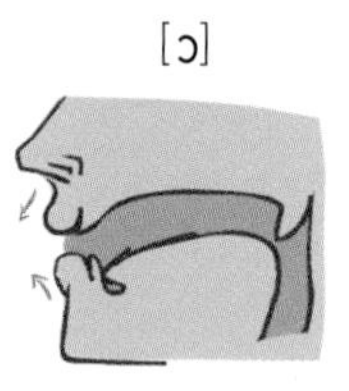

[u] bouche fermée — [o] bouche mi-ouverte — [ɔ] bouche ouverte

langue en arrière →
lèvres arrondies ●

**2 Écoutez et dites ce que vous entendez.**

a. bout – beau – bord
b. doux – dos – dort
c. fou – faux – fort
d. sou – sot – sort

**3 Écoutez et répétez.**

a. une information – une info
b. un abonnement – un abonné
c. J'adore la radio.
d. J'adore les journaux.
e. Je lis les journaux tous les jours.

### Les sons [y] et [ɥ] (27)

**1 Écoutez et observez.**

[y] [ɥ]

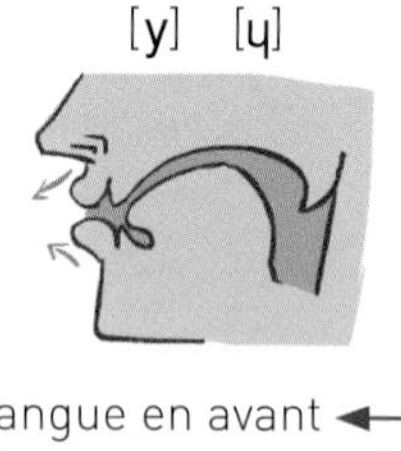

langue en avant ←
lèvres arrondies ●

[y] est une voyelle.
[ɥ] est une semi-voyelle. Elle forme une syllabe avec la voyelle qui suit.
*de-puis Je - suis. Je-lui-ré-ponds.*

**2 Écoutez et dites si ce que vous entendez est identique ou différent.**

a. ☐ = ☐ ≠   c. ☐ = ☐ ≠
b. ☐ = ☐ ≠   d. ☐ = ☐ ≠

**3 Écoutez et remplacez par le pronom *lui*.**

a. Il parle à Pierre depuis longtemps. → ...
b. Il a répondu à Marie depuis longtemps. → ...

# Grammaire

## ▶ La question inversée

→ **Vérifiez vos réponses** (act. 5 p. 60)

**a.** Les trois phrases ont le même sens.

**b.** et **c.** *Comment s'informent-ils ?* (registre soutenu)
*Ils s'informent comment ?* (registre familier)
*Comment est-ce qu'ils s'informent ?* (registre standard)
Dans une question inversée (première phrase), on place le sujet après le verbe.

**1 Transformez les questions de cette interview en questions inversées.**

EXEMPLE : *Qu'est-ce que vous lisez ? → Que lisez-vous ?*
1. Comment est-ce que vous vous informez ?
2. Quand est-ce que vous lisez ce journal ?
3. Est-ce que vous êtes abonné à Twitter ?
4. Qu'est-ce que vous écoutez comme radio ?

**2 Interrogez votre voisin sur sa relation aux médias. Variez les formes de questionnement.**

EXEMPLE : *Est-ce que tu écoutes souvent la radio ? Tu écoutes souvent la radio ? Écoutes-tu souvent la radio ?*

## ▶ La nominalisation

→ **Vérifiez vos réponses** (act. 9 p. 61)

**a.** et **b. Noms masculins** : un engagement, un changement, un rattrapage
**Noms féminins :** une augmentation, une sculpture, une manifestation
Pour transformer un verbe en nom, on ajoute souvent une terminaison appelée « suffixe ». Certains suffixes permettent de connaître le genre du mot.

**c.** Le mot *de* permet de relier les deux noms.

**3 Associez chaque nom à un verbe.**

**Noms :** disparition – affichage – remplacement – découverte – naissance – coupure
**Verbes :** naître – disparaître – couper – remplacer – afficher – découvrir

**4 Vous êtes journaliste. Écrivez des titres chocs à partir des informations ci-dessous.**

EXEMPLE : *De nombreuses usines ferment à Toulouse.*
*→ Toulouse : fermeture de nombreuses usines.*
1. On construit un nouveau pont à Paris.
2. La Belgique organise le 80^e^ anniversaire d'Albert II.
3. Le Louvre expose les œuvres de Picasso en août.
4. La consommation de cigarettes baisse en France.

## ▶ Les pronoms indirects

→ **Vérifiez vos réponses** (act. 3 p. 62)

**a.** Les verbes n'ont pas la même construction :
inviter quelqu'un = construction **directe**
rendre hommage à quelqu'un = construction **indirecte**

**b.** leur = les crieurs de rue → Paris a offert une belle journée de poètes aux crieurs de rue.
me = Mathilde → Paris donne confiance à Mathilde.

**5 Complétez avec les pronoms proposés.**

*me – te – lui – nous – vous – leur*
1. Mes parents ont acheté une télévision. Elle ...... plaît beaucoup.
2. Mon frère a envoyé son premier tweet. Un utilisateur ...... a aussitôt répondu.
3. Le journaliste ...... a parlé en espagnol. Nous n'avons rien compris.
4. La radio ...... a rappelé hier soir. J'ai gagné une place de concert !

**6 Trouvez le nom que le pronom souligné peut remplacer et imaginez quelques phrases à votre tour.**

EXEMPLE : *La radio leur parle tous les jours.*
*→ leur = les auditeurs*
1. Ce journal vous offre 5 euros sur votre abonnement !
2. Cette star m'a signé un autographe.
3. Les lecteurs leur font confiance.
4. Ce magazine de mode nous plaît beaucoup.

## ▶ Le discours direct et indirect

→ **Vérifiez vos réponses** (act. 7 p. 63)

**a.** Hyppolite répond : « **J'**adore **mon** métier. » → Vrai : Hyppolite répond qu'**il** adore **son** métier.
Mon père dit : « **Tu** es surprenant. » → Faux : Mon père dit que **je** suis fou.

**b.** On me demande pourquoi **je** fais ce travail.
→ « Pourquoi fais-**tu** ce travail ? »
On me demande si **je** reçois beaucoup de messages.
→ « Est-ce que **tu** reçois beaucoup de messages ? »

**7 Transformez les phrases au discours indirect.**

EXEMPLE : *Est-ce que tu écoutes la radio ? → Il me demande si j'écoute la radio.*
**1.** Elle me dit : « Je ne lis jamais le journal. » → Elle me dit... **2.** « Est-ce que tu utilises Twitter ? », demande Paul. → Il me demande... **3.** « Pourquoi ne regardes-tu jamais la télévision ? », me demande Fabien. → Il me demande... **4.** « Charlotte, vous avez quel âge ? », demande le journaliste. → Il lui demande...

**8 Drôle de trio ! La première personne pose une question à son voisin, puis elle insiste avec le discours indirect. La deuxième personne ne répond pas, mais elle écrit la question et la passe à la troisième personne. Ce dernier répond à la question.**

EXEMPLE : PAUL. – Tu viens dimanche ?... Je te demande si tu viens dimanche !
MARIE. – Paul demande : « Est-ce que tu viens dimanche ? »
PERRINE. – Bien sûr, et toi ?

→ Point Récap p. 71

# Exprimer son point de vue

## 1 Regardez et écoutez ces documents. 

a. De quelle radio s'agit-il ?
b. À quel public s'adresse ce journal ?
c. Quels mots indiquent que ces documents sont radiophoniques ?
d. Quel est le sujet de l'émission ?
e. Quels sont les différents points de vue ?

## 2 Exprimez votre point de vue !

a. Est-ce que vous pensez que ce journal est une bonne idée ? Pourquoi ?
b. Existe-t-il des émissions de ce type dans votre pays ? Avez-vous déjà donné votre opinion ou point de vue à la radio ? Racontez.

### Communication

**Exprimer son point de vue**
- Pour moi, l'information est un droit.
- À mon avis, ...
- Je trouve que tu as raison.
- Je crois que...

**Demander l'avis de quelqu'un**
- D'après toi, c'est une bonne idée ?
- À votre avis, est-ce que...
- Et toi, tu en penses quoi ?

# Exprimer sa surprise

## 1 Top chrono !

**a.** Lisez la bande dessinée.

**b.** Qu'est-ce qu'une rumeur ?

## 2 Préparation

**a.** Avec votre voisin, imaginez et écrivez dix rumeurs au présent de l'indicatif. Vous pouvez créer des rumeurs affirmatives ou des questions.

**EXEMPLES :** *À Paris, les chiens portent des pyjamas. Est-ce que les Français mangent du cheval ?*

**b.** Prononcez.

Repérez les mots contenant les sons [u], [o], [ɔ] et [y], [ɥ] dans vos rumeurs et entraînez-vous à les prononcer.

Écoutez et prononcez. 29

*L'ours ose et sort dehors aux aurores.*

*Il lui a lu un livre qui lui a plu.*

## 3 À vous !

**a.** Racontez votre rumeur à une personne de la classe. Utilisez le discours indirect.

**EXEMPLES :** *On dit qu'à Paris, les chiens portent des pyjamas.*

*Je me demande si les Français mangent du cheval.*

**b.** Votre interlocuteur exprime sa surprise.

**EXEMPLE :** *Quoi ? Les Français mangent du cheval ? Mais non, ce n'est pas possible !*

**Stratégie**

Quand je m'adresse à quelqu'un, je pense à choisir le bon registre de langue.

**Communication**

**Exprimer sa surprise**

- Ah ! Oh !
- Quoi ?
- Pardon ?
- Ce n'est pas possible !
- C'est pas vrai ? *(familier)*
- Tu déconnes ? *(très familier)*

# ATELIER D'ÉCRITURE

## Écrire un tweet littéraire

malibrairie.com

Littérature | Essais | BD & Mangas | Beaux Livres | Ebooks

25 histoires
25 auteurs
en
140 ca.

LE DEVOIR

### 25 histoires, 25 auteurs en 140 caractères...

*Le 07/02/2013 à 10:32*

Drôle de challenge ! Le journaliste Fabien Deglise du quotidien canadien *Le Devoir* a eu l'idée d'un recueil de nouvelles de 140 caractères : bref, des nouvelles sous la forme d'un tweet.

25 auteurs français, québécois et marocains ont participé à cet exercice : « *imaginer une nouvelle littéraire dans un format de 140 caractères, pas un de plus, espaces compris.* »

**Yann Martel**

**La terre ? Nous l'avons mangée hier.**

*11 novembre 2012 15:00:59*

**Tahar Ben Jelloun**

**Il s'est réveillé plein de tristesse. On lui a dit : « T'es pas drôle. » Le lendemain, un homme s'est réveillé plein de tristesse. Ce n'était pas le même.**

*19 novembre 2012 04:48:09*

### 1 Réaction

**1. Regardez la couverture du livre.**

**a.** Combien d'histoires chaque auteur a-t-il écrites ?

**b.** Que signifie : « 140 ca. » ?

**2. Lisez l'article.**

**a.** Que contient ce livre ?

**b.** De quelles nationalités sont les auteurs ?

**3. Relisez les deux extraits de « littératweet ».**

**a.** Qui sont les auteurs de ces deux tweets ?

**b.** Quel auteur n'a pas exactement respecté la règle ? Pourquoi ?

**c.** Que pensez-vous des thèmes choisis ? Est-ce qu'on parle d'actualité ?

**d.** Est-ce que chaque histoire a une fin ?

### 2 Préparation

Vous allez écrire un tweet littéraire. Définissez votre sujet : choisissez un personnage, un lieu, une idée philosophique, un paysage, etc. N'oubliez pas de penser à une fin pour votre tweet.

### 3 Rédaction

**a.** Écrivez votre tweet. Vous pouvez utiliser le discours direct comme Tahar Ben Jelloun.

**b.** Comptez le nombre de caractères de votre tweet. Si vous avez dépassé les 140 caractères, cherchez des synonymes plus courts dans le dictionnaire.

**c.** Passez la feuille à votre voisin. Demandez-lui s'il comprend, s'il peut vous donner des conseils (histoire, style...).

**d.** À tour de rôle, lisez vos tweets à la classe !

# L'ATELIER 2.0

## Faire une mini-revue de presse

**Vous êtes journaliste, vous préparez une mini-revue de presse avec les gros titres de l'actualité.**

### 1 On s'organise

En classe, commencez par énumérer les médias francophones que vous connaissez *via* la radio, la télévision, la presse écrite, Internet…

EXEMPLE : *Le Monde, Le Figaro, Le Soir, RFI, etc.*

Rassemblez les éléments nécessaires (journaux papiers, sites de journaux, etc.).

### 2 On se prépare

Par groupes, choisissez une rubrique qui vous intéresse : monde, société, économie, sport, sciences, culture, people.

Puis, à partir de différents médias, complétez individuellement une fiche avec :

– l'information principale, sous forme de titres ;

EXEMPLE : *La finale de Roland-Garros : Nadal-Ferrer en direct*

– des détails sur cette information, sous forme de questions.

EXEMPLE : *« Nadal gagnera-t-il la finale pour la 8e année ? »*

### 3 On présente à la classe

Chaque groupe présente sa revue de presse. La classe réagit et donne son point de vue pour répondre aux questions posées.

### 4 On publie

La classe décide de la forme de la revue de presse : rubriques, nombre de titres par rubrique, mise en page, couleurs, etc.

La classe publie la revue de presse sur l'espace de son choix : mur(s), blog….

POINT RÉCAP'

## Lexique / Communication

# VIVRE L'INFORMATION

### L'actualité

- un article
- la « une », les (gros) titres
- un auditeur
- un lecteur
- un journaliste
- écouter la radio
- feuilleter un magazine
- lire la presse écrite
- regarder le journal télévisé
- suivre l'actualité

### Les nouveaux médias

- un réseau social
- un smartphone
- une tablette
- un hashtag
- un lien
- un profil
- tweeter *(verbe)*

### La presse sur Internet

- un journal en ligne
- cliquer sur un titre
- consulter une rubrique
- écouter un podcast
- s'abonner à une revue de presse
- télécharger une vidéo

### Les messages

- une boîte aux lettres
- une petite annonce
- un crieur public
- un coup de cœur
- clamer une annonce
- écrire, envoyer, recevoir un message

### Rapporter des paroles

- Elle dit : « je lis la presse. »
- Elle dit qu'elle lit la presse.
- Il affirme (que)...
- Elle demande (si, pourquoi...)...
- Il répond (que)...

### Exprimer son point de vue

- Pour moi, ...
- À mon avis, ...
- D'après moi...
- Je trouve que...
- Je crois que...
- Je pense que...

### Demander l'avis de quelqu'un

- (Et) d'après toi / vous, est-ce que... ?
- À ton / votre avis, ... ?
- Que pensez-vous de *+ nom* ?
- Et toi, tu en penses quoi ?
- Et vous, qu'en dites-vous ?

### Exprimer sa surprise

- Ah ! Oh ! Ça alors !
- Ah non !
- Quoi ? Pardon ?
- Comment ? Qu'est-ce que tu dis ?
- Ce n'est pas possible !
- C'est pas vrai ? *(familier)*
- Tu déconnes ? *(très familier)*

## Activité RÉCAP'

**Vous organisez une conférence sur le thème « Les nouveaux médias ».**

**1** Répartissez-vous en groupes.
Dans chaque groupe, il y a environ 6 personnes : un conférencier, un expert, des intervenants.
Décidez qui fait quoi.

**2** Le conférencier réalise une conférence sur les « nouveaux médias ».
- Il fait appel à un expert (en journalisme, en technologie...) à qui il demande son point de vue.
- Il invite aussi d'autres intervenants qui illustrent le propos par des scènes jouées en direct (une publicité pour un magazine électronique, un reportage sur la lecture de la presse sur smartphone, etc.).

À vous de jouer !

# Grammaire

## La question inversée

Il existe trois formes de questions. Chaque forme correspond à un **registre de langue**. On parle de question inversée lorsque **le sujet est placé après le verbe**.

Que fais-tu ? *soutenu, à l'écrit*
Qu'est-ce que tu fais ? *standard*
Tu fais quoi ? *standard, à l'oral*

**Attention,** dans les questions inversées :

– quand le verbe se termine par une voyelle, on ajoute un *t* avec *il, elle, on* ;
EXEMPLE : *Où habite-t-il ?*

– quand le verbe se termine par un *d*, on prononce « t » devant *il* et *elle*.
EXEMPLE : *Que prend-il ?*

→ Précis, P. 191

## La nominalisation

• Les noms peuvent se former à partir de verbes.

Certaines transformations sont simples :
*rejeter → un rejet, baisser → une baisse*

• Pour d'autres noms, **on ajoute un suffixe.**

Les noms en ***-age*** et ***-ment*** sont **masculins** :
*rattraper → un rattrapage*
*changer → un changement*

Les noms en ***-tion*** et ***-ure*** sont **féminins** :
*manifester → une manifestation*
*couper → une coupure*

**Remarque :** dans un groupe nominal, on sépare souvent deux noms par la préposition *de*.
EXEMPLE : *La venue de Madame La Ministre.*

→ Précis, P. 191

## Les pronoms indirects

Le pronom sert à **remplacer un nom.**

• On utilise les pronoms indirects avec les verbes de **construction indirecte.**
EXEMPLE : *Il parle à un homme.*
→ *Il lui parle.*

• Les pronoms indirects qui remplacent des personnes sont :

| | |
|---|---|
| me | nous |
| te | vous |
| lui | leur |

**Attention,** certains verbes ont une double construction.
EXEMPLE : *Il donne un bonbon à son frère.*
(direct) (indirect)

Pour connaître la construction d'un verbe, il faut chercher dans un dictionnaire.

→ Précis, P. 192

## Le discours direct et indirect

Pour rapporter les paroles de quelqu'un, on peut utiliser le discours direct ou indirect.

• Au **discours direct**, on reprend les mots exacts de la personne. On les introduit avec un verbe de parole (*dire, répondre, demander*...) + les deux-points + les guillemets.

• Au **discours indirect**, on peut utiliser :
– un verbe de parole + *que* (affirmation) ;
– *demander* + *si* (questions avec *Est-ce que*) ;
– un verbe de parole + un pronom interrogatif (autres questions).

EXEMPLES :

| Discours direct | Discours indirect |
|---|---|
| Elle dit : « Tu es fou. » | Elle dit que je suis fou. |
| Il demande : « **Est-ce que** tu es fou ? » | Il demande **si** je suis fou. |
| Il demande : « **Comment** tu vas ? » | Il demande **comment** je vais. |

**Attention** aux changements : *tu → je, ton → mon*, etc.

→ Précis, P. 195

# L'information, de nombreux acteurs

Internet **Hacker** autonomie Télévision
**logiciel libre** Communauté
**Tweet** Partage **Réseau**
Hébergement **Code** **Don** **journalisme** radio

## Glossaire

**Hacker**

- Programmateur de génie et autodidacte
- Engagé auprès des communautés du logiciel libre ou de l'*open data*
- Manipule les systèmes informatiques
- Se méfie du pouvoir
- N'est ni bon ni mauvais

**Hats**, classification des hackers

- **Black hats (chapeaux noirs) :** volent des données ou de l'argent
- **White hats (chapeaux blancs) :** signalent les failles de sécurité informatique contre les criminels

## Quelques références

■ **Wikileaks :** le plus connu des Français

■ **NosDéputés.fr :** Observatoire citoyen de l'activité parlementaire
Les compétences des codeurs intéressent les journalistes. Ce site permet aux internautes de contrôler l'activité quotidienne de leurs députés et leurs paroles.

■ **Reflets.info :**
Pourquoi des journalistes hackers en France ?

**Raison d'être**

- Un projet communautaire avec des journalistes et des spécialistes de l'informatique

**Philosophie**

- Retrouver une presse de réflexion
- Pas de réaction instantanée
- L'analyse des données
- Rendre sa valeur à l'information

**Insomni'Hack, un des plus grands événements francophones de sécurité informatique**

## En quelques lignes

**6e** édition à Genève
**400** hackers de toute l'Europe
Des conférences, des ateliers
Concours de piratage informatique

**But**
Promouvoir le hacking éthique dans un cadre légal

### 1 Lisez les informations et répondez.

1. Un hacker, qu'est-ce que c'est ?
2. Quelles sont les compétences d'un hacker ?
3. Citez un hacker francophone.
4. Que s'est-il passé à Genève ?
5. Que pensez-vous de la philosophie des hackers ?

# Et aussi...

## Deux initiatives d'ouverture

### En bref

**Une chaine franco-allemande et européenne**

**Son histoire**

**1992** Création d'une chaîne culturelle franco-allemande

**Principes**

- Favoriser la compréhension et le rapprochement des peuples en Europe
- Concevoir et diffuser des émissions de télévision en français et en allemand
- Diffuser 24 h / 24 h
- Mêler œuvres contemporaines et patrimoine

### Actualité

- **2012 :** 6 chaînes supplémentaires.
- **Novembre 2013 : Arte** bat son record d'audience depuis 2005.

**Prix du journalisme francophone**

### En quelques lignes

**50e Prix du journalisme des radios francophones publiques**

**14 décembre 2013** remise du Prix du journalisme des radios francophones publiques par radio France, la Radio Télévision Belge Francophone, la Radio Suisse Romande et Radio Canada.

**Deux catégories :**

- **le choix du public** pour un reportage d'une durée comprise entre 3 et 10 minutes
- **le choix des rédactions** pour un format de moins de trois minutes

↳ Le public a choisi le reportage *Les enfants perdus de l'Espagne*, réalisé par Marine de la Moissonnière et diffusé sur France Culture le 4 janvier 2013.

**2 Lisez les informations et répondez aux questions.**

**1.** Quelle est la particularité des deux initiatives ?
**2.** Avez vous des équivalents dans votre pays ?
**3.** Y a-t-il d'autres pays qui partagent votre langue et vos médias ?

## Drôle d'expression

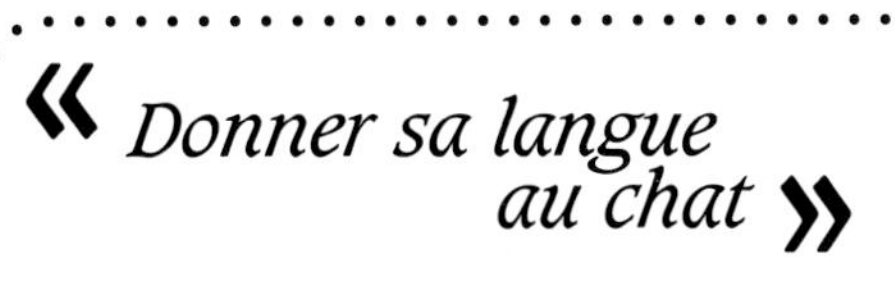

« *Donner sa langue au chat* »

contexte Charlotte ne trouve pas la réponse à la question de son frère. Elle donne sa langue au chat.

**3 On donne sa langue au chat ?**

**1.** Essayez de deviner le sens figuré de l'expression d'après le contexte.
**2.** L'expression *Donner sa langue au chat* veut dire :
a. Elle donne à manger au chat.
b. Elle renonce à deviner la réponse à la question de son frère.
**3.** Avez-vous une expression similaire dans votre langue ?

# PRÉPARATION AU **DELF A2**

 Les documents sonores sont téléchargeables sur le site www.didierfle.com/saison.

## PARTIE 1 Compréhension de l'oral

**Vous allez entendre 2 fois un document. Vous avez 30 secondes de pause entre les 2 écoutes puis 30 secondes pour vérifier vos réponses. Lisez les questions.**

**Vous entendez cette émission à la radio. Répondez aux questions.**

**1.** De quel métier parle-t-on dans l'émission ?
☐ Vendeur.
☐ Comédien.
☐ Crieur de rue.

**2.** Où Olivier travaille-t-il ?

..........................................................................................

**3.** En quoi consiste le métier de crieur de rue ?
☐ Aider les gens.
☐ Informer les gens.
☐ Amuser les gens.

**4.** Qui emploie Olivier ?

..........................................................................................

**5.** Sur quoi portent les informations que donne Olivier ?
☐ Sur l'association.
☐ Sur les métiers.
☐ Sur la vie du quartier.

**6.** Pourquoi Olivier doit-il crier ?

..........................................................................................

**7.** Qu'est-ce qui est installé pour les habitants ?

..........................................................................................

## PARTIE 2 Compréhension des écrits

**Vous lisez l'article suivant sur Internet.**

### Quel est le comportement des jeunes Européens face aux nouveaux médias ?

Pour le savoir, observons les résultats d'une grande enquête effectuée auprès de 9000 jeunes de 12-18 ans, dans neuf pays de l'Union européenne et au Québec.

94 % des 12-18 ans déclarent avoir déjà utilisé Internet (96 % en France). Communiquer en ligne est très populaire. 71 % des jeunes Européens utilisent la messagerie instantanée et 66 % le courrier électronique.

95 % des jeunes Européens ont leur propre téléphone mobile (le taux le plus élevé est l'Italie avec 98 % et le plus faible est la France avec 88 %).

Normalement, les élèves disposent d'accès à Internet dans les établissements scolaires de tous les pays de l'enquête ; 22 % des jeunes européens déclarent n'avoir jamais utilisé Internet sur le temps scolaire, et 30 % l'avoir fait rarement.

38 % des jeunes ont un blog en Belgique, 25 % en France.

En France, les jeunes connaissent bien les risques sur Internet. Cela peut s'expliquer par les nombreuses campagnes de prévention réalisées par les pouvoirs publics. En revanche, les études en Pologne et en Grèce ont montré que les jeunes de ces deux pays avaient particulièrement besoin d'une formation pour apprécier les situations dangereuses.

Les jeunes utilisent plusieurs médias en même temps. Quand ils sont sur Internet, ils écoutent de la musique mais téléphonent aussi (surtout les filles). Plus d'un jeune sur deux déclare regarder la télévision ou un DVD tout en étant sur Internet.

**Répondez aux questions.**

**1.** Quel titre pouvez-vous donner à cet article ?
☐ Les jeunes ne s'intéressent pas aux médias.
☐ Les nouvelles façons de communiquer chez les jeunes.
☐ Le comportement des jeunes face aux nouveaux médias.

**2.** Combien de jeunes ont été interrogés pour l'enquête ?

..............................

**3.** Vrai ou faux ? Justifiez vos réponses.
L'enquête a été faite en France.
☐ Vrai ☐ Faux
Presque tous les jeunes savent utiliser Internet.
☐ Vrai ☐ Faux

**4.** Comment les jeunes communiquent-ils avec les nouveaux médias ?
Donnez 2 réponses.

..............................

..............................

**5.** Dans quel pays trouve-t-on le plus grand nombre de jeunes qui ont un portable ?
☐ En France.
☐ En Italie.
☐ En Belgique.

**6.** Dans quel pays les jeunes connaissent-ils bien les risques d'Internet ?

..............................

**7.** Comment les jeunes utilisent-ils les médias ?

..............................

## PARTIE 3 Production écrite

**Que pensez-vous de Twitter ?**
**Écrivez un message sur un forum en ligne pour donner vos impressions sur ce réseau social. (100 mots)**

..............................

..............................

..............................

..............................

..............................

## PARTIE 4 Production orale

### EXERCICE 1 – Entretien dirigé

**Répondez aux questions suivantes à l'oral.**

- Que faites-vous le soir après le dîner ?
- Qu'est-ce que vous aimez lire ?

### EXERCICE 2 – Monologue suivi

**Choisissez un sujet et exprimez-vous.**

**Sujet 1** Que faites-vous sur Internet ? Quels sont les outils/applications que vous utilisez le plus ?

**Sujet 2** Quel(s) média(s) utilisez-vous pour vous informer ? Expliquez pourquoi.

### EXERCICE 3 – Exercice en interaction

**Choisissez un sujet. Jouez la situation avec l'examinateur.**

**Sujet 1**
Vous voulez vous abonner au réseau social Twitter. Vous allez voir un ami qui est inscrit sur ce réseau social pour lui poser des questions et lui demander de vous aider.

**Sujet 2**
Vous devez préparer un dossier sur les nouveaux médias. Vous allez à la bibliothèque pour trouver des livres sur le sujet. Vous posez des questions sur les différents livres à l'employé de la bibliothèque.

PORTE D'ORLEANS

# Unité 4

# Interroger le passé

## S'INFORMER

### DÉCOUVRIR
- La nostalgie heureuse
- La mode « rétro »

### RÉAGIR
- Décrire un objet
- Écrire une petite annonce

## S'EXPRIMER

### ATELIERS D'EXPRESSION ORALE
- Parler de ses origines
- Se renseigner par téléphone

### ATELIER D'ÉCRITURE
- Écrire un souvenir d'enfance

### L'ATELIER 2.0
▶ Créer une capsule temporelle

## S'ÉVALUER

- DELF A2

**On en parle ?**

Qui est-ce ?
Où est-il ?
Est-il à sa place ?

DÉCOUVRIR

# À la recherche du passé

## C'était mieux avant en vidéo ▶II 5

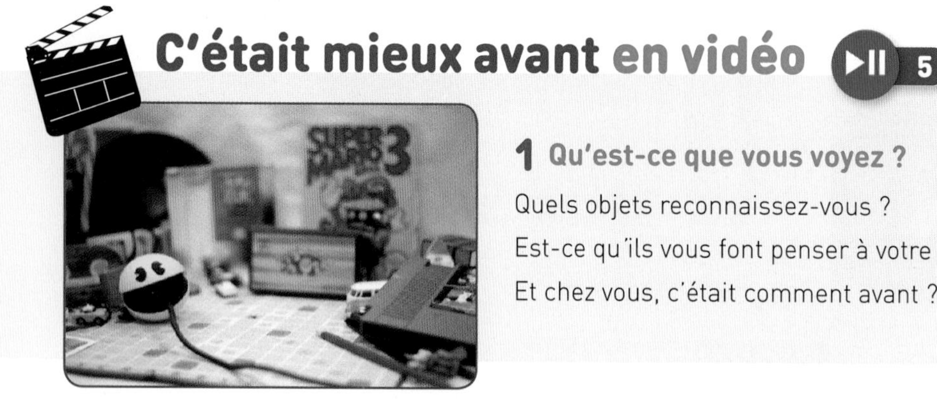

**1 Qu'est-ce que vous voyez ?**

Quels objets reconnaissez-vous ?

Est-ce qu'ils vous font penser à votre passé ?

Et chez vous, c'était comment avant ?

**LE + INFO**

À la question « À quelle époque aimeriez-vous vivre ? », 50 % des Français choisissent les années 1970 ou 1980. *(sondage Ipsos)*

## La nostalgie heureuse

**2 Écoutez le document.** 

**a.** Cette émission évoque :

☐ un film ☐ un livre ☐ une exposition

**b.** À quelle occasion a-t-elle lieu ?

**c.** Est-ce qu'Amélie Nothomb est présente ?

**3 Réécoutez le document.** 

**a.** Combien de romans cette écrivaine a-t-elle écrits ?

**b.** En quelle année est-elle retournée au Japon ? À quelle occasion ?

**c.** Dans son livre, de qui et de quoi parle-t-elle ?

**d.** Que signifie l'expression « la nostalgie heureuse » ?

**e.** Tendez l'oreille. Dites si vous entendez [y], [ø], [œ]. 

**4 Répondez aux questions.** 

**1. Réécoutez le document.**

**a.** Entre le documentaire et le livre, lequel choisiriez-vous ? Pourquoi ?

**b.** Complétez avec les mots qui permettent de comparer le livre et le documentaire.

Le livre va .......... loin .......... la caméra.

Un récit .......... intime et .......... superficiel .......... le documentaire.

**c.** Sur quels mots portent les comparaisons ?

**2. Observez ces phrases.**

*Ce livre retrace le plus récent voyage de la romancière au Japon.*

*Il évoque ses souvenirs les plus tendres avec sa nounou.*

**a.** Les mots soulignés accompagnent quels mots ?

**b.** *Le plus / les plus* : pourquoi l'article est-il au singulier dans la première phrase ? Au pluriel dans la seconde ?

**c.** Réécoutez le document et retrouvez le superlatif de l'adjectif *bon*.

▶ Le comparatif et le superlatif → Vérifiez et exercez-vous : 1-2 p. 83

**Mots et expressions**

**Les souvenirs**

- la nostalgie
- la petite enfance
- évoquer un souvenir
- se souvenir de son passé
- ..........................................
- ..........................................

# Vous reprendrez bien un peu d'ancien ?

## Pourquoi tant de nostalgie ?

**La culture française ressemble à une vaste brocante, un marché aux puces où l'on déniche des cartes postales jaunies. C'est simple : plus c'est vieux, plus on aime. Comment expliquer cette tendance à faire revivre le passé ?**

*« C'était mieux avant », « À mon époque, les choses étaient différentes... »* Les Français évoquent souvent le passé avec un brin de nostalgie, comme si, autrefois, la vie était plus rassurante, plus sécurisante et plus agréable.

Et les commerces en profitent ! On recycle les anciens modèles de voitures, on ressort les disques vinyles, on fait revivre le passé à travers des sorties « vintage » (rando vélo rétro, bal, soirée guinguette, concours d'élégance et de moustaches...).

On retourne même au grenier pour y trouver des trésors, et pour les ressortir, comme Pauline, les jours de nostalgie : « Mes parents ont conservé tous les vêtements que mes grands-parents portaient autrefois. Ils les avaient mis dans une vieille malle. Un jour, je suis montée au grenier et j'ai découvert cette malle : il y avait de vieux livres, des bijoux anciens et de la dentelle de la Belle Époque. Ils n'avaient pas pensé qu'ils possédaient une vraie caverne d'Ali Baba... ! » ■

### 5 Lisez le début de l'article (titre et introduction), puis observez l'affiche.

a. Comment la culture française est-elle décrite ? Pourquoi ?
b. Quelle question pose l'article ?
c. Quels éléments « vintage » reconnaissez-vous dans l'affiche ?

### 6 Lisez l'article en entier.

a. Pourquoi les Français sont-ils nostalgiques ?
b. Que disent-ils pour exprimer cette nostalgie ?
c. Quel secteur en profite ? Donnez quelques exemples.

### 7 Relisez le témoignage.

a. Qui s'exprime ? À quel sujet ?
b. Qu'est-ce que la « caverne d'Ali Baba » ? Pourquoi la malle est-elle décrite ainsi ?

### 8 Observez ces phrases.

*Mes parents ont conservé tous les vêtements que mes grands-parents portaient autrefois. Ils les avaient mis dans une vieille malle.*

a. Soulignez les verbes. Quels temps reconnaissez-vous ?
b. Comment est construit le verbe « avaient mis » ?
c. Quel verbe indique :
- une action dans le passé ?
- une action qui s'est passée avant une autre action passée ?
- une habitude dans le passé ?

▶ Le plus-que-parfait et les temps du passé → Vérifiez et exercez-vous : 3-4 p. 83

**Mots et expressions**

**La mode du passé**
- à mon époque
- autrefois
- une guinguette
- rétro
- vintage

.......................................
.......................................

**Stratégie**

Quand je lis un article de presse, je cherche les informations essentielles dans le titre et l'introduction.

## Parlez de l'info !

### 9 Quelle relation les Français ont-ils avec le passé ?

### 10 Et vous, est-ce que vous êtes nostalgique ? De quoi ?

RÉAGIR

# D'hier à aujourd'hui

## Un pont entre les générations

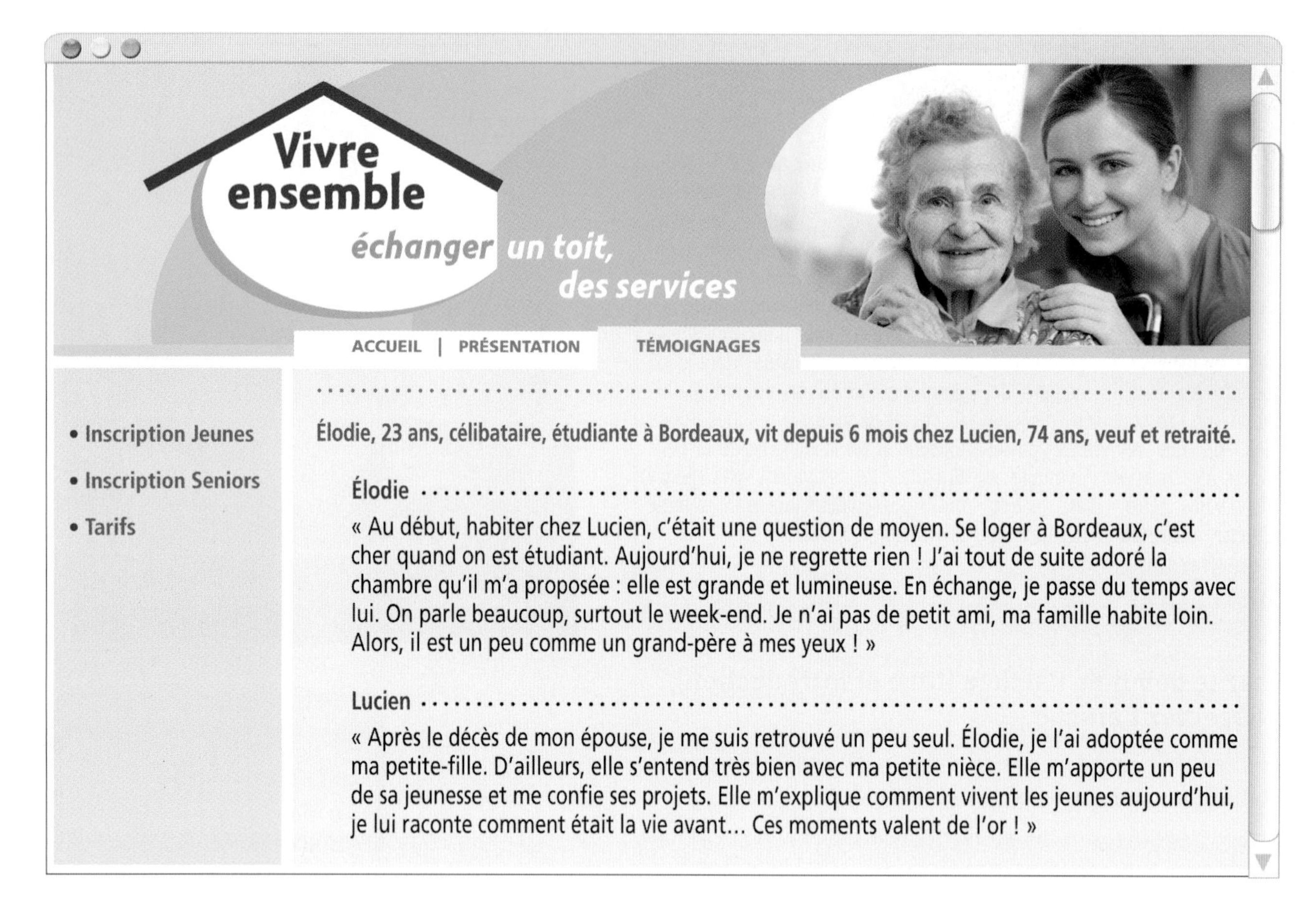


**Élodie, 23 ans, célibataire, étudiante à Bordeaux, vit depuis 6 mois chez Lucien, 74 ans, veuf et retraité.**

Élodie

« Au début, habiter chez Lucien, c'était une question de moyen. Se loger à Bordeaux, c'est cher quand on est étudiant. Aujourd'hui, je ne regrette rien ! J'ai tout de suite adoré la chambre qu'il m'a proposée : elle est grande et lumineuse. En échange, je passe du temps avec lui. On parle beaucoup, surtout le week-end. Je n'ai pas de petit ami, ma famille habite loin. Alors, il est un peu comme un grand-père à mes yeux ! »

Lucien

« Après le décès de mon épouse, je me suis retrouvé un peu seul. Élodie, je l'ai adoptée comme ma petite-fille. D'ailleurs, elle s'entend très bien avec ma petite nièce. Elle m'apporte un peu de sa jeunesse et me confie ses projets. Elle m'explique comment vivent les jeunes aujourd'hui, je lui raconte comment était la vie avant... Ces moments valent de l'or ! »

### 1 Regardez le site.

**a.** À qui s'adresse ce site ? À quoi sert-il ?
**b.** À votre avis, en quoi consiste cet échange pour chaque personne ?

### 2 Lisez les témoignages.

**a.** Que savez-vous sur l'identité d'Élodie et Lucien ?
**b.** Quelle relation ont-ils créée ?
**c.** Quels sont leurs sujets de conversation ?
**d.** Qu'est-ce que chacun apporte à l'autre ?

### 3 Observez cette phrase.

*J'ai tout de suite adoré la chambre qu'il m'a proposée.*

**a.** Soulignez les deux verbes. À quel temps sont-ils ?
**b.** Entourez le complément direct des deux verbes.
Où est-il placé par rapport aux verbes ?
**c.** Observez les participes passés. Que remarquez-vous ?

▶ L'accord du participe passé (2) → Vérifiez et exercez-vous : 5-6 p. 83
▶ *valoir* et *vivre* → Précis p. 200

**Mots et expressions**

**La famille et les relations**
- un époux, une épouse
- les grands-parents
- les petits-enfants
- un petit ami
- être célibataire
- ........................................
- ........................................

# On achète vintage ?

## 4 Écoutez le document. (32)

a. Où sommes-nous ?
b. Que cherche la cliente ?
c. Pour quelle occasion ?
d. Tendez l'oreille. Dites si vous entendez [i], [e], [ɛ]. 

## 5 Réécoutez le document et regardez les lampes. (32)

**Communication**

**Décrire un objet**
- Il est en métal, en bois...
- Il est rond, carré...
- Il coûte 50 €.
- Il sert à éclairer.
- ..........................................
- ..........................................

a. Quelle lampe est devant la cliente ? près de l'entrée ? derrière la cliente ? près de la caisse ?
b. Laquelle a un abat-jour en tissu ? Laquelle a un pied en métal ? en bois ?
c. Laquelle date des années 1960 ?
d. D'après ce que vous avez compris, comment est la lampe idéale pour cette cliente ? Décrivez-la !

## 6 Observez ces énoncés.

*– Je cherche une lampe.*
*– Que pensez-vous de <u>celle-ci</u>, juste devant vous ?*
*– <u>Laquelle</u> ? La blanche ?*
*– Vous voulez un abat-jour de couleur ? Que pensez-vous de <u>celui-là</u> ? Là-bas, près de la caisse.*
*– <u>Lequel</u> ? Je ne le vois pas.*

a. Quels mots remplacent les pronoms soulignés ?
b. Quel pronom désigne un objet proche de la personne qui parle ? un objet lointain ?
c. Cochez les bonnes réponses.
*Celui-ci/là, celle-ci/là* permet de ☐ montrer ☐ interroger.
*Lequel, laquelle* permet de ☐ montrer ☐ interroger.

▶ Les pronoms démonstratifs et interrogatifs → Vérifiez et exercez-vous : 7-8 p. 83

## Réagissez !

**7 Que pensez-vous du logement intergénérationnel ? Pourriez-vous tenter l'expérience ? Justifiez.**

## Agissez !

**8 Vous voulez vendre un objet ancien. Écrivez l'annonce et décrivez l'objet.**

EXEMPLE : *Vends fauteuil vintage en velours rouge. Dimensions : 66 cm x 59 cm x 76 cm. Très bon état. 200 euros.*

# POINT ÉTAPE

→ Cahier d'activités, unité 4

## Lexique

### Les souvenirs

**1 Menteur ! • Découvrez si votre voisin dit la vérité.**

• Interrogez votre voisin pour savoir s'il se souvient d'un objet ou d'un événement du passé.

• Il doit répondre « oui » et raconter une histoire en lien avec son enfance. Devinez s'il ment !

EXEMPLE : – *Tu te souviens des rubikscube ?*
– *Oui bien sûr, je me rappelle, on y jouait tous les jours après l'école.*

**Stratégie**

Pour enrichir mon vocabulaire, je peux chercher l'origine des mots. Leur étymologie peut m'aider à les comprendre et à les mémoriser.

### La famille et les relations

**2 Qui est qui ? • À partir des informations fournies, complétez les phrases.**

*Annie est l'épouse de Jean-Pierre. Gabriel et Justine sont leurs enfants. Zoé et Augustin sont les enfants de Justine. Lola et Jules sont les enfants de Gabriel.*

1. Lola est la ..... Jules et la ..... de Zoé.
2. Justine est la ..... d'Augustin et la ..... de Lola.
3. Jules est le ..... de Justine.
4. Jean-Pierre est le ..... de Jules et le ..... d'Annie.
5. Gabriel est l'..... de Zoé.

### La mode du passé

**3 Mots croisés • Retrouvez le mot grâce à sa définition.**

1. *(Nom)* Période historique qui marque le début du xx^e siècle, avant la Première Guerre mondiale.
2. *(Adjectif)* Se dit d'un vêtement ou d'un accessoire qu'on fait revivre aujourd'hui.
3. *(Adjectif)* Se dit d'un style, d'une mode du temps passé.
4. *(Nom)* Ancien cabaret en banlieue parisienne où l'on pouvait manger et danser.
5. *(Adverbe)* Dans le temps passé, il y a longtemps.

## Phonétique

### ▸ Les sons [y] – [Ø] – [œ] 34

**1 Écoutez et observez.**

| [y] | [Ø] | [œ] |
|---|---|---|
| bouche fermée | bouche mi-ouverte | bouche ouverte |

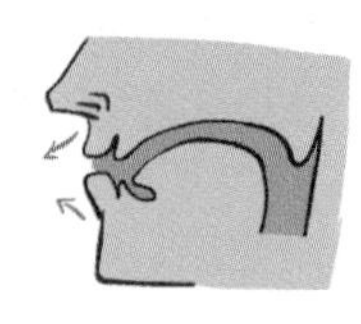

langue en avant ←
lèvres arrondies ●

**2 Écoutez et dites ce que vous entendez.**

a. ☐ du ☐ deux
b. ☐ fut ☐ feu
c. ☐ su ☐ ceux ☐ sœur
d. ☐ deux œufs ☐ deux heures

**3 Écoutez et répétez.**

a. Le bonheur – Il est heureux.
b. Il est plus heureux. – C'est le plus heureux.
c. La peur – Il est peureux. – Il est plus peureux.
d. Il est plus peureux. – C'est le plus peureux.

### ▸ Les sons [i] – [e] – [ɛ] 35

**1 Écoutez et observez.**

| [i] | [e] | [ɛ] |
|---|---|---|
| bouche fermée | bouche mi-ouverte | bouche ouverte |

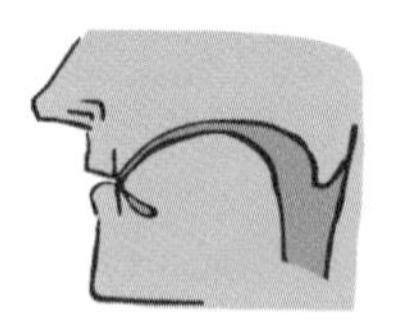

langue en avant ←
lèvres tirées

**2 Écoutez et dites si ce que vous entendez est identique ou différent.**

a. ☐ = ☐ ≠ c. ☐ = ☐ ≠
b. ☐ = ☐ ≠ d. ☐ = ☐ ≠

**3 Écoutez et répétez.**

a. Il cherche un vinyle. Lequel ? Celui-ci.
b. Il a cherché une chaise. Laquelle ? Celle-ci.
c. Il cherche des chaises. Lesquelles ? Celles-ci.
d. Il a cherché des réveils. Lesquels ? Ceux-ci.

# Grammaire

## ▶ Le comparatif et le superlatif

→ **Vérifiez vos réponses** (act. 4 p. 78)

**1. b.** Le livre va plus loin que la caméra.
Un récit plus intime et moins superficiel que le documentaire.
**c.** Dans la phrase 1, la comparaison porte sur l'adjectif « loin », dans la phrase 2, sur les adjectifs « intime » et « superficiel ».

**2. a.** Les mots « le plus » et « les plus » accompagnent les adjectifs « récent » et « tendres ».
**b.** Dans « le plus », « le » se rapporte à « voyage » (masculin singulier). Dans « les plus », « les » se rapporte à « souvenirs » (masculin pluriel).
**c.** Le superlatif de l'adjectif *bon* est *meilleur*.

**1 Vous achetez un ordinateur. Comparez ces deux modèles avec les adjectifs : *puissant – résistant – lourd – léger – grand – petit – cher – bon marché...***

EXEMPLE : *Le Tony est plus léger que le Cosini.*

**Cosini 1 680 € •** mémoire : 8 Mo – autonomie : 9 h – poids : 3,5 kg – dimensions : 30 x 19 x 2 cm
**Tony 1 990 € •** mémoire : 12 Mo – autonomie : 12 h – poids : 2,7 kg – dimensions : 32 x 22 x 2 cm

**2 Par deux, comparez deux époques différentes.**

À votre avis, quelle époque était la plus agréable ? la moins facile ? la plus joyeuse ? etc.

EXEMPLE : *Les années 1970 ont été les plus libres.*

## ▶ Le plus-que-parfait et les temps du passé

→ **Vérifiez vos réponses** (act. 8 p. 79)

**a.** « ont conservé » : passé composé ; « portaient » : imparfait
**b.** Le verbe « avaient mis » est construit avec *avoir* à l'imparfait et le participe passé du verbe.
Il est au plus-que-parfait.
**c.** « ont conservé » : action dans le passé ; « avaient mis » : action qui s'est passée avant une autre action passée ; « portaient » : habitude dans le passé

**3 Mettez ce texte au passé. Utilisez les bons temps !**

À la Belle Époque, les Français découvrent de nouvelles inventions (électricité, radio...). Les gens sont heureux, ils aiment s'amuser. Pour l'Exposition universelle de 1889, Gustave Eiffel construit « une tour de 300 mètres ». C'est un projet qui, à l'origine, est né aux États-Unis, mais n'a jamais vu le jour.

**4 Monique et Albert fêtent leur anniversaire de mariage. Ils racontent leurs noces à leurs petits-enfants. Écrivez 2 phrases pour chaque partie du récit.**

Ils parlent de la fête (description), de ce qui s'est passé ce jour-là (actions) et des préparatifs (avant l'action principale).

## ▶ L'accord du participe passé (2)

→ **Vérifiez vos réponses** (act. 3 p. 80)

**a.** J'ai tout de suite adoré la chambre qu'il m'a proposée.
Les verbes sont au passé composé.
**b.** Le complément « la chambre » est placé après le verbe « adorer » et avant le verbe « proposer ».
**c.** Le participe passé « proposée » s'accorde avec le complément du verbe. → Quand il est employé avec *avoir*, le participe passé s'accorde avec le complément si celui-ci est placé avant le verbe.

**5 Complétez les participes passés si nécessaire.**

EXEMPLE : *L'exposition que j'ai vue était intéressante.*

1. Ce sont ses plus belles années qu'il a partagé... avec elle.
2. Nous lui avions offert... une place de concert.
3. L'histoire que j'ai raconté... était ancienne.
4. Le film que j'ai vu... se passait dans des années 1960.
5. Toutes les lettres qu'elle a gardé... sont bien cachées.

**6 Complétez avec un verbe au passé composé.**

EXEMPLE : *Je ne me rappelle plus le nom de cette collègue que j'ai revue.*

1. Je me souviens de ces chansons des années 1980 que...
2. Elle évoque les traces de son passé que...
3. Nous avons oublié les événements de cette époque que...
4. Je me rappelle les années que...
5. Te souviens-tu des vacances que...

## ▶ Les pronoms démonstratifs et interrogatifs

→ **Vérifiez vos réponses** (act. 6 p. 81)

**a.** « Celle-ci » et « laquelle » remplacent « une lampe » (féminin, singulier). « Celui-là » et « lequel » remplacent « un abat-jour » (masculin, singulier).
**b.** « Celle-ci » désigne un objet proche de la personne qui parle, « celui-là », un objet lointain.
**c.** Le pronom *celui-ci/là, celle-ci/là* permet de montrer. Le pronom *lequel, laquelle* permet d'interroger.

**7 Complétez avec des pronoms démonstratifs et interrogatifs.**

1. Est-ce que je pourrais essayer une autre chemise, s'il vous plaît, ...... est trop petite.
2. – Avez-vous des fleurs plus colorées ? comme ......, là-bas.
– ...... ? Les roses ?
3. J'hésite entre ce livre et ...... . ...... me conseilles-tu ?
4. – Tu connais la dernière chanson de Raphaël ?
– ...... ? Celle qui parle du passé ?

**8 Vous vous promenez dans une brocante avec un ami. Vous vous montrez des objets.**

EXEMPLE : *– Regarde ce vieil appareil photo !*
*– Lequel ? Celui-ci, avec une belle boîte ?*

→ Point Récap p. 89

# ATELIERS D'EXPRESSION ORALE

## Parler de ses origines

**Doc. 1**

**Doc. 2**

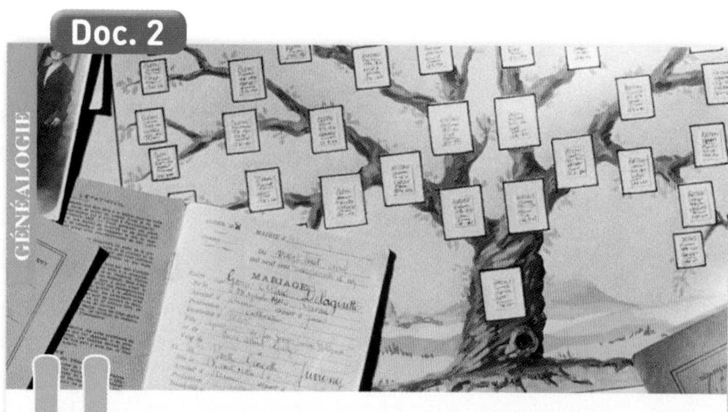


### Une aventure au cœur de sa famille

*Alice a décidé de faire son arbre généalogique. Elle nous raconte cette aventure familiale.*

En 2010, j'ai voulu connaître l'ensemble des membres de ma famille. D'abord, j'ai fait des recherches dans les mairies avec des photos de mariages. Puis j'ai utilisé des photos de réunions de famille. Pour finir, j'ai contacté les personnes retrouvées pour avoir plus de détails.

À la fin, j'ai obtenu beaucoup d'informations et j'ai eu de belles surprises : j'ai découvert qu'une partie de ma famille vivait au Brésil !

Ce travail est une formidable aventure, ça en valait la peine. Maintenant, je garde toutes les traces de ma famille pour mes enfants. ■

**Doc. 3**

Racontez-moi votre vie

### 1 Regardez et écoutez ces documents. 

**a.** Pour connaître ses origines ou raconter sa vie, que peut-on faire ?
**b.** Que signifie la phrase sur l'affiche ? Que peut-on apprendre au musée de l'immigration, à Paris ?
**c.** Pour quelles raisons veut-on généralement connaître ses origines ?

### 2 Racontez l'histoire de votre famille ! 

À votre tour, racontez l'histoire de votre famille ou d'une famille célèbre : les origines, les grands événements (rencontres, déménagements, naissances, etc.).

**Communication**

**Parler de ses origines**
**Structurer son propos**

- Je vais vous raconter...
- Tout d'abord, mes grands-parents se sont rencontrés...
- Puis ils se sont mariés.
- Après, ils sont partis...
- Finalement, ils sont revenus en 1995.
- Pour finir, je suis né...

# Se renseigner par téléphone

**Radio style 1960**
30 x 18 cm
Très bon état
**75 €**

**Téléphone de 1977**
en parfait état !
**80 €**
à retirer à domicile

**Fauteuil vintage en cuir**
taille assise à 48 cm
**100 €**

**Réveil années 1920**
Pièce rare !
mécanisme intact
25 cm de hauteur
**prix** : nous consulter

**Chapeau haut de forme**
daté de 1929
en feutre
**45 €**

**Polaroid**
acheté en 1981, très peu servi
**35 €**

## 1 Top chrono !

Observez ces objets et lisez leur description.

## 2 Préparation

**a.** Formez des groupes et choisissez un objet par groupe. Vous allez appeler le propriétaire pour avoir plus de renseignements. Préparez votre entretien.

**b.** Prononcez.

Repérez les mots contenant les sons [y], [ø], [œ] et [i], [e], [ɛ] dans les questions que vous allez poser et entraînez-vous à les prononcer.

Écoutez et prononcez. 37

*Ursule est heureux tout seul.*
*L'élève énerve Ève et l'évite.*

## 3 À vous !

Une personne de chaque groupe téléphone à une personne d'un autre groupe pour lui poser des questions sur son annonce.
Le propriétaire décrit l'objet.
Jouez la scène, puis inversez les rôles.

### Communication

**Interagir au téléphone**

- Allô ?
- J'appelle à propos de l'annonce.
- Vous êtes bien M./Mme... ?
- C'est de la part de qui ?
- Ne quittez pas.
- Un instant, s'il vous plaît.
- Est-ce que l'objet est toujours en vente ?
- Merci de votre appel.

# Écrire un souvenir d'enfance

Un jour, papa a raconté à maman qu'il avait un Stradivarius.
Maman, elle savait qu'il avait appris à jouer du violon quand il était petit, mais il avait pas dit qu'il avait un Stradivarius.
Maman nous a expliqué qu'un Stradivarius, c'était un violon qui valait très cher. Plus cher qu'une auto, plus cher qu'une maison.
Avec maman, on s'est mis à rêver à tout ce qu'on pourrait acheter avec le Stradivarius. [...]
Mais il fallait le retrouver. Papa ne savait plus où il était, alors on a cherché. [...]
Enfin, un jour, dans une armoire, maman a découvert un étui à violon. Elle nous a appelés et elle l'a ouvert devant nous, tout doucement, comme s'il y avait un trésor dedans.
Dans l'étui, il y avait un petit violon d'étude... ça valait moins qu'un vélo.
Il aimait bien raconter des blagues, mon papa.

*Il n'a jamais tué personne mon papa*,
Jean-Louis Fournier, 1999

## 1 Réaction

**1. Lisez le texte et répondez.**

**a.** Qui est l'auteur du roman ? Quel est son titre ?
**b.** De quoi parle-t-il ? Qu'est-ce qu'un « Stradivarius » ?
**c.** Observez comment parle le personnage. Pourquoi s'exprime-t-il comme à l'oral ? Citez des exemples.

**2. Étudiez la forme du texte.**

**a.** Quels mots indiquent le début et la fin de l'histoire ?
**b.** Quel temps est utilisé pour décrire l'objet ? Donnez deux exemples.
**c.** Quel temps est utilisé pour enchaîner les actions ? Donnez deux exemples.
**d.** Quelle est la chute* de l'histoire ?

* Dans un récit, la chute est une fin surprenante.

## 2 Préparation

Faites une liste de quelques souvenirs d'enfance qui vous ont marqué.
Puis choisissez celui que vous préférez.
Réfléchissez à la manière dont vous voulez le raconter.

## 3 Rédaction

À votre tour, écrivez votre souvenir.
N'oubliez pas de diviser votre texte en paragraphes comme dans un mini-récit.
Utilisez les différents temps du passé !

**Stratégie**
Avant d'écrire un texte, je « jette » mes idées sur la feuille de papier. Puis je les organise. J'ajoute ensuite des mots de liaison.

# L'ATELIER 2.0

## Créer une capsule temporelle

**Vous allez créer une capsule temporelle pour transmettre des objets et des informations aux générations futures.**

### 1 On s'organise

En classe, faites la liste de ce que vous pourriez transmettre aux générations futures (objets, événements, personnages, idées, etc.) et des supports possibles (objet, récit, enregistrement sonore, etc.).

### 2 On se prépare

**a.** En groupes, réfléchissez au message général que votre capsule communiquera : un témoignage sur la création artistique de votre époque, sur les questions environnementales ou sociales, sur vos craintes, vos espoirs...
**b.** Proposez et décrivez un objet qui peut servir de capsule.
**c.** Listez ce que vous allez mettre à l'intérieur et choisissez le lieu où vous cacherez la capsule.

### 3 On présente à la classe

Chaque groupe présente sa capsule temporelle. La classe en garde une seule et vote pour le lieu où on la cache.

### 4 On publie

Prenez des photos et n'oubliez pas de cacher votre capsule !

# POINT RÉCAP'

## Lexique / Communication

# INTERROGER LE PASSÉ

### Les souvenirs

- l'enfance
- la petite enfance
- la nostalgie
- les retrouvailles
- évoquer un souvenir
- se rappeler quelque chose
- se souvenir de quelque chose

### La famille et les relations

- un époux, une épouse
- les grands-parents
- les petits-enfants
- un neveu, une nièce
- un(e) cousin(e)
- un(e) petit(e) ami(e)
- un décès
- une naissance
- être veuf(-ve), célibataire

### La mode du passé

- autrefois
- à mon époque
- rétro
- vintage
- une brocante
- un disque vinyle
- les guinguettes
- un marché aux puces
- la Belle Époque

### Décrire un objet

- Il est en + *matière*
- Il est + *forme*
- Il est pratique, il est solide...
- Il coûte...
- Il mesure...
- Il pèse...
- Il sert à + *infinitif*

### Structurer son propos

- (Tout) d'abord
- Ensuite
- Puis
- Après
- Enfin
- Pour finir
- Finalement

### Parler de ses origines

- Je vais vous raconter...
- Les membres de ma famille viennent de...
- Je suis originaire de...
- Mes parents sont partis... / arrivés...
- Ils se sont mariés...
- Je suis né(e)...

### Téléphoner

- Allô ?
- Ici + *nom / prénom*
- Pourrais-je parler à... ?
- J'appelle à propos de...
- Vous êtes bien M. / Mme... ?
- C'est de la part de qui ?
- Ne quittez pas.
- Un instant, s'il vous plaît.
- Merci de votre appel.

## Activité RÉCAP'

**Vous organisez une émission télévisée. Le thème de l'émission est : « La vie secrète de... »**

**1** Chacun écrit le nom d'un personnage historique sur une feuille de papier. Échangez vos feuilles entre vous.

**2** Répartissez-vous en groupes. Dans chaque groupe, il y a environ 5 personnes : un présentateur, une « personne-encyclopédie » et trois invités. Il y a aussi 5 feuilles de papier.

**3** Dans chaque groupe, le présentateur regarde les noms des personnages inscrits sur les feuilles. Il choisit un personnage et commence son émission.

EXEMPLE : « *Aujourd'hui, nous allons parler de la vie secrète de Louis XIV.* »

- Il interroge ses invités qui parlent de l'enfance du personnage, de sa famille, des objets de l'époque, etc.
- À tout moment, on peut téléphoner à la « personne-encyclopédie » pour obtenir des précisions sur tel ou tel détail !

# Grammaire

## Le comparatif et le superlatif

Pour comparer, on peut utiliser le comparatif ou le superlatif.

• Le **comparatif** peut exprimer :
– une supériorité : ***plus*** + adjectif + ***que***
– une infériorité : ***moins*** + adjectif + ***que***
– une égalité : ***aussi*** + adjectif + ***que***
EXEMPLE : *Cette photo est plus ancienne que celle-ci.*

• Le **superlatif** peut exprimer :
– une supériorité : ***le plus, la plus, les plus*** + adjectif
– une infériorité : ***le moins, la moins, les moins*** + adjectif
Il s'accorde avec le nom que l'adjectif qualifie.
EXEMPLE : *L'enfance et l'adolescence sont les périodes les plus importantes d'une vie.*

Attention aux comparatifs et superlatifs irréguliers :
bon → meilleur (que) / le meilleur
mauvais → pire (que) / le pire

→ Précis, P. 193

## Le plus-que-parfait et les temps du passé

• Le plus-que-parfait exprime une **action antérieure à une autre** action dans le passé.
Voici sa formation :

| *être* ou *avoir* à l'imparfait + participe passé du verbe |
|---|

EXEMPLE : *Ce soir, j'ai mis le bijou que ma grand-mère m'avait donné.*

• On utilise l'**imparfait** pour exprimer une description ou une habitude.

• Le **passé composé** exprime une action dans le passé.

EXEMPLE : *Je lisais tranquillement quand mon père a surgi dans le salon. Il avait oublié ses clés !*

→ Précis, P. 196

## L'accord du participe passé (2)

Quand le verbe a un complément, on regarde s'il est placé avant ou après le verbe.

• S'il est placé **après le verbe, on n'accorde pas** le participe passé.
EXEMPLE : *J'ai toujours aimé les vieux films.*

• S'il est placé **avant le verbe, on accorde** le participe passé avec ce complément.
EXEMPLE : *Cette histoire, je l'avais complètement oubliée !*

→ Précis, P. 197

## Les pronoms démonstratifs et interrogatifs

• Les pronoms **démonstratifs** désignent un être ou une chose qu'**on montre** dans l'espace :
– *ci* exprime la **proximité** ;
– *là* exprime l'**éloignement**.
EXEMPLE : *Quelle robe préfères-tu ? Celle-ci ou celle-là ?*
Ils s'accordent avec le nom qu'ils remplacent :

| | masculin | féminin |
|---|---|---|
| singulier | celui-ci/là | celle-ci/là |
| pluriel | ceux-ci/là | celles-ci/là |

• Le pronom **interrogatif** *lequel* sert à **poser une question**.
Il s'accorde avec le nom qu'il remplace :
*lequel, laquelle, lesquels, lesquelles.*
EXEMPLE : *Je peux te prêter des vinyles. Lesquels t'intéressent ?*

→ Précis, P. 192

# Passé et avenir de l'écrit

Courrier lettres missive
Imprimé boîtes aux lettres
Numérique tablette digital

« Si le téléphone avait existé, que saurions-nous d'une Madame de Sévigné ou d'une Madame de Staël, loquaces comme elles l'étaient l'une avec sa fille, l'autre avec Benjamin Constant, pendues au téléphone... » Jean Cocteau (poète, 1889-1963)

### Lettres d'amour françaises célèbres

- Napoléon à Joséphine
- Georges Sand et Alfred de Musset
- Victor Hugo et Juliette Drouet
- Simone de Beauvoir à Nelson Algren
- Henri IV à Gabrielle D'Estrées
- Guillaume Apollinaire à Madeleine Pages

**Info**
missives : en latin *epistola* ; du grec *epistolè*, envoi, message

### La carte postale virtuelle, contact immédiat

Depuis 2012, les Aéroports de Paris proposent une borne interactive. Elle permet aux passagers d'enregistrer un message vidéo et de l'envoyer gratuitement et en temps réel par e-mail. C'est une carte postale animée. On est loin du temps des missives.

### L'amour à l'ère du numérique

L'éditorialiste du journal *Libération* François Sergent remarquait récemment qu'on parlait de lettres d'amour mais pas de mails ou tweets d'amour. Or, même en écrivant un SMS, on transmet des émotions et des blagues mais avec un style d'écriture plus bref et plus direct. Faut-il se préparer à un monde sans courrier ?

### Le genre épistolaire

- La lettre authentique
- La lettre ouverte
- La lettre fictive et le roman épistolaire

### À lire

*Écrire : à l'heure du tout-message*, Jean-Claude Monod Flammarion 2013

**1 Lisez les informations et répondez aux questions.**

1. Pensez-vous que c'est la fin de l'écrit ?
2. Que se passe t-il avec l'écrit aujourd'hui ?
3. Les nouvelles technologies ont-elles changé votre écriture ?
4. Peut-on écrire un tweet amoureux ?

# Et aussi…

## Le salut par le numérique ?

### Les dates clés

**1477** Création des relais de poste par Louis XI pour transporter la correspondance du roi
**1576** Apparition des premiers bureaux de postes
**XVIIe siècle** Création de la poste aux lettres
**1879** Les Postes, Télégraphes et Téléphones (PTT)
**1991** Naissance de La Poste
**2000** Lancement de @poste.net, une messagerie électronique gratuite

Toutes les postes du monde sont en mutation et doivent s'adapter au tout digital et au virage technologique et culturel. En 2020, les envois de courrier auront diminué de moitié en France. Qu'en sera-t-il dans 20 ans ?

### Ses projets

- garantir aux consommateurs le suivi des livraisons et de meilleurs prix face aux livraisons des sites de commerce
- développer des services de proximités (surveillance de maisons, portage de médicaments, de repas aux personnes âgées, assistance, etc.)
- déployer sa banque

### Le courrier au Canada, la fin des boîtes aux lettres individuelles

Au Canada aussi, la poste va mal. D'ici à 2019, on ne distribuera plus le courrier de porte à porte et les boîtes aux lettres individuelles seront supprimées. Le prix des timbres doublera. Dans les villes, on distribuera le courrier dans des boîtes aux lettres collectives comme on le fait déjà à la campagne.

**2** Lisez les informations et répondez aux questions.

**1.** Est-ce pareil dans votre pays ?
**2.** D'après vous, qu'est-ce qu'une missive ?
**3.** Et vous, vous écrivez des cartes postales ?

### En coulisses

**La carte postale a encore de l'avenir !**

La carte postale est devenue un moyen de communication et une façon branchée de faire de la publicité.

## Drôle d'expression

« *Découvrir le pot-aux-roses* »

contexte Après des mois d'enquête, la police a découvert le pot-aux-roses.

**3** Lisez l'expression et répondez aux questions.

**1.** Dessinez l'expression.
**2.** D'après le contexte, l'expression *Découvrir le pot-aux-roses* veut dire :
a. La police a découvert un secret.
b. La police a découvert un rosier.
**3.** Cette expression date du XIIIe siècle. Avez-vous une expression similaire dans votre langue ?

# PRÉPARATION AU **DELF A2**

 Les documents sonores sont téléchargeables sur le site www.didierfle.com/saison.

## PARTIE 1 Compréhension de l'oral

**Vous allez entendre 2 fois un document. Vous avez 30 secondes de pause entre les 2 écoutes puis 30 secondes pour vérifier vos réponses. Lisez les questions.**

**Vous êtes en France. Vous entendez cette conversation. Répondez aux questions.**

**1.** Pourquoi l'homme vient-il voir la femme ?
☐ Il veut acheter des objets.
☐ Il veut vendre des objets.
☐ Il veut voir des objets.

**2.** Quels objets sont en vente dans le magasin ?

..........................................................................................

**3.** Pourquoi l'homme ne veut-il pas garder ses meubles ?
☐ Il ne les aime pas.
☐ Ils sont trop gros.
☐ Il a déjà les mêmes.

**4.** Pourquoi la femme achète-t-elle les fauteuils de l'homme ?

..........................................................................................

**5.** Comment est la table de l'homme ? Donnez 2 caractéristiques.

..........................................................................................

..........................................................................................

**6.** Où l'homme peut-il aller vendre sa table ? Donnez une réponse.

..........................................................................................

**7.** Combien coûte la table ?

..........................................................................................

## PARTIE 2 Compréhension des écrits

**Vous lisez l'article suivant sur Internet.**

### **Nouveau mode de vie** : l'immeuble intergénérationnel

**Aujourd'hui, la cohabitation intergénérationnelle n'est plus seulement réservée aux étudiants. Maintenant, elle intéresse aussi les familles qui acceptent de partager leur vie avec des personnes âgées.**

Marc, 33 ans, est très content. Il vient d'emménager avec sa femme et ses deux enfants dans un immeuble intergénérationnel. Dans cet immeuble de 90 logements, plus de la moitié sont occupés par des personnes âgées. Marc, qui vit loin de ses parents, est heureux que ses enfants grandissent auprès de seniors. Il a choisi de vivre dans un logement intergénérationnel pour pouvoir partager des moments avec des personnes plus âgées. Ce qui lui plaît le plus dans cette nouvelle vie, c'est la véritable entraide qui existe entre les différentes générations.

Mais qu'est-ce qu'un immeuble intergénérationnel ? Il s'agit d'une résidence sécurisée avec des appartements classiques et des appartements adaptés pour les personnes âgées ou handicapées. Dans ces immeubles, on trouve des parties communes adaptées pour les personnes qui ont des difficultés et des services à la personne (aide à domicile, femme de ménage, coiffeur à domicile, aide pour faire les courses). Mais le plus intéressant, ce sont les espaces collectifs (salles de jeux, jardins…), qui permettent aux habitants de l'immeuble de se retrouver et de passer du temps ensemble.

**Répondez aux questions.**

**1.** À qui s'adresse la cohabitation intergénérationnelle ?
☐ Aux étudiants.
☐ Aux familles.
☐ À tout le monde.

**2.** Pourquoi Marc est-il content ?

........................................

**3.** Pour quelle raison Marc vit-il dans un immeuble intergénérationnel ?

........................................

**4.** Vrai ou faux ? Justifiez.
Marc habite avec ses parents. ☐ Vrai ☐ Faux

**5.** Quels sont les deux types d'appartements dans un immeuble intergénérationnel ?

........................................

**6.** Quels services trouve-t-on dans un logement intergénérationnel ?
☐ Des magasins.
☐ Des aides à domicile.
☐ Un service de livraison.

**7.** Où est-ce que les habitants peuvent se retrouver ?

........................................

## PARTIE 3 Production écrite

**Racontez une histoire drôle ou extraordinaire qui vous est arrivée. Donnez vos impressions concernant ce souvenir. (80 mots)**

........................................

........................................

........................................

## PARTIE 4 Production orale

### EXERCICE 1 – Entretien dirigé

**Répondez aux questions suivantes à l'oral.**

- Quelles sont vos origines ?
- Parlez-moi de vos grands-parents.

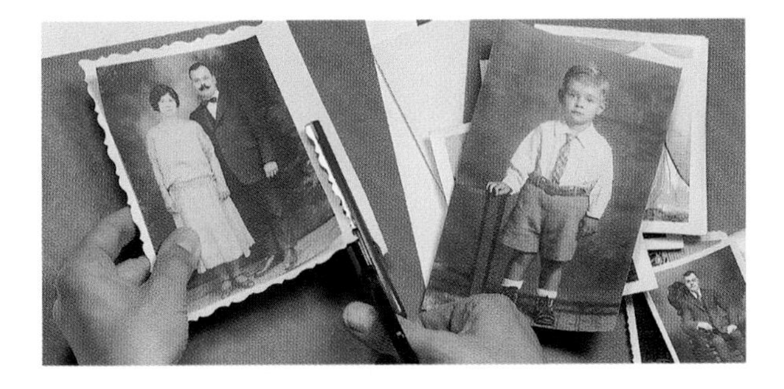

### EXERCICE 2 – Monologue suivi

**Choisissez un sujet et exprimez-vous.**

**Sujet 1**
Que faites-vous avec vos vieux objets ?

**Sujet 2**
Aimeriez-vous vivre dans un logement intergénérationnel ? Expliquez pourquoi.

### EXERCICE 3 – Exercice en interaction

**Choisissez un sujet. Jouez la situation avec l'examinateur.**

**Sujet 1**
Vous voulez acheter un objet vintage que vous avez trouvé sur Internet. Vous téléphonez au vendeur pour lui poser des questions et acheter l'objet.

**Sujet 2**
Vous allez dans un magasin de meubles pour acheter un canapé et un meuble de télévision. Vous vous renseignez sur leur matière et leur forme. Vous posez des questions sur les prix. Vous indiquez le jour et l'heure pour la livraison.

# Unité 5

# Explorer l'inconnu

## S'INFORMER

### DÉCOUVRIR
- Des Français à l'étranger
- Les démarches à effectuer

### RÉAGIR
- Parler de clichés
- Exprimer une norme sociale

## S'EXPRIMER

### ATELIERS D'EXPRESSION ORALE
- Exprimer un intérêt ou l'indifférence
- Exprimer son ignorance
- Rassurer quelqu'un

### ATELIER D'ÉCRITURE
- Écrire un questionnaire

### L'ATELIER 2.0
▶ Créer un jeu de société

## S'ÉVALUER

- DELF A2

**On en parle ?**

Où est l'homme ?

Que fait-il ?

Et vous, comment vous sentez-vous dans un lieu inconnu ?

DÉCOUVRIR

# On explore ?

## Avant le départ en vidéo 6

**1 Qu'est-ce que vous voyez ?**

Où vont-ils partir ? Que vont-ils faire là-bas ?

Quelles sont leurs motivations ?

Que font-ils avant de partir ?

**LE + INFO**

Savez-vous où les expatriés français s'installent ? Plus de 30 % restent dans l'Union Européenne, et près de 20 % sont en Afrique francophone. *(MFE, 2012)*

## Ils ont fait le grand saut

**2 Écoutez le document.** 

**a.** De quel type de document s'agit-il ?

**b.** Comment s'appellent les auditeurs ?

**c.** Dans quel pays habitent-ils ? Associez chaque photo à une personne.

**3 Écoutez à nouveau.** 

Pour chaque témoignage, indiquez :
- l'occupation de la ou des personne(s) ;
- la raison de son / leur départ.

**4 Écoutez une dernière fois.** 

**a.** Que signifient ces expressions ?
« Elle a posé ses valises... » – « Elle s'est envolée vers... » – « Ils ont tout lâché... »

**b.** Tendez l'oreille. Dites si vous entendez [ɑ̃], [ɔ̃]. 39

**Stratégie**

Pour enrichir ma compréhension à l'oral, j'essaie d'écouter des documents variés (dialogues, émissions de radio, publicités, etc.).

**5 Observez ces phrases.**

*Elle nous raconte sa vie dans le pays **dont** elle rêvait.*
*Elle a posé ses valises en Nouvelle-Zélande, **où** elle a trouvé un emploi.*
*Elle s'est envolée là-bas le jour **où** elle a pris sa retraite.*

**a.** Les mots en gras permettent d'éviter une répétition : soulignez les mots qu'ils remplacent.

**b.** Réécrivez la deuxième partie de la phrase avec la répétition.

EXEMPLE : *Nous allons écouter trois auditeurs **dont** les motivations sont très différentes.*
→ *Les motivations **des trois auditeurs** sont très différentes.*

**c.** À votre avis, *où* et *dont* remplacent quels types de compléments ?

▶ Les pronoms relatifs *où* et *dont* → Vérifiez et exercez-vous : 1-2 p. 101

**Mots et expressions**

**Les voyages**
- un billet d'avion
- une frontière
- s'envoler vers
- s'expatrier
- ..................................
- ..................................

# À vos marques... prêts ? Partez !

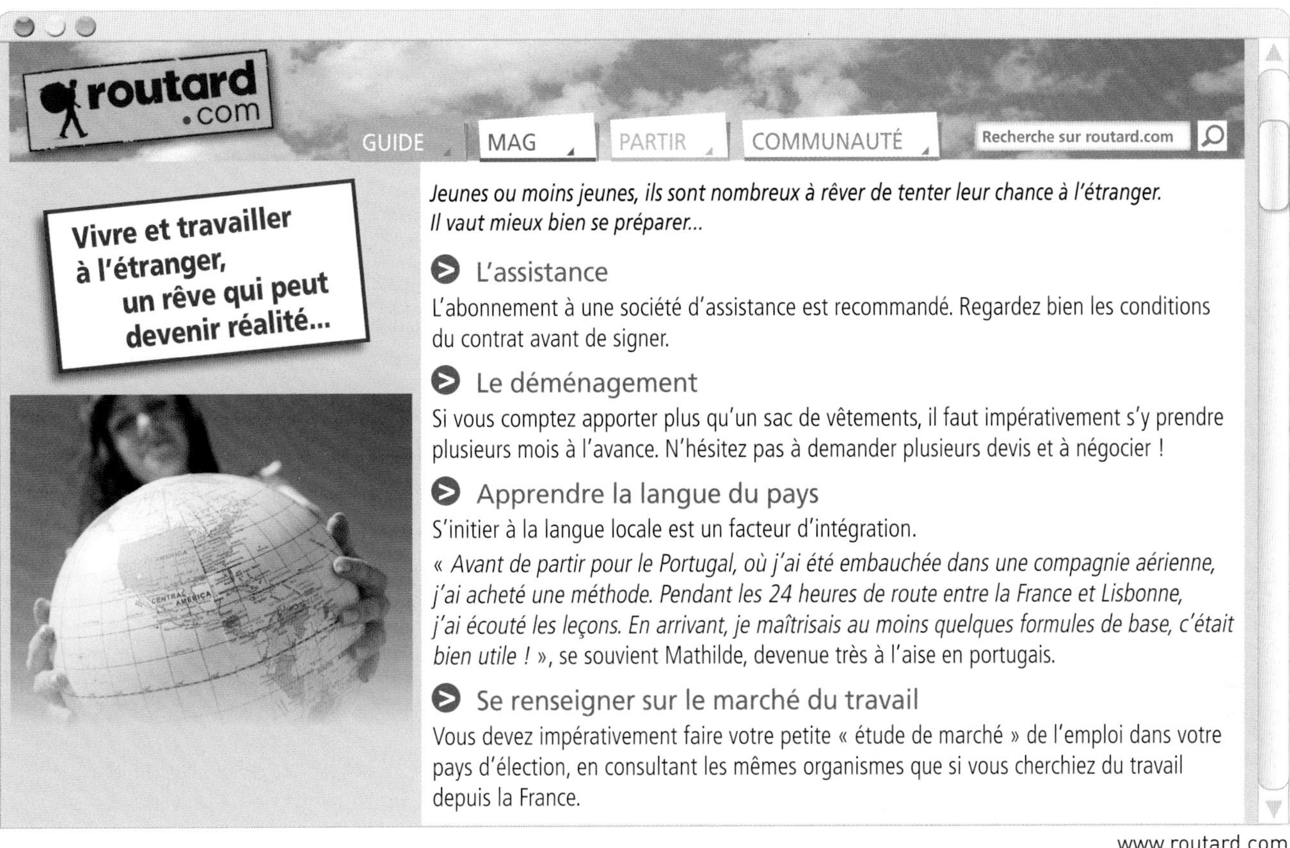

routard .com

GUIDE | MAG | PARTIR | COMMUNAUTÉ | Recherche sur routard.com

**Vivre et travailler à l'étranger, un rêve qui peut devenir réalité...**

*Jeunes ou moins jeunes, ils sont nombreux à rêver de tenter leur chance à l'étranger. Il vaut mieux bien se préparer...*

**L'assistance**

L'abonnement à une société d'assistance est recommandé. Regardez bien les conditions du contrat avant de signer.

**Le déménagement**

Si vous comptez apporter plus qu'un sac de vêtements, il faut impérativement s'y prendre plusieurs mois à l'avance. N'hésitez pas à demander plusieurs devis et à négocier !

**Apprendre la langue du pays**

S'initier à la langue locale est un facteur d'intégration.

« *Avant de partir pour le Portugal, où j'ai été embauchée dans une compagnie aérienne, j'ai acheté une méthode. Pendant les 24 heures de route entre la France et Lisbonne, j'ai écouté les leçons. En arrivant, je maîtrisais au moins quelques formules de base, c'était bien utile !* », se souvient Mathilde, devenue très à l'aise en portugais.

**Se renseigner sur le marché du travail**

Vous devez impérativement faire votre petite « étude de marché » de l'emploi dans votre pays d'élection, en consultant les mêmes organismes que si vous cherchiez du travail depuis la France.

www.routard.com

### 6 Lisez le document.

**a.** D'où vient ce document ?

**b.** Quel est son thème ?

### 7 Dans ce document, quels aspects sont abordés ?

- ☐ les entreprises de déménagement
- ☐ la recherche de logement
- ☐ l'intégration
- ☐ les documents légaux, les formalités
- ☐ les lieux d'accueil des étrangers
- ☐ l'emploi

### 8 Lisez les deux derniers paragraphes et répondez.

**a.** À quel moment Mathilde connaissait-elle quelques phrases de portugais ?

**b.** Comment peut-on étudier le marché de l'emploi ?

### 9 Observez ces phrases.

***En arrivant**, je maîtrisais quelques formules.*
*Vous devez étudier le marché **en consultant** des organismes.*
*Peut-on changer de vie **en choisissant** un nouveau continent ?*

**a.** Le gérondif (les mots sont en gras) peut exprimer :
- ☐ que deux actions se passent au même moment
- ☐ que deux actions se passent l'une après l'autre
- ☐ la manière de faire quelque chose
- ☐ la cause d'une action

**b.** Qui accomplit l'action du verbe au gérondif ? Le gérondif s'accorde-t-il ?

**c.** Conjuguez le verbe *choisir* au présent : quelle forme est proche de « en choisissant » ? Comment forme-t-on le gérondif ?

▶ Le gérondif → Vérifiez et exercez-vous : 3-4 p. 101

**Mots et expressions**

**Les démarches administratives**
- un devis
- un contrat
- remplir un formulaire
- signer
- ..................................
- ..................................

**Parlez de l'info !** 

### 10 Quelles raisons peuvent pousser à aller vivre à l'étranger ?

### 11 Comment s'adapter à un nouveau pays ?

RÉAGIR

# Vous avez dit « cliché » ?

## Une question de regard

### Que pensent-ils de nous ?

**Vous êtes Français, vous allez bientôt partir vivre à l'étranger, félicitations ! Mais connaissez-vous les clichés sur les Français dans votre nouveau pays ? Comment y serez-vous accueilli ?**

Évidemment, les habitants de votre pays d'adoption ont des stéréotypes. Nous en avons tous, et c'est parfaitement normal. Les étrangers trouvent souvent les Français arrogants, sales, râleurs... Quand nous arrivons dans un pays étranger, on dit que nous nous y adaptons mal, que nous restons entre nous...

Le travail ? N'en parlons pas, d'après beaucoup d'étrangers, nous sommes toujours en grève (quand nous ne sommes pas en vacances !).
Pourtant, nous sommes romantiques (selon les Asiatiques), et même si nous mangeons des grenouilles (merci aux Anglais), on perçoit souvent notre cuisine comme un art. La preuve, nous passons deux heures à manger !
En Amérique Latine, on admire notre culture, notre cinéma, notre éducation (cocorico !).

Alors, ces clichés, vous en pensez quoi ? Une chose est sûre : l'image des Français dans votre pays d'adoption peut être bonne ou mauvaise. Il est important de vous y préparer, de la connaître, pour diminuer le choc culturel à l'arrivée.
Et puis, soyons honnêtes, vous avez aussi des préjugés sur votre pays d'expatriation, non ?

**Ne laissez pas ces images fausser votre regard sur votre nouvelle aventure.**

**Préparez-vous grâce à notre formation en ligne :**

 www.lesexpats.org

**1 Lisez le titre et le premier paragraphe, et observez l'image.**

**a.** À qui s'adresse ce document ? **b.** De quoi parle-t-il ?

**2 Lisez le texte.**

**a.** Dites si ces aspects sont vus de manière positive (+) ou négative (-). Justifiez.
le caractère – le travail – la gastronomie – l'éducation

**b.** Pourquoi est-ce important de connaître ces images ?

**Mots et expressions**

**Les stéréotypes**
- un cliché
- un préjugé
- avoir l'air arrogant
- trouver quelqu'un râleur

.....................................
.....................................

**3 Répondez aux questions.**

**a.** Observez ces phrases.
*1. Comment y serez-vous accueilli ?*
*2. Nous nous y adaptons mal.*
*3. Il est important de vous y préparer.*
Dans la phrase 1, que remplace le pronom *y* ?
Dans les phrases 2 et 3, que remplace le pronom *y* ?
Comment se construisent les verbes ?

**b.** Observez ces phrases.
*1. Nous en avons tous, et c'est parfaitement normal.*
*2. N'en parlons pas.*
*3. Vous en pensez quoi ?*
Dans la phrase 1, que remplace le pronom *en* ?
Dans les phrases 2 et 3, que remplace le pronom *en* ?
Comment se construisent les verbes ?

▶ Les pronoms *en* et *y* → Vérifiez et exercez-vous : 5-6 p. 101
▶ *accueillir* → Précis p. 198

# Un peu de savoir-vivre

**Communication**

**Exprimer une norme**
- Tu peux / On peut dire...
- Il (ne) faut (pas) prendre...
- Tout le monde le fait.
- Ça ne se fait pas.

## 4 Écoutez le document. 

**a.** Cochez un élément de chaque colonne pour résumer le document.

| | | | |
|---|---|---|---|
| ☐ Deux amies | ☐ décrivent | ☐ les conditions de vie | ☐ dans un pays qu'elles connaissent bien. |
| ☐ Deux collègues | ☐ critiquent | ☐ des différences culturelles | ☐ dans un pays où elles viennent d'arriver. |

**b.** Qu'est-ce qui les surprend ?

## 5 Réécoutez le document. 

**a.** Quels comportements sont obligatoires ou autorisés ?
Quels comportements sont interdits ?

| | en Inde | aux États-Unis |
|---|---|---|
| obligatoire / autorisé | *joindre ses mains sous le menton et...* | ... |
| interdit | ... | ... |

**b.** Tendez l'oreille. Levez la main quand vous entendez le son [j]. 

##  Observez ces phrases. 

*Je dois réfléchir.*
*Il faut mettre tes mains jointes sous le menton.*
*Tu ne dois pas dire aux gens que leur bébé est mignon.*

**a.** Soulignez les formes de l'obligation et de l'interdiction.

**b.** Réécoutez le document et notez les phrases exactes qui correspondent aux exemples.

.............................................................................................................

.............................................................................................................

.............................................................................................................

Quelle est la structure utilisée ? Connaissez-vous le temps du verbe ?

**c.** Conjuguez les verbes suivants au présent.
que je réfléchisse → réfléchir : il ........................ ; ils ........................
que tu dises → dire : il ........................ ; ils ........................

Sur quelle base forme-t-on le subjonctif ?

▶ Le subjonctif et l'obligation → Vérifiez et exercez-vous : 7-8 p. 101

## Réagissez ! 

**7** **Quels sont vos stéréotypes de la France ? Échangez avec votre voisin pour savoir si vous avez les mêmes images.**

EXEMPLE : *Les Français sont tous d'excellents cuisiniers !*

## Agissez ! 

**8** **Sur un forum, un francophone demande quels sont les interdits et les normes sociales de votre pays. Vous lui répondez.**

EXEMPLE : *Au Japon, on peut se saluer en courbant le corps et la tête.*

→ Cahier d'activités, unité 5

## Lexique

### Les voyages

**1 Association d'idées • « Lancez »-vous des mots sur le thème du voyage.**

- Formez un grand cercle. Un objet sert d'avion (stylo, boule de papier...).
- Une personne dit un mot sur le thème du voyage. Elle lance l'avion à une autre personne, qui dit à quoi elle pense en entendant ce mot.
- Puis la deuxième personne donne un autre mot sur le thème du voyage, et ainsi de suite.

EXEMPLE : « une valise ! » → « C'est trop lourd ! »

### Les démarches administratives

**2 Listes • Un de vos amis part vivre à l'étranger. Formez des groupes et écrivez trois listes pour l'aider à préparer son départ.**

1. Les démarches à effectuer dans le pays de départ.
EXEMPLE : *commander des devis pour le déménagement*
2. Les démarches qui concernent le voyage.
EXEMPLE : *téléphoner au consulat*
3. Les démarches à effectuer en arrivant.
EXEMPLE : *comparer les contrats de téléphone portable*

### Les stéréotypes

**3 Jeu de groupe • Échangez vos stéréotypes sur différents pays.**

- Écrivez trois ou quatre noms de pays au tableau.
- Notez individuellement trois stéréotypes que vous avez sur ces pays et leurs habitants.
- Promenez-vous dans la classe pour trouver des personnes qui ont noté les mêmes images que vous !

**Stratégie**
Pour vérifier ma compréhension d'un mot, je l'utilise immédiatement dans une production écrite ou orale.

## Phonétique

### ▸ Les sons [ɑ̃] et [ɔ̃] (42)

**1 Écoutez et observez.**

[ɑ̃]

langue médiane ↔
lèvres arrondies ●
bouche ouverte

[ɔ̃]

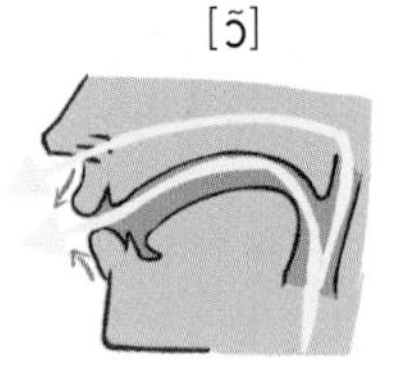

langue en arrière →
lèvres arrondies ●
bouche fermée

**2 Écoutez et dites ce que vous entendez.**

a. ☐ banc ☐ bon
b. ☐ vend ☐ vont
c. ☐ sans ☐ son
d. ☐ lent ☐ long

**3 Écoutez et répétez.**

a. On rêve. – en rêvant
b. On change. – en changeant
c. C'est un pays dont on rêve.
d. C'est une ville dont on parle.

### ▸ Les sons [i] et [j] (43)

**1 Écoutez et observez.**

[i] [j]

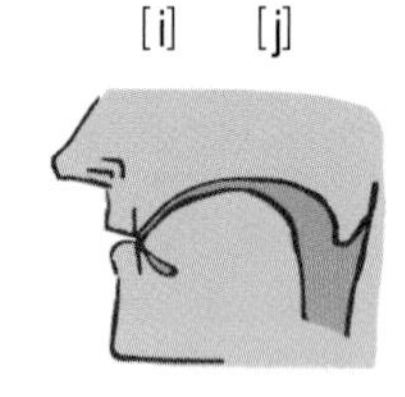

langue en avant ←

[i] est une voyelle.
[j] est une semi-voyelle. Elle se prononce dans la même syllabe qu'une autre voyelle.

**2 Écoutez et dites si ce que vous entendez est identique ou différent.**

a. ☐ = ☐ ≠ b. ☐ = ☐ ≠ c. ☐ = ☐ ≠ d. ☐ = ☐ ≠

**3 Écoutez et répétez.**

a. On paye ? – Oui, il faut qu'on paye !
b. On s'y prépare ? – Oui, il faut qu'on s'y prépare !
c. On y réfléchit ? – Oui, il faut qu'on y réfléchisse !
d. On y va ? – Oui, il faut qu'on y aille !
e. On y est accueilli ? – Oui, on y est accueilli !

# Grammaire

## Les pronoms relatifs *où* et *dont*

→ **Vérifiez vos réponses** (act. 5 p. 96)

**a.** et **b.** Elle nous raconte sa vie dans le pays **dont** elle rêvait. → Elle rêvait **de** ce pays.
Elle a posé ses valises en Nouvelle-Zélande, **où** elle a trouvé un emploi. → Elle a trouvé un emploi en Nouvelle-Zélande.
Elle s'est envolée là-bas le jour **où** elle a pris sa retraite.
→ Elle a pris sa retraite ce jour-là.
**c.** *Où* remplace des compléments de **lieu** et de **temps**.
*Dont* remplace des compléments introduits par ***de***.

**1 Supprimez les répétitions en utilisant *où* ou *dont*.**

EXEMPLE : *J'ai vécu dans un pays. Il parle de ce pays.*
→ *J'ai vécu dans le pays dont il parle.*
**1.** J'ai quitté mon pays à un âge. À cet âge, les autres entrent au collège.
**2.** J'ai organisé un voyage. J'ai apporté des photos de ce voyage.
**3.** Les stéréotypes sont des images. Nous allons parler de ces images.
**4.** Je vis dans une région. Il fait chaud dans cette région.

**2 Complétez les phrases avec *où* ou *dont*.**

EXEMPLE : *J'ai préparé une valise... où j'ai mis tes vêtements.*
**1.** Pouvez-vous remplir le formulaire... ?
**2.** L'histoire se passe dans un hôtel...
**3.** Je vais acheter des souvenirs...
**4.** Tu devrais lire ce guide touristique...
**5.** Soyez les bienvenus dans notre région...

## Le gérondif

→ **Vérifiez vos réponses** (act. 9 p. 97)

**a.** Le gérondif exprime que deux actions se passent **au même moment** ou **la manière** de faire quelque chose.
**b.** Le sujet de la phrase réalise l'action du gérondif, mais attention, le gérondif ne s'accorde pas avec le sujet.
**c.** *Nous choisissons* (présent) est proche de « en choisissant ». Le gérondif se forme avec ***en* + le radical de *nous* au présent + *-ant***.

**3 Reformulez les phrases avec des gérondifs.**

EXEMPLE : *Il a fait des démarches : il est allé au consulat.*
→ *Il a fait des démarches en allant au consulat.*
**1.** Il a pensé à toi quand il a pris l'avion.
**2.** Nous avons changé notre image du pays : nous avons vécu là-bas.
**3.** Quand je suis arrivé, j'ai été vraiment surprise.
**4.** Je me suis préparé : j'ai lu des livres.
**5.** Vous vous adapterez bien. Comment ? Apprenez la langue locale.

**4 À deux, écrivez des questions : l'un écrit cinq phrases avec « Est-ce que tu peux... », l'autre écrit cinq actions au gérondif. Posez-vous ensuite les questions.**

EXEMPLE : « Est-ce que tu peux lire... en dormant ? »

## Les pronoms *en* et *y*

→ **Vérifiez vos réponses** (act. 3 p. 98)

**a.** Phrase 1 : y = (dans) votre pays d'accueil.
*Y* est complément de lieu.
Phrase 2 : y = le pays étranger
Phrase 3 : y = l'image des Français
Ces verbes ont une construction indirecte :
« s'adapter **à** » ; « se préparer **à** ».

**b.** Phrase 1 : en = des stéréotypes.
*En* est un complément direct ; il exprime une quantité.
Phrase 2 : en = du travail
Phrase 3 : en = de ces préjugés
Ces verbes ont une construction indirecte avec ***de*** :
« parler **de** » ; « penser quelque chose **de** ».

**5 *Y* ou *en* ? Complétez les phrases.**

**1.** Partir à l'étranger, vous ... pensez ? Vous ... rêvez ?
**2.** Ma nouvelle vie, j'... suis satisfait, je m'... habitue.
**3.** Je pars au Mexique, je vais ... profiter pour apprendre l'espagnol et ... chercher un travail.

**6 Écrivez 3 phrases avec *en*, 3 phrases avec *y*. Vous pouvez utiliser les verbes : *avoir besoin de, se souvenir de, parler de, penser à, aller à, réfléchir à*.**

EXEMPLE : *Ton projet est intéressant, il faut que tu* **en** *parles autour de toi.*

## Le subjonctif et l'obligation

→ **Vérifiez vos réponses** (act. 6 p. 99)

**a.** et **b.** Je dois réfléchir. = « Il faut que je **réfléchisse**. »
Il faut mettre tes mains jointes sous le menton. = « Il faut que tu **mettes** [...]. »
Tu ne dois pas dire aux gens que leur bébé est mignon.
= « Il ne faut pas que tu **dises** [...]. »
La structure utilisée est : *il faut que* + subjonctif

**c.** réfléchir : il réfléchit, ils réfléchissent
dire : il dit, ils disent. On forme le subjonctif à partir du radical de *ils* au présent. Les terminaisons sont : *-e, -es, -e, -ions, -iez, -ent*.

**7 Exprimez ces obligations avec « Il faut que » + subjonctif.**

EXEMPLE : *Il doit prendre un billet d'avion.* → *Il faut qu'il prenne un billet d'avion.*
**1.** Vous devez montrer votre passeport.
**2.** Tu dois attendre ton tour.
**3.** Je dois remplir le formulaire.
**4.** Nous devons lire des guides.
**5.** Ils doivent joindre une photo d'identité.

**8 Pour s'informer sur un pays, que faut-il faire ? Écrivez cinq phrases.**

EXEMPLE : *Il faut que vous lisiez des livres et des magazines.*

→ Point Récap p.107

# Exprimer un intérêt • Exprimer l'indifférence

**Doc. 1**

**Doc. 3**

Le covoyage

**Doc. 2**

liligo.com *Le Magazine du Voyageur*

Rechercher

L'actualité du voyage | Conseils pratiques | Idées voyage | Nos invités | Destinations

**TOUR DU MONDE**
5 ans et 5 continents
pour « offrir le monde à nos enfants »

Anouar, Malika et leurs trois enfants – Meïssa, Mehdi et Maya, respectivement 9, 8 et 7 ans – se lancent dans le défi de leur vie : voyager autour du monde pendant 5 ans à bord d'un camping-car.

***Comment est née cette envie de tour du monde ?***
Mon mari a toujours rêvé de faire le tour du monde. Jeune, de mon côté, j'avais plutôt envie de construire une famille. Puis, quand l'aînée a eu 7 ans, je lui ai dit : « *Ok, on le fait.* » C'était le bon moment.
Voyager en famille n'est pas une difficulté en soi. Au contraire, pour nous, c'est une motivation en plus de partir avec nos enfants. On aime partager ce que l'on vit. Nous avions aussi la volonté d'essayer, en toute modestie, de faire rayonner notre culture marocaine sur les autres continents.

## 1 Regardez et écoutez ces documents. 

a. Quel est le thème de ces trois documents ?
b. Que propose le jeu-concours ?
c. Quel est le projet d'Anouar et Malika ?
d. Qu'est-ce que le covoyage ?

## 2 Montrez votre intérêt ou votre indifférence !

a. Quel voyage vous intéresse le plus ? Est-ce que vous pourriez le faire ?
b. Imaginez une forme de voyage originale (moyen de transport, destination, durée...).
Par groupes de trois ou quatre, présentez-vous vos projets individuels. Chacun exprime son intérêt ou son indifférence.

**Communication**

**Exprimer un intérêt**
- Ça me tente.
- Ça m'intéresse.
- Je suis très intéressé(e) par ce projet.
- Votre idée me passionne.

**Exprimer l'indifférence**
- Bof.
- Ça ne me dit rien.
- Ça m'est égal.

# Exprimer son ignorance • Rassurer quelqu'un

LE DOSSIER • Les cuisines du monde

## Le repas sénégalais

Isabelle Sidibé est une jeune Française qui a épousé un Sénégalais. Depuis, elle ne mange plus de la même façon.

« À chaque repas, nous mangeons dans un seul et même récipient : mais cette culture culinaire implique la maîtrise de multiples petites règles...
Tout d'abord, mieux vaut se positionner en cercle, car le plat est toujours rond ou ovale.
On mange à l'aide d'une cuillère, ou plus souvent, avec la main droite.
Attention : on mange la nourriture qui se trouve face à soi, ni à gauche, ni à droite.
Si l'invité se trouve être le dernier à manger, la politesse veut qu'un membre de la maison continue lui aussi de manger. »

www.arte.tv.fr

## 1 Top chrono !

**a.** Observez l'illustration. Que voyez-vous ? Pourquoi l'homme est-il désolé ?

**b.** Lisez le texte. Quelles sont les règles pour manger au Sénégal ? Et dans votre pays ?

## 2 Préparation

**a.** Par groupes de 3 à 5 personnes, choisissez une nationalité : une personne au moins est sénégalaise et invite les autres à manger. Chaque personne réfléchit à ses propres règles culturelles dans cette situation.

**b.** Préparez une saynette avec des malentendus culturels.

**c.** Prononcez.
Repérez les mots contenant les sons [ɑ̃], [ɔ̃] et [i], [j] dans la saynète que vous allez jouer et entraînez-vous à les prononcer.

Écoutez et prononcez. 

*Tout en tentant ta danse, tonton t'entend tomber.*
*La pie pille et ripaille.*

## 3 À vous !

**a.** Jouez la scène devant les autres.

**b.** Les personnes qui font des erreurs s'excusent, et la personne qui invite les rassure !

### Stratégie

Quand je ne suis pas sûr d'être compris, je peux demander :
« Est-ce que c'est clair ? »
« Vous comprenez ? »

### Communication

**Exprimer son ignorance**
- Désolé, je n'ai jamais appris ça.
- Je regrette, je ne savais pas.
- Vous pouvez m'expliquer ?
- Quelle est la règle ici ?

**Rassurer quelqu'un**
- Ce n'est rien.
- Ça va aller.
- Ce n'est pas grave.
- On va arranger ça.

# ATELIER D'ÉCRITURE

## Écrire un questionnaire

**Qui sont les Français qui travaillent à l'étranger ?**

**I. Généralités**

1. Votre âge : ❑ 16-18 ans ❑ 18-25 ans ❑ 26-40 ans ❑ 41-60 ans ❑ > 60 ans
2. Vous êtes : ❑ un homme ❑ une femme
3. Quel est votre statut actuel ?
   ❑ célibataire ❑ marié(e)/ vie maritale
   ❑ divorcé(e) ❑ veuf/veuve
4. Où habitez-vous actuellement ? ..........
5. Depuis combien de temps ? ..........
6. Combien de temps allez-vous rester dans ce pays ? ..........
7. Aviez-vous déjà voyagé dans ce pays auparavant ? ..........
8. Quelle est votre occupation actuelle ? ..........

**II. Avant le départ**

1. Quelles ont été les principales motivations à votre expatriation ? *(3 réponses maximum)*
   ❑ l'intérêt de la mission ou du poste proposé
   ❑ l'augmentation de vos revenus professionnels
   ❑ l'apprentissage ou l'amélioration d'une langue étrangère
   ❑ l'enrichissement culturel
   ❑ l'envie de quitter la France
2. Avant votre départ, qui a organisé votre déménagement ? ..........

### 1 Réaction

**a.** Quel est le sujet du questionnaire ?
**b.** Combien de parties a-t-il ?
**c.** Quels sont les différents types de questions utilisés dans cette enquête ?

**Stratégie**

Quand j'écris un questionnaire, je choisis la forme de la question selon le type de réponse attendue. Si j'attends des réponses précises, j'utilise un QCM (question à choix multiple).

### 2 Préparation

**a.** Faites la liste des sujets d'enquête qui vous intéressent sur le thème des voyages. Par groupes de 4 ou 5, choisissez un sujet.
**b.** Définissez d'abord les objectifs de votre questionnaire, puis organisez ses parties et sous-parties.
Réfléchissez aux types de questions que vous utiliserez (choix multiple, réponse libre...).

### 3 Rédaction

**a.** Chaque groupe écrit son questionnaire.
**b.** Distribuez-les aux élèves de la classe. Une fois complétés, étudiez les résultats et annoncez-les à la classe !

# L'ATELIER 2.0

## Créer un jeu de société

**Vous réalisez un jeu pour la classe sur le thème des voyages.**

### 1 On s'organise

**a.** Faites une liste des jeux de société que vous connaissez : jeu de l'oie, jeu des sept familles, Trivial Pursuit, Monopoly...
Quel type de jeu voulez-vous créer ? Lequel pouvez-vous adapter au thème de cette unité ?
**b.** Listez les différentes étapes de la création du jeu : écriture des questions, choix et réalisation du graphisme, rédaction des règles...

### 2 On se prépare

**a.** Formez des groupes en fonction de vos compétences personnelles. Qui sait dessiner ? Qui connaît bien la géographie ? Chaque groupe travaille sur une tâche différente.
**b.** Choisissez un organisateur dans chaque groupe.
Les organisateurs pourront se réunir pour se poser des questions.

### 3 On présente à la classe

Chaque groupe présente le résultat de son travail à la classe.
Les autres proposent des améliorations si besoin.

### 4 On publie

Jouez ensemble en classe !
Quand vous avez fini, prenez des photos et publiez-les avec les règles du jeu sur l'espace de votre choix : mur(s), blog...

## Lexique / Communication

# EXPLORER L'INCONNU

### Les voyages

- un billet d'avion
- une frontière
- un passeport
- un visa
- faire ses valises
- immigrer
- s'envoler (vers...)
- s'expatrier

### Les démarches administratives

- un contrat
- un devis
- une formalité
- une société d'assistance
- consulter un organisme
- remplir un formulaire
- signer un papier

### Les stéréotypes

- un cliché
- une image
- un préjugé
- avoir l'air + *adj.*
- sembler + *adj.*
- avoir la réputation de + *verbe*
- trouver quelqu'un + *adj.*

### Exprimer une norme

- Normalement, ...
- Tu peux / On peut + *infinitif*
- On (ne) doit (pas) + *infinitif*
- Il (ne) faut (pas) + *infinitif*
- Il (ne) faut (pas) que + *subjonctif*
- Tout le monde le fait.
- Ça ne se fait pas.
- Vous n'avez pas le droit de + *infinitif*

### Exprimer l'indifférence

- Bof.
- Comme tu veux.
- Ça m'est égal.
- Ça ne me dit rien.
- Ça ne m'intéresse pas plus que ça.

### Rassurer quelqu'un

- Ce n'est rien.
- Ça ne fait rien.
- Ça va aller.
- Rassurez-vous, ce n'est pas grave.
- Je comprends, pas de souci.
- On va arranger ça.

### Exprimer un intérêt

- Ça me tente.
- Ça m'intéresse.
- Je suis très intéressé(e) par ce projet.
- Votre idée me passionne.

### Exprimer son ignorance

- Je regrette, je ne savais pas.
- Désolé, je n'ai jamais appris ça.
- Est-ce qu'on peut + *infinitif* ?
- Vous pouvez m'expliquer ?
- Quelle est la règle ici ?

## Activité RÉCAP'

**Vous participez à une « foire aux pays ».**

**1** Formez deux groupes : le premier groupe représente un pays qui veut faire venir des expatriés. Il y a un stand par pays. Dans le deuxième groupe, les personnes (étudiants, travailleurs...) veulent partir vivre à l'étranger.

**2** Les étudiants du deuxième groupe se promènent d'un stand à l'autre.

- Ils demandent des informations sur les formalités à accomplir avant de partir en arrivant sur place.
- Vous échangez sur le mode de vie du pays. N'hésitez pas à exprimer quelques stéréotypes !

# Grammaire

## Le gérondif

• Le gérondif exprime la **simultanéité** (deux actions qui ont lieu en même temps) ou la **manière**. Il ne s'accorde pas.
EXEMPLES : *Il ne faut pas parler en mangeant.*
*Je découvre le monde en voyageant.*

• **Formation du gérondif :**

*en* + radical de *nous* au présent + *-ant*

prendre → nous prenons → en **pren**ant

**Attention** : en étant (être) ; en ayant (avoir) ; en sachant (savoir)

→ Précis, P. 197

## Le subjonctif

• On utilise le subjonctif après certains verbes, comme « il faut que ».
EXEMPLE : *Il faut que je parte.*

• **Formation du subjonctif :**

*que* + radical de *ils* au présent + *-e, -es, -e, -ions, -iez, -ent*

dire → ils disent → que je dise

• Aux 2^e^ et 3^e^ personnes du pluriel, le subjonctif est identique à l'imparfait : *que je boive, que nous buvions, que vous buviez (boire).*

→ Précis, P. 196

## Les pronoms relatifs *où* et *dont*

Les pronoms relatifs évitent la répétition d'un mot ou d'un groupe de mots en reliant deux phrases.

• ***Où*** peut remplacer :
– un complément de **lieu** (où ?) ;
EXEMPLE : *Nous partons vivre dans le pays où mon mari est né.*
– un complément de **temps** (quand ?).
EXEMPLE : *C'était une année où nous avons beaucoup voyagé.*

• ***Dont*** remplace des compléments **introduits par *de***.
EXEMPLES : *Nous avons mené une enquête dont les résultats sont disponibles ici.*
*(Les résultats **de** l'enquête sont disponibles ici.)*
*C'est un choix dont nous avons beaucoup parlé.*
*(Nous avons parlé **de** ce choix.)*

→ Précis, P. 192

## Les pronoms *en* et *y*

Les pronoms *en* et *y* servent à éviter la répétition d'un mot ou groupe de mots.

• ***En*** est utilisé comme complément avec des verbes ;
– de **construction directe**, pour exprimer une **quantité** ;
EXEMPLE : *Des pays ? Nous en visiterons quatre.*
– de **construction indirecte** avec ***de***.
EXEMPLE : *Tu peux me passer ce guide ? J'en ai besoin. (= J'ai besoin **de** ce guide.)*
Attention, avec une personne, on dit : *J'ai besoin de **toi**.*

• ***Y*** est utilisé comme complément :
– de **lieu** ;
EXEMPLE : *Nous habitons en Italie, nous y louons une maison.*
– d'un **verbe indirect** construit avec ***à***.
EXEMPLE : *Il va faire le tour du monde, il s'y prépare. (= Il se prépare **au** tour du monde.)*
Attention, avec une personne, on utilise les pronoms indirects *(me, te, lui, nous...).*

→ Précis, P. 192

## L'obligation

• On peut exprimer l'obligation avec différentes structures :
– *devoir* ou *Il faut* + infinitif ;
– *Il faut que* + subjonctif ;

• Pour exprimer l'interdiction, on ajoute *ne... pas*.

→ Précis, P. 196

# Savoir-vivre, une question de culture et de codes...

## BONNES ET MAUVAISES MANIÈRES

Dans chaque pays, il y a des codes comme la politesse, le savoir-vivre et les bonnes manières. Ils définissent ce qui est attendu, permis ou interdit dans certaines situations.

**Voici quelques codes à connaître en France :**

### Politesse

↔ **Saluer**
Dire bonjour en entrant chez un commerçant ou dans une salle d'attente.

↔ **La ponctualité**
- Les Français ont la réputation d'être souvent en retard, ce qui est impoli.
- Avec un ami, on peut arriver 5 minutes en retard.
- Pour un rendez-vous professionnel, il est recommandé d'arriver cinq ou dix minutes plus tôt.

↔ **Dans une file d'attente**
Il faut faire la queue et attendre son tour.

↔ **Remerciement**
Dire merci quand on reçoit un cadeau.
Demander si on peut l'ouvrir tout de suite.

### Au téléphone

↔ Ne pas appeler avant 9 heures ni après 21 heures 30 sauf des amis ou la famille

↔ Éviter les heures des repas

↔ Demander si on ne dérange pas

### Dans les transports

↔ Laisser son siège à une personne âgée, à une femme enceinte, à une personne avec un enfant

↔ Rester sur la partie droite des escalators pour laisser la voie libre aux personnes plus pressées

### À ne pas faire

**Cracher**
Cracher dans la rue est absolument interdit.
**Bailler**
Il faut mettre sa main devant sa bouche.
**Se moucher** face à quelqu'un ou éternuer bruyamment

**1 Bonnes ou mauvaises manières ?**

**1.** Je ne salue pas la boulangère quand j'entre dans sa boulangerie.
**2.** Les Français sont toujours en retard, je n'ai pas besoin d'arriver à l'heure.
**3.** Je peux ouvrir mon cadeau devant la personne qui me l'a offert.
**4.** Je peux passer devant les autres personnes qui font la queue à la poste.
**5.** Il est très impoli de cracher dans la rue.

**Les réponses**
1. F, 2. F, 3. V, 4. F, 5. V

# Et aussi...

## Manières de table à la française

- Ne pas parler la bouche pleine
- Fermer la bouche en mangeant
- Il est normalement impoli de « saucer » son assiette avec du pain, mais tout le monde le fait discrètement !
- Lorsqu'on a fini de manger, on pose ses couverts sur son assiette.
- On ne mange pas avec les doigts.
- On n'utilise pas de cure-dents. On n'en trouve pas sur les tables des restaurants en France.

### Au restaurant

On partage l'addition de manière égale.

**Les verres**
Le système des trois verres : le plus grand pour l'eau, le plus petit pour le vin blanc, et le moyen pour le vin rouge

**Les pourboires**
Le pourboire est facultatif.
Il varie en moyenne de 5 à 10 % du montant de l'addition.

**Téléphone**
On évite de téléphoner et on ne pose pas son téléphone sur la table.

**Voici quelques conseils si vous êtes invité à dîner :**

- Ne pas arriver à l'heure et se présenter 10 ou 15 minutes plus tard
- Si vous êtes en retard de plus de trente minutes, il est poli de téléphoner à ses hôtes pour les prévenir.

### Cadeau

Vous pouvez apporter :

- un bouquet de fleurs
- une bouteille de bon vin
- un livre
- une boîte de chocolat

### Les +

Envoyer un message de remerciement ou de téléphoner le lendemain de l'invitation. Mais les Français le font beaucoup moins souvent que dans les pays anglo-saxons ou en Allemagne.

**Enlever les chaussures, c'est culturel**

En France, on ne demande pas aux invités d'enlever leurs chaussures.

**2** Lisez les informations et répondez aux questions.

**1.** Quel est le rapport à l'heure des Français quand il s'agit de dîner ?
**2.** Qu'est-ce qu'il faut faire et ne pas faire à table en France ?
**3.** Quelles sont les différences avec votre pays ?

## Drôle d'expression

*« Mettre les pieds dans le plat »*

*« Mettre son grain de sel »*

contexte Édouard a toujours besoin de mettre son grain de sel quand je parle avec mon équipe. D'ailleurs, l'autre jour, il a mis les pieds dans le plat en donnant une information qui était confidentielle.

**3** Lisez les expressions et répondez aux questions.

**1.** Dessinez les expressions.
**2.** D'après le contexte, quel est le sens figuré des deux expressions ?
**3.** Écrivez un petit dialogue dans lequel vous placerez une des deux expressions.
**4.** Avez-vous une expression similaire dans votre langue ?

# PRÉPARATION AU DELF A2

Les documents sonores sont téléchargeables sur le site www.didierfle.com/saison.

## PARTIE 1 Compréhension de l'oral

**Vous allez entendre 2 fois un document. Vous avez 30 secondes de pause entre les 2 écoutes puis 30 secondes pour vérifier vos réponses. Lisez les questions.**

**Vous êtes en France. Vous entendez cette conversation. Répondez aux questions.**

**1.** Qu'est-ce que la femme propose à John ?
☐ De s'expatrier.
☐ De faire un voyage.
☐ De partir en vacances.

**2.** Pour quelle raison John n'est-il pas intéressé par le projet d'Elisabeth ?

..............................................................................................

**3.** Qu'est-ce que John pourra faire en France ?
☐ Apprendre une langue étrangère.
☐ Découvrir la vie des habitants.
☐ Prendre l'avion.

**4.** Qu'est-ce que John peut trouver sur Internet ?

..............................................................................................

**5.** Où Elisabeth va-t-elle se renseigner sur les démarches ?

..............................................................................................

**6.** De quoi John doit-il s'occuper ?

..............................................................................................

## PARTIE 2 Compréhension des écrits

**Vous lisez l'article suivant sur Internet.**

### Tendances

**Aujourd'hui, avec la mondialisation, les cultures voyagent de plus en plus. Et la France devient un pays multiculturel dans tous les domaines. Les Français trouvent ce mélange très positif. Voici quelques exemples du multiculturalisme en France.**

#### Cuisine

Est-ce que vous savez qu'à Paris, vous pouvez dîner dans plus de mille restaurants japonais ? Aujourd'hui, on trouve également en France beaucoup de restaurants qui proposent de la cuisine étrangère : libanaise, indienne, chinoise.

#### Cinéma

Cette année, les Français ont pu voir plus de 180 films américains, 50 films européens et 20 films d'autres pays. Les titres de ces films ne sont pas toujours traduits en français.

#### Langue

En France, la langue anglaise est très présente dans le domaine informatique, dans les réseaux sociaux et dans la publicité. On voit de nombreuses phrases en anglais dans les publicités.

#### Art

De plus en plus d'artistes internationaux proposent des expositions en France. On peut citer, par exemple, l'exposition de l'artiste japonais Murakami au château de Versailles.

Le mélange culturel fait donc partie de la culture française. Le gouvernement français s'intéresse aussi aux cultures étrangères. Chaque année, les ministères des Affaires étrangères et de la Culture choisissent un pays dont ils font la promotion.

**Répondez aux questions.**

**1.** Quel est le sujet de cet article?
☐ La France multiculturelle.
☐ La France multigénérationnelle.
☐ La France multiethnique.

**2.** Vrai ou faux ? Justifiez.
Les Français n'aiment pas les cultures étrangères.
☐ Vrai ☐ Faux
Les cinémas français proposent des films étrangers.
☐ Vrai ☐ Faux

**3.** Combien de restaurants japonais existe-t-il à Paris ?

..........................................................................................

**4.** Dans quels domaines la langue anglaise est-elle très présente. Donnez 3 réponses.

..........................................................................................

**5.** Quelle est la nationalité de l'artiste qui a exposé au château de Versailles ?
☐ Américaine.
☐ Anglaise.
☐ Japonaise.

**6.** Que fait le gouvernement français tous les ans ?

..........................................................................................

## PARTIE 3 Production écrite

**Dans quel pays aimeriez-vous vivre ?**
**Écrivez pourquoi. (80 mots)**

..........................................................................................

..........................................................................................

..........................................................................................

## PARTIE 4 Production orale

### EXERCICE 1 – Entretien dirigé

**Répondez aux questions suivantes à l'oral.**

- Comment aimez-vous voyager ?
- Que faites-vous pendant vos vacances ?

### EXERCICE 2 – Monologue suivi

**Choisissez un sujet et exprimez-vous.**

**Sujet 1**
Que pensez-vous des Français ?

**Sujet 2**
Qu'est-ce qu'il est interdit de faire dans votre pays ? Pourquoi ?

### EXERCICE 3 – Exercice en interaction

**Choisissez un sujet. Jouez la situation avec l'examinateur.**

**Sujet 1**
Vous partez vivre à l'étranger pendant un an pour faire des études. Vous interrogez une personne du service des relations internationales pour connaître les formalités administratives (assurance, déménagement, visa...) à respecter.

**Sujet 2**
Un ami vous propose de passer des vacances avec lui mais son projet ne vous intéresse pas. Vous lui expliquez pourquoi. Vous essayez de lui proposer un autre projet. Voici quelques idées pour vous aider.

21%?

# Unité 6

# Goûter l'insolite

## S'INFORMER

### DÉCOUVRIR
- Des sorties culinaires
- Une programmation culturelle

### RÉAGIR
- Décrire une tendance
- Parler d'une sortie

## S'EXPRIMER

### ATELIERS D'EXPRESSION ORALE
- Faire une proposition
- Exprimer ses sentiments

### ATELIER D'ÉCRITURE
- Écrire un commentaire sur un forum

### L'ATELIER 2.0
▶ Créer un menu artistique

## S'ÉVALUER

- DELF A2 – Épreuve blanche

### On en parle ?
Où sont ces personnes ?
Que font-elles ?
Aimeriez-vous tenter l'expérience ?

DÉCOUVRIR

# Au menu : sorties !

## L'alimation en vidéo 7

**1 Qu'est-ce que vous voyez ?**

Comment s'appelle le film ? Pourquoi ?
Quels aliments reconnaissez-vous ?
Que pensez-vous de cette idée ?

**LE + INFO**
Savez-vous que le festival international du film d'animation se déroule à Annecy depuis 1960 ?

## Des expos à dévorer des yeux

**2 Regardez les affiches.**

Pour chaque affiche, retrouvez : le titre, le lieu, la date, le thème et les points communs.

**Stratégie**
Quand je regarde une affiche, je porte mon attention sur tous les éléments qui facilitent sa compréhension (image, titre, lieu, date, thème...).

**3 Écoutez le document.** 

**a.** Combien de personnes entendez-vous ? Qui sont-elles ?
**b.** De quelle affiche parle-t-on ?
**c.** Qui est Alexandre Dubosc ? Que fait-il ?
**d.** Que se passe-t-il le premier jour de l'exposition ? Est-ce gratuit ?
**e.** Tendez l'oreille. Dites si vous entendez la liaison entre les mots. 47

**4 Observez ces phrases.**

*1. Ce sont des courts métrages plutôt jolis, souvent poétiques.*
*2. Il fabrique aussi de vrais objets à partir de nourriture, toujours en léger décalage avec la réalité.*

**a.** Le plus souvent, où place-t-on les adjectifs dans une phrase ?
**b.** Connaissez-vous des adjectifs qui se placent avant le nom ?
**c.** À votre avis, pourquoi « joli » est-il placé après le nom dans la phrase 1 ?
**d.** Quel est le sens de « léger » dans la phrase 2 ?

▶ La place des adjectifs → Vérifiez et exercez-vous : 1-2 p. 119

**Mots et expressions**

**Les sorties**
- aller au cinéma
- aller à une expo(sition)
- aller au restaurant
- participer à un atelier
- ..........
- ..........

**Communication**

**S'informer sur une exposition**
- Vous pouvez me renseigner ?
- Je voudrais en savoir plus sur l'expo.
- C'est gratuit ?
- Est-ce qu'il faut réserver ?

# Demandez le programme !

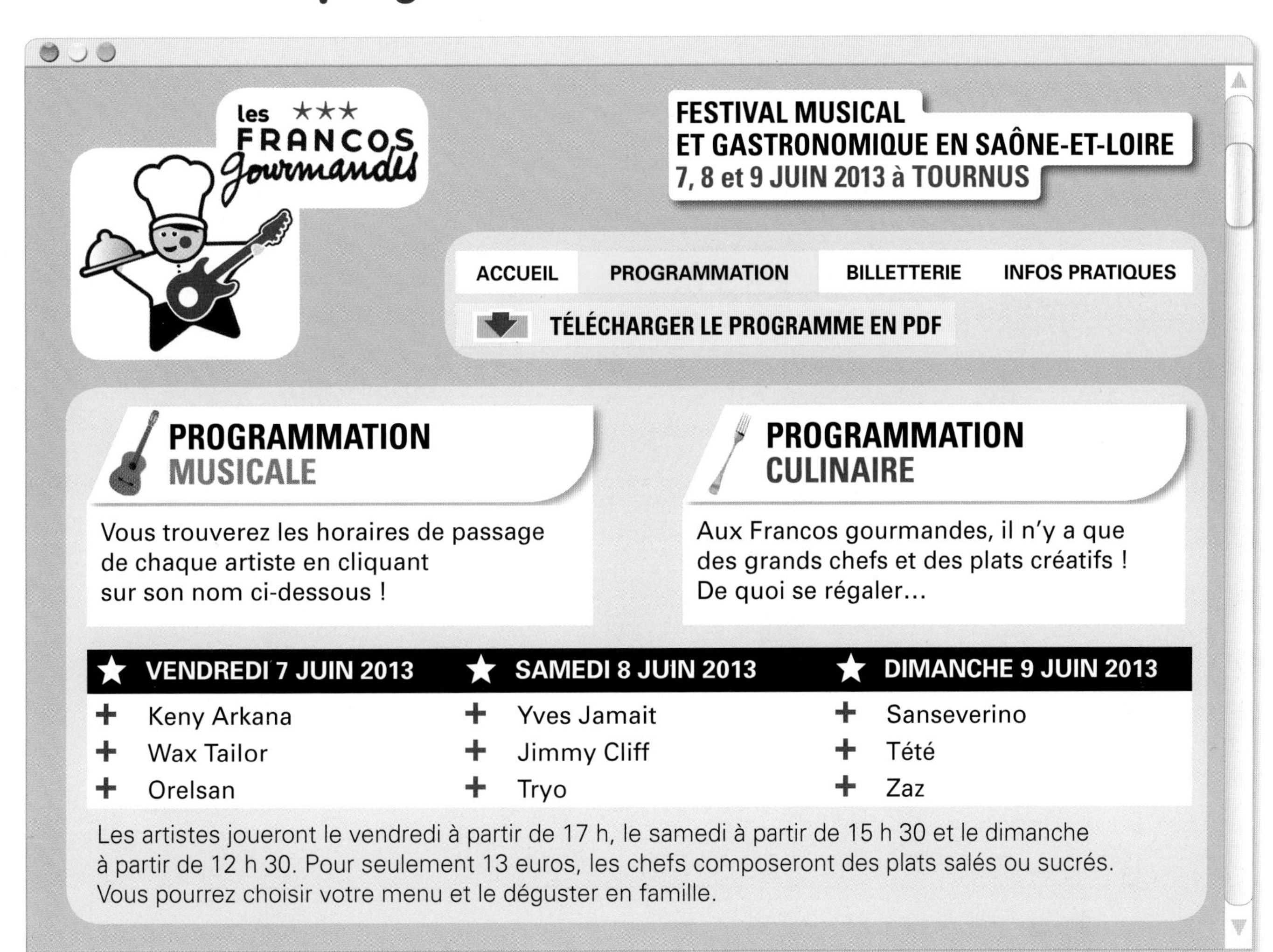


## 5 Parcourez rapidement le programme.

**a.** Où peut-on trouver ce programme ?
**b.** Quel est le nom du festival ? Où a-t-il lieu ? Quand ?
**c.** Pour acheter vos billets, où devez-vous cliquer ?
**d.** Quels sont les deux choix de programmation proposés ?

## 6 Lisez le programme.

**a.** Quand est-ce qu'on peut écouter Orelsan ?
**b.** Peut-on écouter des artistes le dimanche matin ?
**c.** Est-ce qu'il est possible de composer son menu ? Combien coûte-t-il ?

## 7 Observez ces phrases.

*1. Le menu ne coûte que 13 euros.*
*2. Il n'y a que des grands chefs.*

**a.** Peut-on remplacer la phrase 1 par : « Le menu ne coûte pas 13 euros » ?
**b.** Peut-on la remplacer par « Le menu coûte seulement 13 euros » ?
**c.** À partir de ces réponses, transformez la phrase 2 sans changer son sens.

▶ La restriction → Vérifiez et exercez-vous : 3-4 p. 119

### Mots et expressions

**La programmation**
- un festival
- un programme
- la billetterie
- les horaires
- ..................................................
- ..................................................

### Parlez de l'info !

**8** Quels types de sorties peut-on faire quand on aime manger ?

**9** Pouvez-vous citer 3 chanteurs et 3 chefs francophones ?

# Quoi de neuf en cuisine ?

## Et toque !

*Vendredi 26 avril 2014*

**Impossible de faire l'impasse sur cette nouvelle tendance culinaire. Je vous invite à lire le livre *La cuisine note à note en 12 questions souriantes*, d'Hervé This, aux éditions Belin. Il s'agit d'une cuisine qui se fait à partir de composés chimiques purs au lieu de produits comme la viande, le poisson, les fruits et légumes. La recette est chimique ! Les questions que pose cette cuisine sont nombreuses. Pourrons-nous nous nourrir avec cette cuisine ? Est-elle coûteuse ? Peut-elle être utile à notre société ?**
**À vous de réagir !**

**Anonyme** *26 avril 2014 19:53*
Beurk ! Votre article me coupe l'appétit ! C'est malheureux de voir qu'il est possible de transformer une cuisine en laboratoire. Je sais que M. Brillat-Savarin avait déjà eu cette idée dans son livre *La physiologie du goût* mais quand même, ça me rend malade.

**Raoul** *26 avril 2014 20:18*
Mon Dieu ! On voit bien que vous n'êtes pas chef ! Ce que vous écrivez m'inquiète.
Je crains de ne plus manger de produits naturels et j'ai vraiment peur que les gens perdent le goût des aliments.

**Justine** *27 avril 2014 07:24*
C'est super, génial, extra ! Enfin quelqu'un qui expérimente la cuisine du futur ! Je suis contente que vous posiez ces questions. Je ne connais pas les réponses mais j'imagine qu'elles sont dans le livre. Je vais aller l'acheter dès aujourd'hui !

### 1 Regardez le blog.

**a.** Combien de parties y a-t-il dans ce document ? Lesquelles ?
**b.** Qui sont les auteurs ?

### 2 Lisez le texte du blog.

**a.** Dans la partie article, le lecteur est invité à faire deux choses. Lesquelles ?

**b.** À votre avis, qui est Hervé This ?
☐ un restaurateur ☐ un chimiste ☐ un romancier

**c.** Qu'est-ce que la cuisine « note à note » ?
☐ une cuisine qui joue sur les notes
☐ une cuisine qui n'utilise que des produits naturels
☐ une cuisine qui s'intéresse à la chimie

**d.** Quels sentiments éprouvent les auteurs des commentaires ? Justifiez.
joie – inquiétude – dégoût – colère

**Mots et expressions**

**La nourriture (1)**
- la cuisine
- un produit
- une recette
- la viande
- ..........
- ..........

### 3 Observez ces phrases.

*1. Je crains de ne plus manger de produits naturels.*
*2. J'ai peur que les gens perdent le goût des aliments.*
*3. Je suis contente que vous posiez ces questions.*

**a.** Entourez les mots qui expriment un sentiment.
**b.** Soulignez le mot qui suit immédiatement le sentiment. Quelle forme verbale y a-t-il ensuite ?
**c.** Peut-on remplacer la phrase 2 par « J'ai peur de perdre le goût des aliments » ? Pourquoi ?

▶ Le subjonctif et les sentiments → Vérifiez et exercez-vous : 5-6 p. 119
▶ *craindre* → Précis p. 199

# Des insectes dans nos assiettes

**Mots et expressions**

**La nourriture (2)**
- une assiette
- manger
- déguster
- se nourrir
- ......................................
- ......................................

**Les insectes**
- un criquet
- une fourmi
- un grillon
- un ver
- ......................................
- ......................................

### 4 Regardez les documents.

**a.** Donnez le titre de l'émission, l'heure de diffusion et le nom de l'animateur.
**b.** Jean-Baptiste de Panafieu est l'invité de l'émission. Pourquoi ?

### 5 Écoutez le document. 48

**a.** Pourquoi les insectes nourriront-ils la planète ?
**b.** En France, est-ce qu'on mange souvent des insectes au restaurant ?
**c.** Comment mange-t-on des insectes aujourd'hui ?
**d.** À votre avis, que signifie le mot « insectivore » ? Vous connaissez d'autres mots avec ce suffixe ?
**e.** Tendez l'oreille. Dites dans quelle syllabe vous entendez le son [ʀ]. 49

### 6 Réécoutez le document. 

**1.** Relevez les verbes au futur simple et retrouvez leurs infinitifs.

...................................... ...................................... ......................................

Lequel est l'intrus ? Quelles sont les terminaisons du futur simple ?

**2.** Observez ces phrases.
*On va déguster. Je vais bientôt y aller. Nous allons écrire un livre.*

**a.** Quel est le temps utilisé dans ces phrases ? Comment se forme-t-il ?
**b.** Mettez le verbe de la dernière phrase au futur simple. Est-ce que le sens change ?
**c.** Futur simple / futur proche : avec quel temps les actions ont-elles plus de chances de se réaliser ?

▶ Le futur simple et le futur proche → Vérifiez et exercez-vous : 7-8 p. 119

## Réagissez !

**7** Avec votre voisin, vous discutez de la cuisine « note à note ». Décrivez-la avec des adjectifs. Puis, exprimez votre sentiment par rapport à cette tendance.

## Agissez !

**8** Vous allez manger dans le restaurant de David Faure, à Nice. Écrivez un mail à votre ami pour l'informer. Racontez-lui ce que vous allez manger.

→ Cahier d'activités, unité 6

## Lexique TNI

## Les sorties et la programmation

**1** Jeu d'association • **Voici les rubriques du site « Sortir » de la ville de Nantes. Associez chaque sortie à une rubrique.**

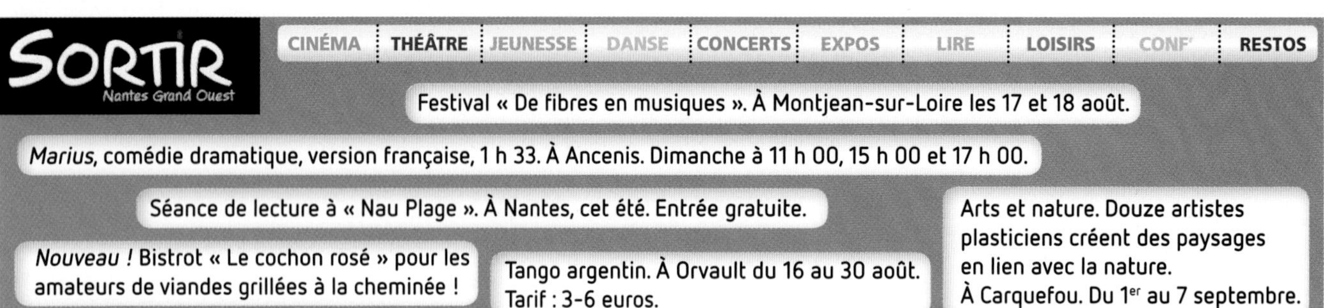


## La nourriture

**2** Top chrono ! • **Qu'est-ce qu'on achète ? Voici une liste de rayons de supermarché. Avec votre voisin, notez 3 produits pour chaque rayon.**

- beauté
- boucherie
- épicerie
- boissons
- boulangerie
- légumes

**Stratégie**

Pour enrichir mon vocabulaire, j'associe un mot à son contraire.

## Les insectes

**3** Devinettes • **Faites deviner à votre voisin un insecte de votre choix. Décrivez-le avec les mots proposés.**

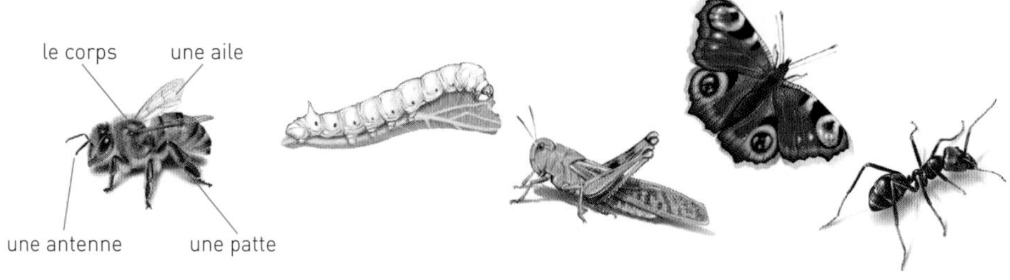


## Phonétique

### ▸ La liaison et l'enchaînement vocalique (2) 50

**1 Écoutez et observez.**

La liaison entre l'adjectif et le nom est :
- interdite quand l'adjectif est placé après le nom ;
  *des films amusants*
- obligatoire quand l'adjectif est placé avant le nom.
  *de vrais objets*

**2 Écoutez. Barrez les lettres non prononcées et notez les liaisons et les enchaînements vocaliques.**

a. une belle expo – de belles expos
b. une exposition amusante – des expositions amusantes
c. un vieil objet – de vieux objets
d. un objet intéressant – des objets intéressants

**3 Écoutez et répétez.**

a. Il cuisine avec de bons ingrédients.
b. Il cuisine avec des ingrédients originaux.
c. On va voir un grand artiste.
d. On va voir un artiste connu.

### ▸ Le son [R] 51

**1 Écoutez et observez.**

*riche – fourmi – ailleurs – protéine – il trouvera*

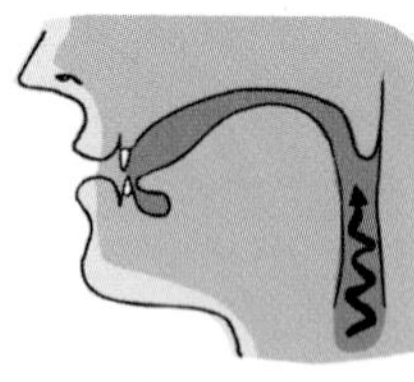

Langue en avant, elle touche les dents du bas.
L'arrière de la langue touche l'arrière du palais.
Attention ! La langue doit rester immobile !

**2 Écoutez et dites si ce que vous entendez est identique ou différent.**

a. ☐ = ☐ ≠ b. ☐ = ☐ ≠ c. ☐ = ☐ ≠ d. ☐ = ☐ ≠
e. ☐ = ☐ ≠ f. ☐ = ☐ ≠

**3 Écoutez et mettez au futur. (Attention aux *e* muets.)**

a. Il va manger un grillon. → ...
b. Tu vas cuisiner des criquets. → ...
c. Vous allez manger une grillade. → ...
d. Ils vont voir un concert. → ...

# Grammaire

## ▶ La place des adjectifs

→ **Vérifiez vos réponses** (act. 4 p. 114)

**a.** et **b.** Les adjectifs sont le plus souvent placés après le nom. Certains adjectifs se placent avant le nom : *petit, grand, gros, bon...*
**c.** « Joli » est placé après le nom car il est précédé de « plutôt ». Avec *très, trop, plutôt, assez*, l'adjectif peut se placer après le nom.
**d.** Ici, « léger » n'est pas le contraire de « lourd ». « En léger décalage » = « il y a un petit décalage ». Certains adjectifs ont un sens différent s'ils sont placés avant ou après le nom.

### 1 Replacez les adjectifs dans les phrases.

*grand – mauvais – noir – délicieux – petit – vert*
Mon ........... frère a peur des araignées ........... et des fourmis. Je lui ai proposé d'en manger. Il m'a regardé d'un assez ........... œil.
Dans notre ......... jardin, nous avons un pommier qui donne des pommes ............ . Ma mère fait des tartes ........... .

### 2 Vous avez dîné dans un restaurant hier. Décrivez le restaurant et ce que vous avez mangé.

EXEMPLE : *Hier, je suis allé dans un grand restaurant. C'est un restaurant vietnamien avec des tables carrées. J'ai pris un menu spécial.*

## ▶ La restriction

→ **Vérifiez vos réponses** (act. 7 p. 115)

**a.** Non. *Le menu ne coûte pas 13 euros. (→ Il coûte 12, 14, 15... euros.)*
**b.** Oui. *Le menu ne coûte que 13 euros. = Le menu coûte seulement 13 euros. (→ Il n'est pas cher !)*
**c.** *Il y a seulement des grands chefs.*

### 3 Transformez ces phrases pour exprimer la restriction.

EXEMPLE : *L'entrée du parc coûte 7 euros. → L'entrée du parc ne coûte que 7 euros.*
1. Je cuisine des pâtes italiennes.
2. Elle est allée à l'opéra une fois.
3. Il va suivre trois cours de danse.
4. On mangera des insectes.
5. Ils sont dix étudiants à aller au concert.

### 4 Votre ami vous demande de préparer des macarons. Vous lui expliquez que vous n'avez pas assez d'ingrédients (utilisez la restriction).

EXEMPLE : *Je n'ai que 100 g de chocolat.*
Recette des macarons : 150 g de poudre d'amande – 150 g de sucre glace – 100 g de blancs d'œufs – 150 g de sucre en poudre – 180 g de chocolat

## ▶ Le subjonctif et les sentiments

→ **Vérifiez vos réponses** (act. 3 p. 117)

**a.** et **b.** Je crains de ne plus manger de produits naturels.
J'ai peur que les gens perdent le goût des aliments.
Je suis contente que vous posiez ces questions.
**b.** *De* et *que* sont les mots qui suivent le sentiment. Après *de*, on utilise un verbe à l'infinitif. Après *que*, on utilise un verbe au subjonctif.
**c.** On ne peut pas remplacer *que* par *de* car le sens de la phrase change. Avec *de*, on a un seul sujet pour les deux actions (« avoir peur » / « perdre le goût »).

### 5 Subjonctif ou infinitif ? Reliez ces phrases.

EXEMPLE : *Léa est heureuse. Elle déguste un bon plat. → Léa est heureuse de déguster un bon plat.*
1. J'ai peur. Je vais goûter aux criquets.
2. Ma sœur ouvre son restaurant. Mon père est fier.
3. Les enfants comprennent l'anglais. Je suis contente !
4. Jeanne est triste. Elle ne peut pas venir.

### 6 Vous allez à un festival de rock. Exprimez vos sentiments selon les différentes situations.

EXEMPLE : *Je suis content d'aller écouter Tété.*
**a.** Je vais au festival : ☺ **b.** Mon ami(e) ne peut pas venir : ☹ **c.** Je découvre le prix du billet : 😲 **d.** Il y a beaucoup de monde : 😲 **e.** Je parle avec mon chanteur préféré : ☺

## ▶ Le futur simple et le futur proche

→ **Vérifiez vos réponses** (act. 6 p. 117)

**1.** *ils nourriront : nourrir – on trouvera : trouver – vous verrez : voir.*
Le verbe « voir » est l'intrus car il est irrégulier. Les terminaisons du futur simple sont *-ai, -as, -a, -ons, -ez, -ont.*
**2. a.** C'est le futur proche. Il se forme avec *aller* conjugué au présent et le verbe à l'infinitif.
**b.** *Nous allons écrire un livre ensemble. → Nous écrirons un livre ensemble.* Le sens n'est pas exactement le même.
**c.** Les actions ont plus de chance de se réaliser avec le futur proche.

### 7 Futur simple ou futur proche ?

**1.** Un jour, ce restaurateur (être) .......... chef et il (faire) .......... de la cuisine note à note. **2.** Je .......... (faire) un gâteau pour ce soir. Tu veux m'aider ? **3.** Je suis sûre que les insectes ne .......... (nourrir) jamais la planète. **4.** Je .......... (rentrer) tard ce soir. Ne m'attends pas pour dîner !

### 8 Par deux, jouez ces mini-scènes.

1. Entre amis, vous décidez ce que vous allez faire ce week-end.
2. Vous êtes programmateur dans un festival. Vous appelez un artiste pour demander des informations sur sa venue (horaires, nombre de personnes, etc.).

→ Point Récap p. 125

# Faire une proposition

**Doc. 1**

**nice-matin**
lundi 15 avril 2013

Gastronomie

## Vous prendrez bien quelques vers et grillons ?

Depuis cette semaine, le chef étoilé du restaurant *Aphrodite* à Nice, David Faure, propose son nouveau menu « Alternative food ». À la carte : petits pois carrés et vers de farine ; foie gras poêlé et son croustillant de grillons au sarrasin ou encore son dos de cabillaud pané à la poudre de vers...

**Doc. 2**

**Doc. 3**

Un restaurant d'insectes ?

### 1 Regardez et écoutez ces documents. 

**a.** Que fait l'homme sur la photo ?
**b.** Retrouvez les éléments principaux de l'affiche (titre, lieu, date, thème).
**c.** Sur l'affiche, quels aliments reconnaissez-vous ?
**d.** Qu'a fait Marc pendant ses vacances ? Que propose Léo ?
**e.** Quel est le lien entre ces trois documents ?

### 2 Proposez une sortie ! 

**a.** Levez-vous. Mettez vous dos à dos avec votre voisin, et téléphonez-lui pour lui proposer d'aller à une exposition.
**b.** Votre voisin vous propose une autre sortie.
**c.** Choisissez ce que vous allez faire.

**Stratégie**
Quand je parle au téléphone, je pense à bien articuler car mon interlocuteur ne voit pas mes lèvres.

**Communication**

**Faire une proposition**
- Si tu veux, on peut sortir ce soir
- Ça te dit d'aller voir cette expo ?
- Et si on testait ce restaurant ?

**Réagir à une proposition**
- Bonne idée !
- Oui, pourquoi pas !
- Je ne sais pas.
- Non, je n'ai pas très envie.

# Exprimer ses sentiments

*Les chuchoteuses*, Rose-Aimée Bélanger, Montréal

## 1 Top chrono !

**a.** Observez la sculpture.

**b.** Attribuez à chaque femme un sentiment :
la surprise – la peur – la sympathie

**c.** À votre avis, de quoi parlent-elles ?

## 2 Préparation

Par groupes de trois, préparez une sculpture de groupe.

**a.** Chacun choisit un personnage (homme, femme, enfant, personne âgée...) et un sentiment (joie, colère, peur, tristesse, bonheur, indifférence...).

**b.** Ensemble, vous choisissez un sujet de conversation commun.
EXEMPLE : *un film, un musée, etc.*

**c.** Prononcez.
Si vous utilisez des adjectifs, faites attention à la liaison.
Écoutez et prononcez. 53
*Rodolphe frôle un frêne et freine.*

## 3 À vous !

**a.** Vous vous présentez devant la classe comme des « sculptures », sans parler, ni bouger. Vos visages expriment des sentiments.

**b.** La classe fait des hypothèses sur vos sentiments.
EXEMPLE : *Je pense qu'elle a peur.*

**c.** Quand le professeur fait « clap », vous pouvez commencer à discuter. Au fur et à mesure, exprimez vos sentiments avec des mots. N'oubliez pas, vous êtes une sculpture vivante ! Utilisez le subjonctif quand c'est possible.
EXEMPLE : *Je suis surprise que l'exposition ne soit pas gratuite.*

### Communication

**Exprimer ses sentiments**
- C'est dommage !
- C'est super, génial... !
- Ça me rend triste d'entendre ça !
- Ça m'énerve !
- Je suis contente que tu viennes.
- J'ai peur que vous n'aimiez pas.

# Écrire un commentaire sur un forum

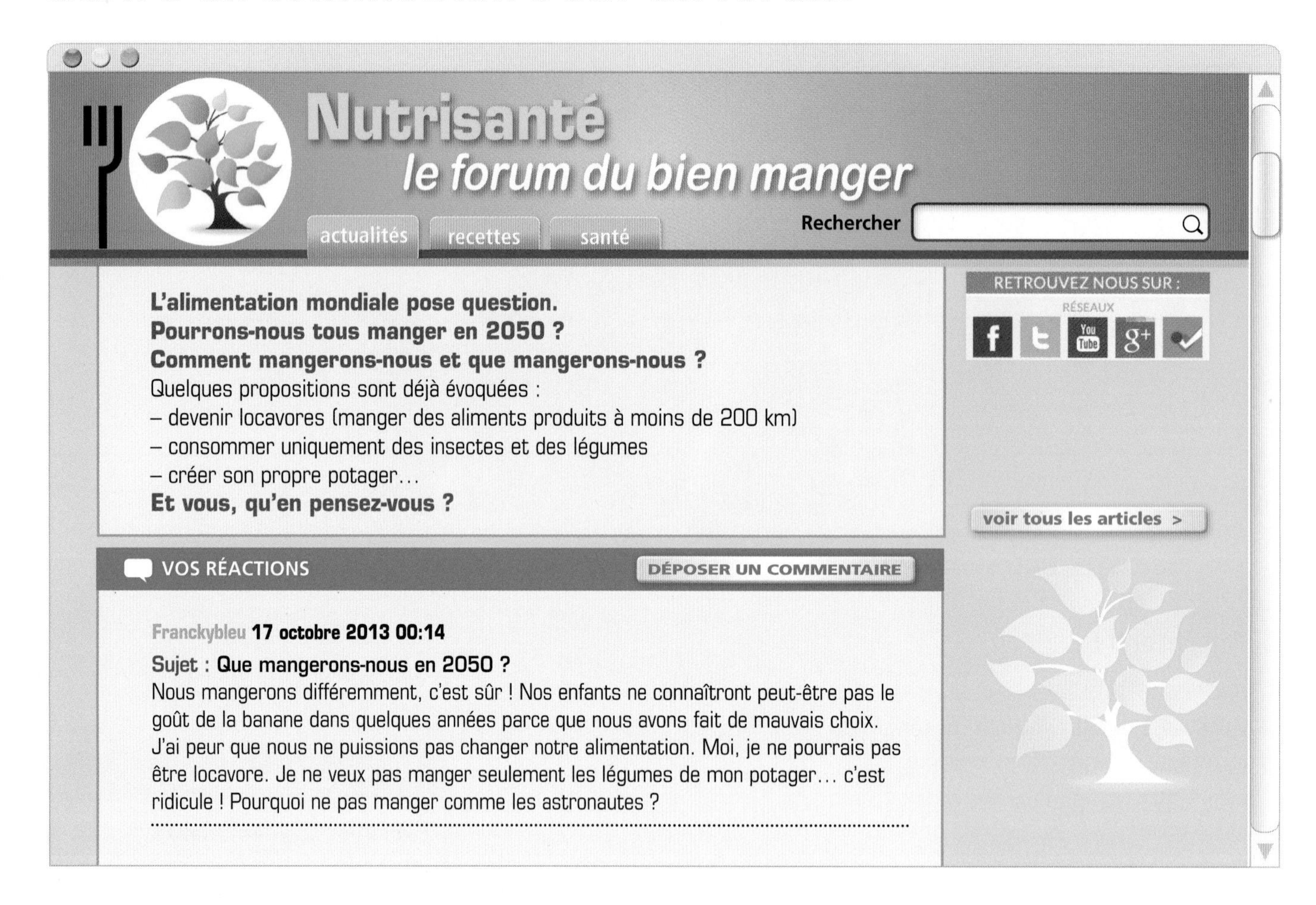

**Nutrisanté**
*le forum du bien manger*

actualités | recettes | santé

Rechercher

**L'alimentation mondiale pose question.**
**Pourrons-nous tous manger en 2050 ?**
**Comment mangerons-nous et que mangerons-nous ?**
Quelques propositions sont déjà évoquées :
– devenir locavores (manger des aliments produits à moins de 200 km)
– consommer uniquement des insectes et des légumes
– créer son propre potager...
**Et vous, qu'en pensez-vous ?**

RETROUVEZ NOUS SUR :
RÉSEAUX

voir tous les articles >

VOS RÉACTIONS
DÉPOSER UN COMMENTAIRE

Franckybleu **17 octobre 2013 00:14**
Sujet : **Que mangerons-nous en 2050 ?**
Nous mangerons différemment, c'est sûr ! Nos enfants ne connaîtront peut-être pas le goût de la banane dans quelques années parce que nous avons fait de mauvais choix. J'ai peur que nous ne puissions pas changer notre alimentation. Moi, je ne pourrais pas être locavore. Je ne veux pas manger seulement les légumes de mon potager... c'est ridicule ! Pourquoi ne pas manger comme les astronautes ?

## 1 Réaction

**1. Regardez le document.**

**a.** Ce forum est en deux parties. Quelles sont ces parties ?
**b.** Qui est « Franckybleu » ?
**c.** Que fait-il à 00 h 14 ?

**2. Lisez le document et répondez.**

**a.** De quoi parle le forum ?
**b.** Ici, quel est le sujet ? Quel est le problème évoqué ?
**c.** Comment réagit la personne ?

## 2 Préparation

Par deux, continuez la liste de propositions.
La classe en retient 5 et échange autour de ces idées.

## 3 Rédaction

**a.** Écrivez un message pour continuer le fil de la discussion. Commencez par formuler des hypothèses au futur. Puis, exprimez vos sentiments.
**b.** Terminez en proposant une ou plusieurs solutions parmi celles discutées en classe.

# L'ATELIER 2.0

## Créer un menu artistique

**Vous allez concevoir un projet d'art culinaire également connu sous le nom de « food art ».**

### 1 On s'organise

En classe, commencez par vous répartir en 4 groupes.
Chaque groupe s'occupe d'une partie du menu.

### 2 On se prépare

Dans chaque groupe, choisissez les produits alimentaires que vous aimez et que vous pouvez sculpter facilement.
Puis, dessinez votre projet. Cherchez le vocabulaire nécessaire, si besoin.

### 3 On présente à la classe

Chaque groupe présente son projet. Pour cela, utilisez le futur proche ou simple.
Pour enrichir votre description, pensez à utiliser des adjectifs.
EXEMPLE : *Nous allons sculpter un village avec des fruits et des légumes. Le clocher de l'église sera une carotte.*

### 4 On publie

La classe publie son projet sur l'espace de son choix : mur(s), blog...
N'hésitez pas à réaliser le menu et à passer à table !

## Lexique / Communication

# GOÛTER L'INSOLITE

### Les sorties

- une affiche
- aller au cinéma
- aller à un concert
- aller à une expo(sition)
- aller au restaurant
- participer à un atelier

### La programmation

- un artiste
- un festival
- un programme
- la billetterie
- les horaires
- les infos pratiques

### La nourriture

- un ingrédient
- un menu
- une recette
- un produit
- les légumes
- la viande
- le poisson
- manger, déguster
- se nourrir

### Les insectes

- une abeille
- un criquet
- une fourmi
- un grillon
- un papillon
- un ver

### S'informer sur une exposition

- Vous pouvez me renseigner ?
- Je voudrais en savoir plus sur...
- C'est une expo sur quoi ?
- C'est gratuit ?
- Est-ce qu'il faut réserver ?
- Est-ce qu'on peut rencontrer l'artiste ?

### Réagir à une proposition

- Bonne idée !
- Oui, pourquoi pas !
- Je ne sais pas.
- Je vais réfléchir.
- Non, je n'ai pas très envie.
- Ça ne me tente pas trop.

### Exprimer ses sentiments

- Beurk ! Mon Dieu !
- C'est dommage !
- C'est super, génial, extra !
- Ça me rend triste de + *infinitif*
- Ça m'énerve !
- Je suis contente de + *infinitif*
- J'ai peur que / je crains que + *subjonctif*

### Faire une proposition

- Si tu veux, on peut + *infinitif*
- Tu veux + *infinitif* ?
- On pourrait + *infinitif*
- Est-ce que ça vous dit de + *infinitif* ?
- Et si on + *imparfait* ?
- Pourquoi ne pas + *infinitif* ?

## Activité RÉCAP'

**Vous organisez une mini-conférence sur le thème de « La cuisine de demain ».**

**1** Répartissez-vous en groupes.
Dans chaque groupe, il y a environ 6 personnes : un conférencier, un expert et des acteurs.

**2** Le conférencier mène la mini-conférence.
Pour illustrer son propos, il fait appel :
- à un expert (en cuisine, en alimentation, en chimie...) à qui il pose des questions ;
- à des acteurs qui jouent une ou plusieurs « scènes » en direct : repas dans un restaurant, dégustation d'insectes, expérimentation d'une nouvelle cuisine, témoignages...

**3** Définissez le plan de la conférence : les sujets à aborder, les questions à poser à l'expert et les scènes des intervenants.

Distribuez les rôles, puis, amusez-vous !

# Grammaire

## La place des adjectifs

• En général, on place l'adjectif **après le nom**.
EXEMPLE : *Elle réalise des **films** comiques et décalés.*

• Certains adjectifs se placent avant le nom :
*petit, grand, gros, bon, mauvais, vieux, joli, beau...*
Mais quand ils sont précédés de *très, trop, plutôt, assez,* on peut les placer après le nom.
EXEMPLES : *C'est un petit **festival** musical, avec des **programmations** plutôt bonnes.*

• Certains adjectifs **changent de sens** s'ils sont placés avant ou après le nom.
EXEMPLES : *un léger problème (léger = petit)*
≠ *un tableau léger (léger =* contraire de *lourd)*
*un grand homme (= un homme célèbre)*
≠ *un homme grand (grand = de grande taille)*

→ Précis, P. 193

## Le subjonctif et les sentiments

Pour exprimer un sentiment (la peur, la tristesse, la joie, la colère...), on peut utiliser le subjonctif.

• S'il y a **deux sujets** dans la phrase, on utilise *que* + un verbe au subjonctif.
EXEMPLE : ***J'**ai peur qu'**on** fasse n'importe quoi.*
***Je** suis content que **vous** parliez de cette nouvelle cuisine.*

• **Attention**, s'il n'y a qu'un seul sujet dans la phrase, on utilise *de* + un verbe à l'infinitif.
EXEMPLE : ***J'**ai peur de ne pas aimer.*

→ Précis, P. 196

## La restriction

• ***Ne... que*** exprime une existence limitée ou réduite.
EXEMPLE : *Ils ne sont que onze candidats.*

• On peut également exprimer la restriction avec ***seulement***.
EXEMPLE : *Ils sont seulement onze candidats.*

→ Précis, P. 191

## Le futur simple et le futur proche

• On utilise le futur proche à l'oral pour parler d'un événement proche.
EXEMPLE : *Je vais déjeuner à Nice demain.*

• Pour parler d'un **événement lointain**, on peut utiliser le futur proche ou le futur simple. Mais avec le futur proche, l'événement a plus de chances de se réaliser.
EXEMPLES : *Je vais me marier l'année prochaine. (Je prépare déjà les invitations !)*
*Je me marierai l'année prochaine. (J'espère !)*

• Pour parler d'un événement sûr ou **programmé à l'avance**, on utilise le futur simple.
EXEMPLE : *Le festival se déroulera du 4 au 8 mai.*

→ Précis, P. 196

# À table !

## À LIRE

*Le grand livre de l'érable, Cuisiner l'érable toute l'année*,
de Philippe Mollé, Trécarré
[ Philippe Mollé est chroniqueur gastronomique ]

## À VOIR

### Carte de l'érable

25 endroits à Montréal
Restaurants
Bistrots
Charcuteries
Pâtisseries
Boulangeries
Épiceries

### Sur la route des 128

- Auberge Saint-Gabriel
- Birks Café
- Bistro Cocagne
- Chez L'Épicier
- Renoir
- Restaurant Carte Blanche
- Restaurant Chez Ma
- Grosse Truie Chérie

## À L'AFFICHE

### Ambassadeur 2013

Pierre Résimont, chef belge étoilé Michelin

### Un créatif de l'érable

Il s'agit d'une centaine de chefs sélectionnés parmi les meilleurs au monde qui défendent l'utilisation des produits locaux et de qualité en cuisine.

Le sirop d'érable est une spécialité d'Amérique du Nord mais tout particulièrement du Québec.
Il est fait à partir de la sève d'un arbre, l'érable à sucre.

## MTL

### En quelques lignes

MTL, La promotion de la gastronomie à Montréal
Découvrez les meilleurs restos de Montréal pour la semaine avec des restaurants 5 étoiles.
Le principe : utiliser du sirop d'érable !

### En quelques chiffres

**2e édition** de Montréal à table MTL
**128** restaurants participants
**100** adresses gourmandes des créatifs de l'érable
**5** créatifs de l'érable de la France au Japon

**1 Lisez les informations et répondez aux questions.**

1. Qu'est-ce que MTL ?
2. Combien y-a-t-il de participants ?
3. Qu'est-ce qu'un créatif de l'érable ?
4. Qui est Pierre Résimont ?

# Et aussi...

## LE BISTRO SAUCE NIPPONE

### Les chefs japonais à Paris

Keishi Sugimura
Noriyuki Hamada
Daï Shinozuka
Eiji Doihara

### En quelques lignes

■ Le Japon et la France ont une culture gastronomique très forte. Les deux se complètent.

■ Dès les années 1960, des chefs japonais sont venus travailler dans les cuisines parisiennes des grandes maisons comme Ducasse, Bocuse ou l'Astrance.

■ Depuis 5 ans, les jeunes chefs japonais s'installent en France. Ils apportent une vague de créativité dans les restaurants chics mais aussi les bistrots branchés. Les Japonais aiment de plus en plus les bistrots et le concept de *bistronomie* est né.
Il s'agit d'une tendance qui modernise la tradition de bistrots à la française. Mais les chefs français partent aussi au Japon.

**2 Lisez les informations et répondez.**

1. De quel phénomène parle-t-on ?
2. Est-ce un phénomène récent ?
3. Comment s'appelle ce nouveau concept ?

## Drôle d'expression

« *Avoir les yeux plus gros que le ventre (FR)* »

« *Faire patate (Québec)* »

contexte 1 Ce travail est trop difficile pour lui. Il a eu les yeux plus gros que le ventre quand il a postulé.

contexte 2 J'ai loupé mes examens. J'ai fait patate.

**3 Lisez les expressions et répondez.**

**1. D'après le contexte, quel est le sens figuré de :**
a. *Avoir les yeux plus gros que le ventre.*
b. *Faire patate.*

**2. Écrivez un petit dialogue dans lequel vous placerez une des deux expressions.**

**3. Avez-vous une expression similaire dans votre langue ?**

# ÉPREUVE BLANCHE **DELF A2**

Niveau A2 du *Cadre Européen Commun de Référence pour les Langues*

Les documents sonores sont téléchargeables sur le site www.didierfle.com/saison.

## PARTIE 1 Compréhension de l'oral 25 points

**Vous allez entendre 4 enregistrements, correspondant à 4 documents différents. Pour chaque document, vous aurez :**
**– 30 secondes pour lire les questions ;**
**– une première écoute, puis 30 secondes de pause pour commencer à répondre aux questions ;**
**– une seconde écoute, puis 30 secondes de pause pour compléter vos réponses.**

**Répondez aux questions en cochant (☒) la bonne réponse ou en écrivant l'information demandée.**

### EXERCICE 1 — 5 points

**Lisez les questions. Écoutez le document puis répondez.**
**Vous entendez cette annonce.**

**1.** Où entendez-vous ce message ? *1 point*

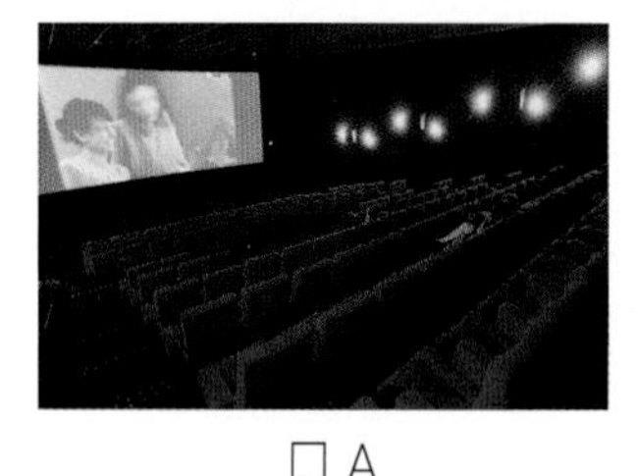
☐ A

☐ B

☐ C

**2.** Où devez-vous aller ? *1 point*

☐ À l'accueil. ☐ À la sortie. ☐ Au point information.

**3.** Qu'est-ce qui est ouvert jusqu'à 19 h 00 ? *1 point*

..............................................................................................

**4.** Que se passe-t-il le lendemain ? *1 point*

..............................................................................................

**5.** Le lendemain, à quelle heure ouvre le musée ? *1 point*

☐

☐

☐

### EXERCICE 2 — 6 points

**Lisez les questions. Écoutez le document puis répondez.**
**Vous entendez ce message sur votre répondeur.**

**1.** Pourquoi Martine appelle-t-elle son ami ? *1 point*

☐ Pour lui proposer une sortie.
☐ Pour aller faire des courses.
☐ Pour l'inviter au restaurant.

**2.** Que fait Martine cette semaine ? *1 point*

☐ Elle travaille. ☐ Elle est en vacances. ☐ Elle est malade.

**3.** À quelle heure Martine va-t-elle chercher son ami ? *1 point*

..........

**4.** Qu'est-ce que Martine a acheté ? *1 point*

..........

**5.** Qu'est-ce que Martine va préparer pour le dîner ? *1 point*

☐ A ☐ B ☐ C

**6.** Quel est le numéro de Martine ? *1 point*

..........

## EXERCICE 3 **6 points**

**Lisez les questions. Écoutez le document puis répondez.**
**Vous entendez ce document à la radio.**

**1.** Quel est le thème de l'émission de radio ? *1 point*

☐ Des sorties insolites. ☐ La nuit des musées. ☐ Visiter Paris.

**2.** Qu'est-ce qu'on peut voir chez Deyrolle ? *1 point*

☐ A ☐ B ☐ C

**3.** Qu'est-ce que vous pouvez lire dans le musée des Lettres ? *1 point*

..........

**4.** Dans quel musée l'entrée est-elle gratuite ? *1 point*

..........

**5.** Où faut-il aller si on aime le cinéma ? *1 point*

☐ Au Grand Rex. ☐ Au Lent Rex. ☐ Au Vent Rex.

**6.** Où pouvez-vous trouver les informations de l'émission ? *1 point*

..........

## EXERCICE 4 **8 points**

**Lisez les questions. Écoutez le document puis répondez.**
**Vous entendez cette conversation.**

**1.** Que cherche l'homme ? *2 points*

☐ Un restaurant. ☐ Un supermarché. ☐ Une épicerie.

**2.** Quel type de cuisine souhaite-t-il ? *2 points*

☐ Chinoise. ☐ Indienne. ☐ Française.

**3.** Qu'est-ce qu'il y a dans la rue Paul Bert ? *2 points*

☐ Des magasins. ☐ Des restaurants. ☐ Des écoles.

**4.** Comment s'appelle le restaurant ? *2 points*

..........

# PARTIE 2 Compréhension des écrits 25 points

**Pour répondre aux questions, cochez (☒) la bonne réponse ou écrivez l'information demandée.**

## EXERCICE 1 5 points

**1** Exposition « De la ferme à la table », réalisée par le musée du jouet ancien de Wambrechies. Du 1er octobre au 21 décembre. Entrée gratuite. Ouvert de 10 h 00 à 17 h 00.

**2** La mairie offre aux familles des entrées pour le spectacle de Noël qui aura lieu le 22 décembre dans la salle des fêtes. Pour les enfants âgés de 4 à 11 ans.

**3** Les associations de la ville participent au Téléthon les 7 et 8 décembre. Venez aider les malades avec nous. Rendez-vous à l'école Pasteur pour des jeux sportifs.

**4** Ciné-Ville. Programme du 11 au 16 décembre.
*Les Garçons et Guillaume, à table !* comédie – 1 h 25 min – tous les jours à 20 h 30 – 6 €
*Gravity* science-fiction – tous les jours à 16 h 30 – 7 €

**5** Tous les mercredis, la bibliothèque propose un atelier « histoires et contes » pour les enfants. Des professionnels viennent lire et raconter des histoires aux enfants. Les mercredis, c'est gratuit ! Inscriptions sur le site Internet.

**Vous lisez ces informations dans le journal de votre ville.**
**Écrivez le numéro de l'annonce qui peut intéresser chaque personne.**

*1 point par réponse.*

| | Situations | Annonce n° |
|---|---|---|
| A | Nadia veut aller au cinéma. | .................. |
| B | Paul veut occuper ses enfants le mercredi. | .................. |
| C | Hélène et Sébastien veulent emmener leurs enfants voir un spectacle. | .................. |
| D | Marc voudrait aller voir une exposition. | .................. |
| E | Sylvie aime se sentir utile. Elle veut faire du bénévolat. | .................. |

## EXERCICE 2 6 points

**Vous recevez ce mail.**

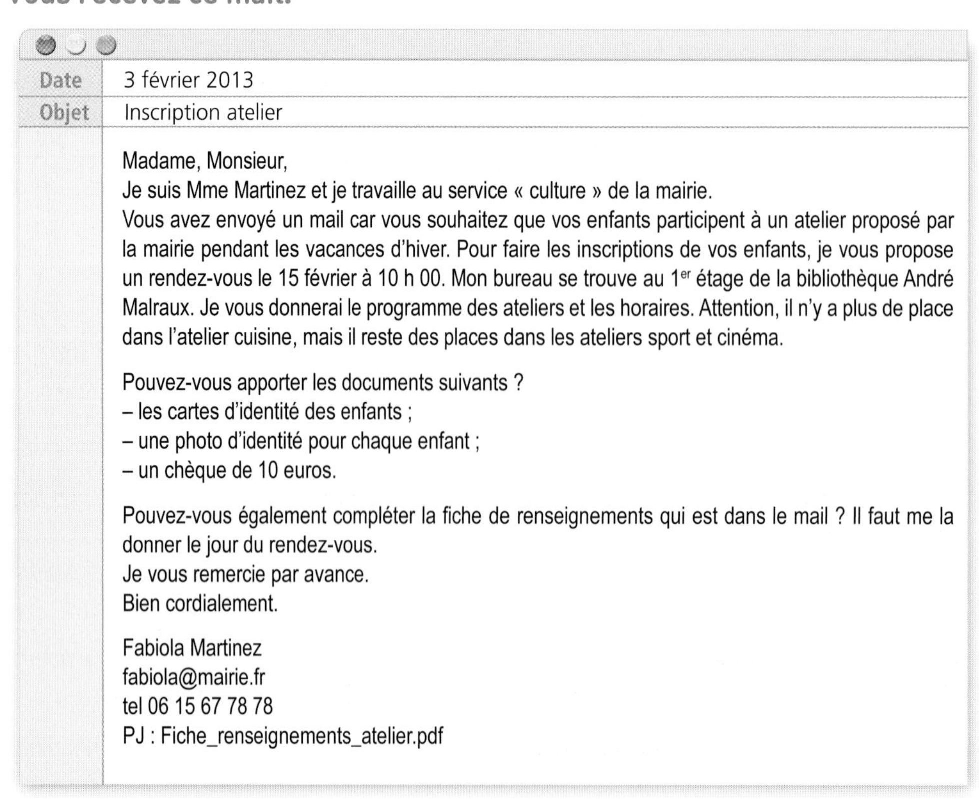

| | |
|---|---|
| Date | 3 février 2013 |
| Objet | Inscription atelier |

Madame, Monsieur,
Je suis Mme Martinez et je travaille au service « culture » de la mairie.
Vous avez envoyé un mail car vous souhaitez que vos enfants participent à un atelier proposé par la mairie pendant les vacances d'hiver. Pour faire les inscriptions de vos enfants, je vous propose un rendez-vous le 15 février à 10 h 00. Mon bureau se trouve au 1er étage de la bibliothèque André Malraux. Je vous donnerai le programme des ateliers et les horaires. Attention, il n'y a plus de place dans l'atelier cuisine, mais il reste des places dans les ateliers sport et cinéma.

Pouvez-vous apporter les documents suivants ?
– les cartes d'identité des enfants ;
– une photo d'identité pour chaque enfant ;
– un chèque de 10 euros.

Pouvez-vous également compléter la fiche de renseignements qui est dans le mail ? Il faut me la donner le jour du rendez-vous.
Je vous remercie par avance.
Bien cordialement.

Fabiola Martinez
fabiola@mairie.fr
tel 06 15 67 78 78
PJ : Fiche_renseignements_atelier.pdf

**Répondez aux questions.**

**1.** Mme Martinez écrit pour proposer... *1 point*

☐ un rendez-vous. ☐ une sortie. ☐ une activité.

**2.** Quelle est la date du rendez-vous à la mairie ? *1 point*

☐ 3 février ☐ 15 février ☐ 25 février

**3.** Dans quel atelier n'y a-t-il plus de place ? *1 point*

........................................................................................................

**4.** Quel document devez-vous apporter ? *1 point*

☐ Un chèque. ☐ Une fiche de paye. ☐ Un timbre.

**5.** Que devez-vous compléter ? *2 points*

........................................................................................................

**En cas de feu dans le musée, vous devez suivre les consignes de sécurité suivantes :**

➜ Si vous découvrez un début de feu dans le musée :
**1** Appuyez sur le bouton de l'alarme incendie.
**2** Appelez tout de suite un gardien.

➜ Si vous entendez l'alarme incendie :
- Restez tranquille.
- Ne courez pas.
- Ne téléphonez pas.
- Suivez les instructions données par les gardiens.
- Allez calmement vers la sortie la plus proche de vous.
- Ne prenez pas les ascenseurs.
- Utilisez les escaliers.
- Attendez devant le musée.

➜ Si vous voyez qu'un visiteur a des problèmes, appelez les pompiers ou les gardiens.

➜ Attendez l'autorisation des pompiers pour retourner dans le musée.

## EXERCICE 3 6 points

**Vous lisez les consignes en cas de feu dans un musée. Répondez aux questions.**

**1.** Qui devez-vous appeler si vous découvrez un feu dans le musée ? *1 point*

☐ L'hôtesse d'accueil.
☐ Le gardien.
☐ Les pompiers.

**2.** Qu'est-ce qu'il ne faut pas faire quand vous entendez l'alarme incendie ? *1 point*

☐ A ☐ B ☐ C

**3.** Qu'est-ce qu'il est interdit de faire quand vous entendez l'alarme incendie ? Donnez 2 autres réponses. *1,5 point*

........................................................................................................

........................................................................................................

**4.** Où devez-vous attendre ? *1 point*

☐ Devant l'ascenseur. ☐ Dans les escaliers. ☐ Devant le musée.

**5.** Quand pouvez-vous retourner dans le musée ? *1,5 point*

........................................................................................................

**EXERCICE 4** **8 points**

**Vous lisez cet article dans une revue. Répondez aux questions.**

***Où est-ce que les Français aiment sortir ?***

Les Français aiment sortir, surtout pendant le week-end. Ce qu'ils préfèrent, c'est aller au cinéma puis terminer la soirée en dînant dans un bon restaurant. C'est une sortie facile à organiser et pas très chère.

Beaucoup de Français aiment aussi aller voir des expositions pour admirer les œuvres d'artistes contemporains ou classiques. Les Français visitent les expositions dans la journée car il n'existe pas beaucoup de musées qui sont ouverts le soir.

Les plus jeunes préfèrent aller écouter des concerts programmés dans les festivals organisés un peu partout en France. On peut dire qu'ils ont le choix, car il y a en France plus de 800 festivals chaque année. En termes de genres musicaux, ce sont les festivals de musiques moderne et électronique (pop-rock, électro, rap, hip-hop, reggae), qui plaisent le plus. En deuxième position, on trouve les festivals de jazz puis en troisième position, les festivals de musique du monde et de musiques traditionnelles.

**1.** Quand les Français préfèrent-ils sortir ? *1 point*

☐ En fin de semaine. ☐ Dans la semaine. ☐ Toute la semaine.

**2.** Pour quelle raison les Français aiment-il aller au cinéma ? *1 point*

..........

**3.** Vrai ou faux ? Cochez la case correspondante et recopiez la phrase ou la partie du texte qui justifie votre réponse. *3 points*

**a.** Les Français trouvent qu'aller au cinéma est trop cher.

☐ Vrai ☐ Faux

**b.** Les Français vont voir des expositions dans la journée.

☐ Vrai ☐ Faux

**4.** Quel public préfère les concerts ? *1 point*

..........

**5.** Quels sont les genres de musique qui plaisent le plus ? *2 points*

..........

## PARTIE 3 Production écrite **25 points**

**EXERCICE 1** **13 points**

**Vous venez de participer à un festival de musique. Vous écrivez à un ami français pour lui donner des renseignements sur ce festival. Vous décrivez ce que vous avez fait et vous lui donnez votre impression. (60 à 80 mots)**

..........

..........

..........

..........

..........

..........

Nombre de mots : ______

**EXERCICE 2** **12 points**

**Vous avez reçu un mail de votre amie française qui vous invite au restaurant.**
**Vous répondez pour la remercier. Vous acceptez l'invitation et vous posez quelques questions sur l'organisation de la sortie.**
**(60 à 80 mots)**

Objet : Sortir ?

Coucou,
Comment vas-tu ? Est-ce que ça te dit de manger au restaurant ? Il y a un nouveau restaurant végétarien dans ma rue.
Réponds-moi vite.
Bises
Flora

..................................................................................................................................

..................................................................................................................................

..................................................................................................................................

..................................................................................................................................

..................................................................................................................................

Nombre de mots : _____

## PARTIE 4 Production orale — 25 points

**EXERCICE 1 – Entretien dirigé**

**Répondez aux questions suivantes à l'oral.**

- Quelle est votre nourriture préférée ?
- Quel type de musée aimez-vous visiter ?

**EXERCICE 2 – Monologue suivi**

**Choisissez un sujet et exprimez-vous.**

**Sujet 1** Préférez-vous voir un film à la maison ou au cinéma ? Pourquoi ?
**Sujet 2** Aimeriez-vous aller dans un restaurant qui cuisine des insectes ? Pourquoi ?

**EXERCICE 3 – Exercice en interaction**

**Choisissez un sujet. Jouez la situation avec l'examinateur.**

**Sujet 1**
Vous proposez à un ami de vous accompagner dans un restaurant avec une cuisine très originale (insectes, fruits, épices ...). Votre ami n'a pas très envie de vous accompagner. Vous essayez de le convaincre.

**Sujet 2**
Vous proposez à un ami d'aller voir une exposition. Mais votre ami n'est pas très motivé. Vous essayez de le convaincre.

ZEST
ZEST
ZEST
Studi-
Studi-
EKIPA
EKIPA
LE HAVRE
MADE IN CHINA
HP
3 fois

# Unité 7

# Consommer autrement

## S'INFORMER

### DÉCOUVRIR
- Des questions de société
- La consommation collaborative

### RÉAGIR
- Expliquer un choix
- Formuler des hypothèses

## S'EXPRIMER

### ATELIERS D'EXPRESSION ORALE
- Exprimer une intention
- Exprimer sa désapprobation

### ATELIER D'ÉCRITURE
- Écrire un manifeste

### L'ATELIER 2.0
▶ Proposer un projet de financement collaboratif

## S'ÉVALUER

- DELF B1

**On en parle ?**

Où est l'homme ?
Qu'achète-t-il ?
Pourquoi est-il dans le caddie ?

DÉCOUVRIR

# Comment va l'économie ?

## La société française en vidéo ▶II 8

### 1 Qu'est-ce que vous voyez ?

De quoi s'agit-il ?

Qui sont les personnages principaux ?

Quelle est leur situation économique ?

**LE + INFO**

En latin, *crisis* est la manifestation violente d'une maladie. En grec, *krisis* signifie la décision, le jugement. La crise est donc un moment clé où tout est possible : le pire comme le meilleur !

## Crises de colère économique

### 1 Écoutez le document. 

**a.** Quel est le titre de la chronique ?
**b.** Quel est le sujet abordé ?
**c.** Quand a lieu l'émission de radio ? Quel est son nom ?

### 2 Réécoutez la première partie du document. 54

**a.** Quand a débuté la crise économique mondiale ? Quelles en sont les causes ?
**b.** Quand et dans quel pays le mouvement des Indignés a-t-il commencé ?

### 3 Réécoutez le document en entier. 

**a.** Citez trois conséquences de la crise économique.
**b.** Dans les témoignages, pourquoi les gens sont-ils en colère ?
**c.** Tendez l'oreille. Dites si vous entendez une pause entre les mots suivants. 55

### 4 Observez ces phrases.

*À cause de cet événement, une partie de la population découvre la précarité.*
*Beaucoup se retrouvent au chômage. La société décide donc de se révolter.*
*Je suis en colère parce que j'ai l'impression qu'on ne nous écoute pas.*

**a.** Dans chaque phrase, retrouvez la cause et la conséquence.
EXEMPLE : *Les gens sont endettés et les banques ne les aident pas* (cause), *c'est pour cela qu'ils sont furieux !* (conséquence)
**b.** Pour chaque phrase, dites si le mot souligné introduit la cause ou la conséquence.
**c.** *À cause de / parce que* : quel connecteur est suivi d'un nom ? D'un verbe ?

▶ La cause et la conséquence → Vérifiez et exercez-vous : 1-2 p. 141

**Mots et expressions**

**La crise économique**
- la précarité
- un prêt
- être endetté
- faire faillite
- ..................
- ..................

**Communication**

**Exprimer sa colère**
- C'est trop !
- Ras-le-bol de ces mensonges ! *(familier)*
- Ce n'est plus possible !
- Je suis furieux car…

# Partager pour mieux consommer

CONSOMMATION

## Les Français, adeptes de la consommation collaborative ?

**D'après un récent sondage (TNS Sofres), 8 Français sur 10 pratiquent ou ont l'intention de pratiquer la consommation collaborative. Depuis quelques années, la tendance se répand.**

Mais de quoi s'agit-il, au juste ?

Ipsos

### 6 pratiques collaboratives passées au crible

Motivations individuelles ++ → Motivations collectives ++

| ACHETER | REDISTRIBUER SES BIENS A D'AUTRES PARTICULIERS | | TRANSFORMER SES BIENS EN SERVICE | SE DEPLACER | S'ALIMENTER |
|---|---|---|---|---|---|
| Participer à des achats groupés | Vendre ses biens à d'autres particuliers | Echanger / troquer | Louer ses biens à d'autres particuliers | Faire du covoiturage | Adhérer à une AMAP |
| 23% | 52% | 11% | 6% | 8% | 6% |

...des Français de 15-75 ans

On peut distinguer deux grandes tendances :

➥ **l'achat en commun d'un bien ou d'un service.** Le plus souvent, il s'agit d'obtenir un prix réduit. C'est possible notamment *via* certains sites comme www.groupon.fr. Citons aussi la pratique du covoiturage, qui séduit beaucoup de citadins.

➥ **la revente, le prêt ou l'échange de biens ou de services.** Un seul mot d'ordre : aucun achat inutile ! Ainsi, sur des sites comme www.lamachineduvoisin.fr ou www.bricolib.net, chaque objet (machine à laver, outil de jardinage, etc.) peut servir à plusieurs personnes. ■

**5** **Lisez le texte de l'article.**

**a.** Qu'est-ce que la consommation collaborative ?
**b.** Donnez quelques exemples.

**6** **Observez le schéma de l'article.**

**a.** Quelle est sa source ?
**b.** Quelles pratiques correspondent aux deux tendances citées dans le texte ?
**c.** Quelles sont les deux types de motivation des consommateurs ? Expliquez.

**7** **Lisez les statistiques du schéma.**

**a.** Quelle pratique a le pourcentage le plus élevé ?
**b.** Quelle part est liée à l'alimentation ? Au transport ? À la location de services ?
**c.** Quelles pratiques intéressent un peu plus de la moitié des personnes ? Et un peu moins du quart ?

**8** **Observez ces phrases.**

*Depuis quelques années, la tendance se répand. • C'est possible* via *certains sites. • Le covoiturage séduit beaucoup de citadins. • Aucun achat inutile ! • Chaque objet peut servir à plusieurs personnes.*

**a.** Soulignez les mots qui permettent d'informer sur une quantité.
**b.** Classez-les en disant s'ils expriment : une quantité nulle – un petit nombre – une grande quantité – une quantité divisée.
**c.** *Quelques / certains :* quel déterminant désigne des personnes ou des choses qu'on peut identifier ?

▶ Les déterminants indéfinis → Vérifiez et exercez-vous : 3-4 p. 141

**Mots et expressions**

**Les statistiques**
- un pourcentage (%)
- 6 % (six pour cent)
- la moitié
- un peu plus du tiers
- presque le quart
- ..................................................
- ..................................................

**Parlez de l'info !**

**9** Quels problèmes économiques existent aujourd'hui ? Quelles réactions observe-t-on ?

**10** Et chez vous, est-ce qu'on ressent les effets de la crise ?

RÉAGIR

# On participe ?

## C'est moi qui l'ai fait !

### Commerce participatif : le client est roi !

Blogs, forums, vidéos, sites d'information... ces nouveaux outils numériques ont permis au consommateur d'acquérir un « savoir-acheter ». Ils lui ont aussi donné l'envie de participer à l'élaboration des biens qu'il consomme au quotidien. Car finalement, comme le dit Jérôme, adepte des initiatives participatives, « acheter un produit, c'est bien, mais le créer, c'est encore mieux ! » (www.conso.fr).

Les marques ont bien compris l'enjeu car elles proposent de plus en plus de prendre part à la création de leurs produits. Imaginez par exemple un jeu-concours qui vous incite à faire participer vos proches (de futurs acheteurs !) : « *Il vous suffit de demander à vos amis de voter pour votre produit en cliquant sur « j'aime ». S'il remporte le plus de voix, vous gagnerez un voyage pour deux aux Seychelles.* »

Finalement, ce sont les marques qui sont gagnantes. Non seulement vous pensez être le créateur de l'objet, mais en plus, vous contribuez au développement de la marque... et tout ceci, gratuitement !

Un exemple de démarche participative chez une marque italienne

**1 Observez l'illustration de l'article.**

a. Qu'est-ce qui est proposé ?
b. Expliquez les trois étapes du projet.

**Stratégie**

Quand je lis un texte, je repère et je souligne les articulateurs logiques.

**2 Lisez l'article.**

a. Qu'est-ce que le commerce participatif ?
b. Que signifie le titre « Le client est roi ! » ? Justifiez avec une phrase du texte.
c. Comment le client peut-il participer à la création d'un produit ?
d. Pourquoi dit-on que « les marques sont gagnantes » ? Expliquez.
e. Quelle phrase, dans le texte, utilise l'ironie* ?

* L'ironie consiste à dire le contraire de ce qu'on pense pour critiquer ou se moquer.

**Mots et expressions**

**Le commerce participatif**
- un consommateur
- une création
- contribuer à l'économie
- prendre part à un projet
- ..............................
- ..............................

**3 Observez cette phrase.**

*Si votre produit remporte le plus de voix, vous gagnerez un voyage pour deux.*

a. À votre avis, est-ce que vous ☐ allez gagner ☐ pouvez gagner ? Quelle est la différence ?
b. À quelle condition est-ce que « vous gagnerez... » ? Quel mot introduit cette condition ?
c. Dans chaque partie de la phrase, quel est le temps utilisé ?

▶ L'hypothèse au présent → Vérifiez et exercez-vous : 5-6 p. 141
▶ *produire* → Précis p. 200

# L'argent ne fait pas le bonheur

## 4 Écoutez le document. 

**a.** Qui est cette femme ?
**b.** Comment vit-elle ? Pourquoi ? Depuis quand ?
**c.** Au début, pensait-elle que l'expérience allait durer ?

## 5 Réécoutez le document et donnez des indications précises sur les éléments suivants : 56

- le projet « Gib und Nimm »
- le succès lié à ce projet
- les objectifs de cette femme
- son mode de vie actuel

## 6 Répondez aux questions.

**a.** Expliquez l'expression « l'argent ne fait pas le bonheur ».
**b.** Tendez l'oreille. Dites dans quel ordre vous entendez [ɛ], [ɑ̃]. 

## 7 Observez ces phrases.

*Elle a naturellement remplacé le troc contre le partage totalement gratuit.*
*Cela fonctionne étonnamment bien.*
*Elle a abandonné sa routine pour vivre différemment.*

**a.** Les mots soulignés sont des adverbes. Quels mots ou groupes de mots précisent-ils ?

**b.** À partir de quels adjectifs sont-ils formés ?
Mettez ces adjectifs au féminin, puis ajoutez *-ment* à la fin.
Comparez avec les adverbes de départ. Que remarquez-vous ?

**c.** Les adverbes en *-ment* informent sur :
☐ le temps
☐ la manière
☐ la quantité

▶ Les adverbes en *-ment* → Vérifiez et exercez-vous : 7-8 p. 141

**Mots et expressions**

**L'argent et la banque**
- un billet
- une carte bancaire
- un compte (bancaire)
- retirer de l'argent
- ........................................
- ........................................

## Réagissez !

**8** Que pensez-vous du choix de cette Allemande ? Et vous, pourriez-vous vivre ainsi ? Expliquez pourquoi.

## Agissez !

**9** Comment peut-on réduire les inégalités économiques ? Écrivez 3 hypothèses au présent.
EXEMPLE : *Si on partage les richesses, il y aura moins d'inégalités.*

→ Cahier d'activités, unité 7

## Lexique

### La crise économique et l'argent

**1 Mots croisés • Complétez la grille à partir des définitions.**

1. État d'une entreprise qui ne peut plus payer ses factures.
2. Dans une banque, c'est là qu'on place son argent.
3. On l'utilise pour payer, mais il faut avoir un stylo sur soi pour l'utiliser !
4. Qui ne peut plus rembourser ses dettes.
5. On me glisse dans le porte-monnaie, je suis en papier et je sers à payer.

### Le commerce participatif

**2 Jeu de rapidité • Jouez avec votre voisin. Lequel de vous deux sera le plus rapide pour trouver un synonyme à ces mots ?**

participer – la création – le commerce – un acheteur – une contribution

### Les statistiques

**3 Sondage • Réalisez un mini-sondage.**

• Interrogez votre voisin pour savoir s'il souhaite pratiquer la consommation collaborative.
• Mettez en commun les réponses de la classe et présentez-les sous forme de pourcentages.

**Stratégie**
Pour enrichir mon vocabulaire, j'essaie de trouver un synonyme à chaque mot que j'apprends.

## Phonétique

### ▸ L'enchaînement consonantique 58

**1 Écoutez et observez.**

*la chronique économique*
*la crise immobilière*

Quand un mot se termine par une consonne prononcée et que le mot suivant commence par une voyelle, la consonne et la voyelle s'enchaînent et forment une syllabe orale.

**2 Écoutez, barrez les lettres non prononcées et notez les enchaînements consonantiques.**

**a.** la dette et la crise
**b.** un livre intéressant
**c.** le chômage et la précarité
**d.** un chèque et une carte bancaire

**3 Écoutez et répétez.**

**a.** un compte en banque
**b.** Il ouvre un compte en banque.
**c.** Chaque année, il ouvre un compte en banque.
**d.** la crise économique
**e.** La crise économique reste un problème.
**f.** La crise économique reste un problème actuel.

### ▸ Les sons [ɛ̃] et [ɑ̃] 59

**1 Écoutez et observez.**

[ɛ̃]

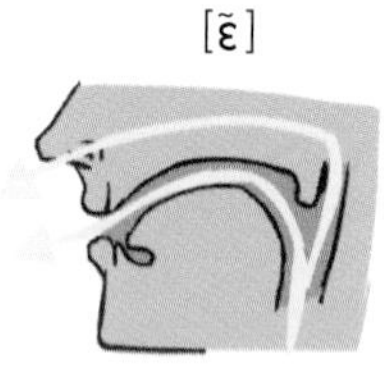

bouche mi-ouverte
langue en avant ←
lèvres tirées

[ɑ̃]

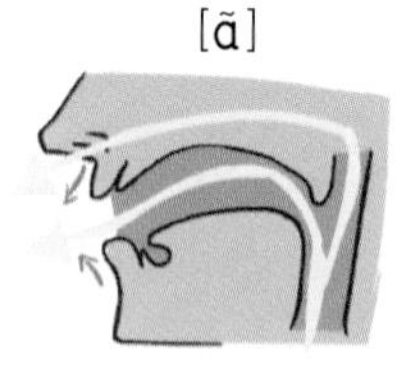

bouche ouverte
langue médiane ↔
lèvres arrondies

**2 Écoutez et dites ce que vous entendez.**

**a.** bain – banc
**b.** lin – lent
**c.** saint – sans
**d.** rein – rang

**3 Écoutez et répétez.**

**a.** Ça fait cinq ans. – Ça fait maintenant cinq ans.
**b.** Ça fait quinze ans. – Ça fait maintenant quinze ans.
**c.** Elle parle de manière prudente. – Elle parle prudemment.
**d.** Elle vit de manière simple. – Elle vit simplement.

# Grammaire

## La cause et la conséquence

→ **Vérifiez vos réponses** (act. 4 p. 136)

**a.** À cause de cet événement (cause), une partie de la population découvre la précarité (conséquence). Beaucoup se retrouvent au chômage (cause). La société décide donc de se révolter (conséquence).
Je suis en colère (conséquence) parce que j'ai l'impression qu'on ne nous écoute pas (cause).
**b.** *À cause de* et *parce que* introduisent la cause ; *donc* introduit la conséquence.
**c.** *À cause de* est suivi d'un nom. *Parce que* est suivi d'un sujet et de son verbe.

**1 Exprimez la cause ou la conséquence.**

**1.** Marc est ingénieur agronome, il est parti en Amérique latine ........ il voulait découvrir de nouvelles cultures.
**2.** Il a rencontré des paysans qui cultivaient du café. Il a apprécié cette communauté. Il a ........ décidé de les aider.
**3.** ......... mauvaises récoltes, la première année de production a été difficile.
**4.** Aujourd'hui, les paysans vendent leur café à des Français. ........ ils travaillent toujours avec Marc.

**2 Par deux, continuez cette histoire sans fin en imaginant des causes et des conséquences.**

*Une entreprise a fait faillite à cause de la crise. Son patron a* ***alors*** *changé de travail.* ***Parce qu****'il a trouvé un nouveau travail, il a décidé de ...*

## Les déterminants indéfinis

→ **Vérifiez vos réponses** (act. 8 p. 137)

**a.** et **b.** quantité nulle : aucun
petit nombre : certains ; quelques
grande quantité : beaucoup de ; plusieurs
quantité divisée : chaque
**c.** *Certains* désigne des personnes ou des choses qu'on peut identifier.

**3 Complétez les phrases avec les déterminants indéfinis proposés.**

*aucun – beaucoup de – chaque – plusieurs – quelques*
**1.** Il y a eu ........ améliorations dans nos conditions de travail, mais nous n'avons eu ........ augmentation.
**2.** ........ année, j'échange mon appartement pendant ........ semaines avec mon ami Merlin.
**3.** J'ai ........ légumes dans mon potager ; je donne parfois ........ poireaux à mon voisin.

**4 De quoi se compose une ville écologique ? une économie équilibrée ? un commerce plus juste ? Répondez avec des adjectifs indéfinis.**

EXEMPLE : *Dans une ville écologique, il y a beaucoup d'arbres !*

## L'hypothèse au présent

→ **Vérifiez vos réponses** (act. 3 p. 138)

**a.** Vous pouvez gagner, mais ce n'est pas sûr.
**b.** La condition pour gagner est : « si votre produit remporte le plus de voix ». *Si* introduit la condition.
**c.** Les temps utilisés sont le présent et le futur.

**5 Formulez des hypothèses.**

EXEMPLE : *éteindre la lumière / faire des économies*
→ *Si tu éteins la lumière, tu feras des économies.*
**1.** rouler à vélo / faire des économies d'essence
**2.** réparer son grille-pain / prolonger sa vie
**3.** arrêter de prendre des bains / réduire sa consommation d'eau
**4.** proposer son appartement à Paris contre une maison à la mer / ne plus prendre de location pour les vacances

**6 Par deux, réagissez aux déclarations et continuez le dialogue.**

EXEMPLE : *Je vais quitter mon travail.*
– ***Si*** *tu n'en retrouves pas, que feras-tu ?*
– *Je créerai ma propre entreprise.*
**1.** Édouard va vivre sans argent.
**2.** Amandine veut échanger des cours de français contre des cours d'informatique.
**3.** Éric veut se lancer dans l'agriculture biologique.

## Les adverbes en *-ment*

→ **Vérifiez vos réponses** (act. 7 p. 139)

**a.** « Naturellement » précise le verbe « remplacer ».
« Totalement » précise l'adjectif « gratuit ».
« Étonnamment » précise l'adverbe « bien ».
« Différemment » précise le verbe « vivre ».
**b.** naturellement → naturelle → naturellement
total → totale → totalement
étonnamment → étonnante → ne fonctionne pas
différemment → différente → ne fonctionne pas
On peut former des adverbes en ajoutant *-ment* à un adjectif au féminin, sauf pour les adjectifs en *-ant* et *-ent*.
**c.** Les adverbes en *-ment* informent sur la manière.

**7 Reformulez avec un adverbe en *-ment*.**

EXEMPLE : *La croissance avance avec lenteur → Elle avance lentement.* (L'adjectif qui correspond à *lenteur* est *lent*.)
**1.** J'ai fait des économies avec facilité.
**2.** Il a perdu son travail mais il a réagi avec courage.
**3.** Elles ont décidé de vivre de façon libre.
**4.** Ils ont manifesté avec violence.

**8 Comment faire pour... ?**

EXEMPLE : *Réussir ses études → Il faut étudier régulièrement et participer fréquemment en classe.*
**1.** Trouver un emploi. **2.** Se faire des amis. **3.** Réussir une recette de cuisine. **4.** Bien préparer un voyage.

→ Point Récap p.147

## Exprimer une intention

**Doc. 1**

**Doc. 2**

LA DÉPÊCHE
TOULOUSE

### Une autre monnaie, c'est possible ?

C'est chose faite : le « sol violette » est inauguré à Toulouse. La mairie a l'intention d'expérimenter pendant un an cette monnaie solidaire avec de vrais billets imprimés d'une valeur d'un, de cinq ou de dix sols.

Le sol, qui équivaut à un euro, sera accepté dans une quarantaine de commerces regroupés par thèmes : alimentation, transports, services de proximité et culture. Des magasins qui à leur tour doivent dépenser leur sol chez un autre acteur solidaire.

Sylvie Delpech est gérante de l'enseigne Biocoop sur les allées Jean Jaurès. À partir du 6 mai, le consommateur pourra payer dans ce magasin bio avec la nouvelle monnaie : « Je vais avoir une caisse réservée au sol, explique-t-elle. Je rendrai la monnaie en sols ou en euros. »

**Doc. 3**

« La ruche qui dit oui »

### 1 Regardez et écoutez ces documents. 

**a.** L'accorderie, le sol violette et « La ruche qui dit oui » sont :
☐ de nouvelles monnaies
☐ des sociétés de service
☐ des initiatives économiques
**b.** Comment fonctionne une accorderie ?
**c.** Le sol violette remplace-t-il l'euro ?
**d.** Quel service propose « La ruche qui dit oui » ?
**e.** Quels sont les projets de la mairie de Toulouse et de « La ruche qui dit oui » ?

### 2 Formulez une intention ! 

**a.** Que pensez-vous de ces différentes initiatives ? Laquelle préférez-vous ?
**b.** Vous aussi, vous avez l'intention de proposer une idée pour consommer autrement. Présentez-la à la classe.

**Communication**

**Exprimer une intention**
- C'est décidé ! Je vais créer une accorderie.
- Je pense monter ce projet.
- J'envisage de mettre en place une monnaie alternative.
- On a l'intention de proposer...

# Exprimer sa désapprobation

## 1 Top chrono !

**a.** Qui est le dessinateur ? Le connaissez-vous ?

**b.** Que font les personnages en groupe ? Pourquoi ont-ils des pancartes ?

**c.** Quel phénomène français est critiqué ?

**d.** Un homme propose de « faire une grève pour rien ». Expliquez cette phrase.

**e.** Est-ce que les autres pensent que c'est une bonne idée ? Et le couple* ?

* Pôle emploi est l'organisme public français qui aide les demandeurs d'emploi à trouver du travail.

## 2 Préparation

**a.** Et vous, pensez-vous que c'est une bonne idée ? Est-ce qu'il y a beaucoup de grèves dans votre pays ? À propos de quoi ?

**b.** Par groupes, choisissez un sujet qui appelle à manifester.
EXEMPLE : *la hausse des salaires, l'âge de la retraite, la pollution…*

**c.** Écrivez quelques slogans pour illustrer votre désapprobation.
EXEMPLE : *« Contre la retraite à 75 ans ! » « Trop vieux pour travailler ! »*

**d.** Prononcez.
Repérez les mots contenant les sons [ɛ̃], [ɑ̃] dans vos slogans et notez les enchaînements consonantiques, puis entraînez-vous à les prononcer.
Écoutez et prononcez. 61
*Ce simple plan semble un brin branlant.*

## 3 À vous !

À tour de rôle, chaque groupe clame son slogan et explique à la classe les raisons de sa désapprobation. La classe réagit !

### Communication

**Exprimer sa désapprobation**
- Non ! Je suis contre !
- Je ne suis pas d'accord !
- Hors de question !
- C'est inacceptable !

### Stratégie

Pour renforcer certains mots-clés de mon message, je pense à les accentuer.

# ATELIER D'ÉCRITURE

## Écrire un manifeste

**MANIFESTE DU DROIT À**
**RÉPARER SOI-MÊME**

**NOUS AFFIRMONS QUE :**

**RÉPARER VAUT MIEUX QUE RECYCLER** CAR CELA PERMET DE PROLONGER LA DURÉE DE VIE D'UN OBJET.

**RÉPARER PROTÈGE LA PLANÈTE** CAR LES RESSOURCES QUE NOUS UTILISONS NE SONT PAS INFINIES.

**RÉPARER PERMET DE FAIRE DES ÉCONOMIES** CAR CELA ÉVITE D'ACHETER UN NOUVEAU PRODUIT.

**RÉPARER RAPPROCHE LES APPAREILS ET LEURS UTILISATEURS** CAR CELUI QUI NE PEUT PAS RÉPARER UN APPAREIL NE LE POSSÈDE PAS VRAIMENT.

**C'EST POURQUOI...**

- NOUS RÉCLAMONS LE DROIT DE RÉPARER NOUS-MÊMES NOS APPAREILS.
- NOUS DEMANDONS DES GUIDES DE RÉPARATION CLAIRS ET COMPLETS.
- NOUS VOULONS OUVRIR NOS APPAREILS.
- NOUS VOULONS OBTENIR DES PIÈCES DE RECHANGE FACILEMENT.

**STOP** À LA DURÉE DE VIE PROGRAMMÉE DES APPAREILS !

DURÉE DE VIE :
LES INGÉNIEURS PROGRESSENT

40 ANS
10 ANS
5 ANS
2 ANS

Et si on réparait au lieu de jeter ?

Comment reparer.com

D'après ifixit.

### 1 Réaction

a. Observez l'affiche. Comment a évolué la durée de vie d'un téléphone ?

b. Lisez le document. À quoi sert un manifeste ?
- ☐ à exprimer une position sur un sujet
- ☐ à demander de l'argent
- ☐ à critiquer une décision

c. Que dénonce le manifeste ?

### 2 Préparation

a. Observez le manifeste. En combien de parties est-il construit ?
b. Dans quelle partie se trouvent les arguments ? Citez un exemple.
d. Dans quelle partie exprime-t-on des réclamations ? Citez un exemple.

### 3 Rédaction

Vous qui apprenez le français, vous avez aussi des droits !
Rédigez un manifeste des étudiants de français. Commencez par décrire les principes que vous trouvez importants dans votre apprentissage.
Puis déclarez vos droits.
À la fin, chacun lit son manifeste à la classe.

**Communication**

**Exposer des principes**
- Nous affirmons que...
- Nous déclarons que...
- Nous sommes convaincus que...

**Réclamer**
- Nous demandons de nouveaux équipements.
- Je réclame le droit de faire des fautes !
- Nous voulons obtenir...

www.bulbintown.com

## Je soutiens les projets dans ma ville

Participez au financement des commerces et associations près de chez vous, profitez en échange de bons plans exclusifs.

Atelier appartement des artistes Suzanne Valadon et...

**Patrimoine culturel**

**Participez à la restauration de l'atelier appartement des artistes Suzanne Valadon et Maurice Utrillo dans le Musée de Montmartre !**

# L'ATELIER 2.0

## Présenter un projet de financement collaboratif

**Vous imaginez un projet que vous faites financer par les internautes.**

Le financement participatif permet de présenter un projet sur Internet et de demander des dons. Chaque donateur participe ainsi à sa réalisation et reçoit en retour des avantages.

### 1 On s'organise

Par groupes, choisissez un projet qui pourrait vous servir dans le cadre de votre apprentissage du français : ouverture d'une librairie ou d'une sandwicherie francophone, d'un lieu d'échanges culturels, etc.

### 2 On se prépare

Vous définissez les raisons de ce projet, votre objectif financier et la durée de la récolte des dons. Précisez également les avantages que recevront les donateurs. Répartissez-vous les tâches : trouver un nom pour le projet, écrire un texte pour le présenter, prendre une photo pour l'annonce...

### 3 On présente à la classe

Chaque groupe présente son projet à la classe. Les autres groupes expliquent leurs raisons de soutenir le projet (ou pas).

### 4 On publie

La classe publie le projet qui a remporté le plus de soutiens sur l'espace de son choix : mur(s), blog...

# POINT RÉCAP'

## Lexique / Communication

# CONSOMMER AUTREMENT

### La crise économique

- le chômage
- la précarité
- un krach boursier
- un marché
- un prêt
- être au chômage
- être endetté
- faire faillite

### Les statistiques

- un pourcentage (%)
- 40 % (quarante pour cent)
- la moitié (50 %)
- le tiers (1/3)
- les deux tiers (2/3)
- les trois quarts (3/4)
- le quart (1/4)
- un peu plus de la moitié
- presque le tiers

### Le commerce participatif

- un consommateur
- une création
- une marque
- contribuer à
- participer à
- prendre part à

### L'argent et la banque

- un billet
- une carte bancaire / de crédit
- un chéquier, un chèque
- un compte (bancaire)
- un crédit
- ouvrir, fermer un compte
- retirer de l'argent

### Exprimer sa colère

- C'est trop !
- Ça m'énerve !
- Ce n'est plus possible !
- Ras-le-bol de + *infinitif ou nom (familier)*
- Je ne suis pas content !
- Je suis furieux.

### Exposer des principes

- Nous déclarons que...
- Nous affirmons que...
- Nous sommes convaincus que...

### Exprimer une intention

- C'est décidé !
- Je vais + *infinitif*
- Je pense + *infinitif*
- J'ai décidé de + *infinitif*
- J'ai l'intention de + *infinitif*

### Exprimer sa désapprobation

- Non ! Je suis contre !
- Je ne suis pas d'accord !
- Hors de question !
- C'est inacceptable de + *infinitif*
- C'est une honte de + *infinitif*
- Ce n'est pas permis de + *infinitif*

### Réclamer

- Nous demandons + *nom*
- Je réclame le droit à + *infinitif*
- Nous voulons + *infinitif*
- Nous voulons que + *subjonctif*

## Activité RÉCAP'

**Vous animez une émission de débat à la radio. Le thème du jour est : « Vivre en temps de crise. »**

**1** Répartissez-vous en groupes. Dans chaque groupe, il y a environ 5 personnes : un animateur radio, deux invités et des auditeurs.

**2** L'animateur présente les invités (un économiste, un chef d'entreprise, un écrivain...). Ils expliquent les raisons de la crise, ses conséquences et la manière dont les gens s'organisent en réaction (*via* la consommation collaborative, par exemple).

**3** Plusieurs auditeurs téléphonent pour exprimer leur colère, leur désapprobation ou formuler des réclamations. L'animateur et les invités réagissent !

# Grammaire

## La cause et la conséquence

• Pour exprimer la cause on peut utiliser :

– ***à cause de*** + nom ;

EXEMPLE : *À cause de son retard, nous avons manqué le train.*

– ***parce que*** ou **car**.

EXEMPLE : *Je ne peux pas venir car mon fils est malade.*

• Pour exprimer la conséquence on peut utiliser : ***alors, donc, c'est pour cela que, c'est pourquoi.***

EXEMPLE : *Il n'y a pas eu de pluie cet été, donc les terres ont soif.*

→ Précis, P. 194

## Les déterminants indéfinis

• Les déterminants indéfinis servent à exprimer une **quantité peu précise**.
Ils s'accordent avec le nom qu'ils accompagnent.

• Cette quantité peut être :

– nul(le) : ***aucun*** (attention, *aucun* est toujours suivi de *ne* !) ;

EXEMPLE : *Aucune voiture ne circule aujourd'hui.*

– peu importante : ***peu de, quelques, certain(e)s*** ;

EXEMPLE : *Quelques amis à moi vont ouvrir une accorderie.*

– importante : ***plusieurs, beaucoup de*** ;

EXEMPLE : *Beaucoup de gens cherchent du travail.*

– divisée : ***chaque*** ;

EXEMPLE : *Chaque année, nous organisons un concert pour la fête du quartier.*

→ Précis, P. 191

## L'hypothèse au présent

• Dans une hypothèse au présent, il y a une condition et un résultat attendu.

• ***Si*** permet d'introduire la condition.
Le verbe de la condition est généralement au **présent** et le résultat est au **futur**.

EXEMPLE : ***Si*** *tu ne fais pas de bruit,* (condition)
*tu pourras entendre les oiseaux.*

**Remarque :** la condition peut aussi être suivie d'un verbe au présent ou à l'impératif.

EXEMPLES : *Si on mange trop de bonbons, on tombe malade.*
*Si tu ne veux pas travailler, sors !*

→ Précis, P. 195

## Les adverbes en *-ment*

• Les adverbes en *-ment* sont des adverbes de **manière**.
Ils peuvent qualifier un verbe, un adjectif, un autre adverbe ou une phrase.

• Généralement, on forme l'adverbe en *-ment* à partir de l'**adjectif au féminin**.

| | | |
|---|---|---|
| lent / lente | → | lentement |
| positif / positive | → | positivement |
| profond / profonde | → | profond**é**ment |

Mais pour les adjectifs en *-ant* et *-ent*, on ajoute les suffixes ***-amment*** et ***-emment***.

| | | |
|---|---|---|
| fréquent | → | fréquemment |
| méchant | → | méchamment |

→ Précis, P. 194

# Question de génération...

« Nos jeunes aiment le luxe, ont de mauvaises manières, se moquent de l'autorité et n'ont aucun respect pour l'âge. À notre époque, les enfants sont des tyrans. » Socrate

## Ils veulent tout, tout de suite

## LA GÉNÉRATION Y

### En quelques mots

Engagement citoyen Globalisation
Information instantanée
Connectés Facebook
Horizontales Multi-tâches
Mobiles Indépendants
Adaptables Rapidement ennuyés
Gratification immédiate
Impatient maintenant
Pas dans 5 minutes

### Leur philosophie

- être heureux
- le travail collaboratif
- contre les méthodes directives
- n'aiment pas les horaires de bureau
- n'ont pas peur de la hiérarchie

### Leur culture

- l'instantanéité
- les nouvelles technologies
- l'apprentissage par l'action

## LIVRES À LIRE

*Intégrer et manager la génération Y*, Julien Pouget, Vuibert, 2013

*À quoi reconnaît-on la Génération Y ?*, Rémi Renouleau, 2012

### En quelques chiffres

**13 millions** de personnes en france
**Près de 21 %** de la population française
**Près de la moitié** de la population active
**26, 5 % des moins de 25 ans** sont à la recherche d'un emploi
**70 millions** de personnes aux États-Unis
**200 millions** de personnes en Chine

### En quelques lignes

**X, Y, Z...**

■ La génération Y ou « why », c'est- à-dire, qui demande pourquoi. C'est la génération la plus importante depuis la génération du baby-boom. Elle a entre 18 et 30 ans. Elle vient après la génération X, un nom donné par l'écrivain canadien Douglas Coupland dans son roman *Generation X*.

- La génération X regroupe les personnes qui sont nées entre 1959 et 1980.
- La génération Y entre 1980 et 2000
- La génération Z entre 2000 et aujourd'hui

**1 Lisez les informations et répondez .**

1. Qui est la génération Y ?
2. En quoi est-elle différente ?
3. Quel est son rapport au travail ?
4. Quelle est sa ligne de vie ?

# Et aussi...

## Slow Food

### En quelques chiffres

100 000 membres
150 pays
1986 fondé en Italie

### Leur devise

*Bon, propre et juste*

### Leur philosophie

- développement de l'éducation au goût
- un nouveau modèle agricole, moins intensif
- respect de la nature
- nourriture à petite échelle, durable et de qualité

### Leur logo

Un escargot qui symbolise la lenteur

**2** Quiz. Vrai ou Faux.

1. Le mouvement *Slow Food* est italien.
2. L'association est satisfaite de l'agriculture d'aujourd'hui.
3. Le *Slow Food* signifie : manger des escargots.
4. Le *Slow Food* respecte le rythme de la nature.
5. Il existe des cours pour comprendre ce mouvement.

Les réponses

1.V, 2.F, 3.F, 4.V, 5.V

### Le réseau français de Slow Food

- Euro Gusto, le Festival urbain éco-gatronomique du réseau français de *Slow Food*
- Le jardin école de *Slow Food* Roussillon : une association, créée en 2006, pour sensibiliser les enfants à la nature, à l'agriculture durable, à l'alimentation.
- L'institut de formation *Slow Food*, créé en 2011 pour former des professionnels et des gastronomes sur l'impact de leurs choix alimentaires sur la nature.

## Drôle d'expression

« *Ne pas être né de la dernière pluie (Fr)* »

« *Avoir déjà vu neiger (Québec)* »

**3** Lisez les expressions et répondez.

**1.** Formez deux groupes. Chaque groupe choisit une des deux expressions. Imaginez l'origine de cette expression et racontez-la à l'autre groupe. Ne nommez pas votre expression.
**2.** Avez-vous une expression similaire dans votre langue ?

S'ÉVALUER

# PRÉPARATION AU DELF B1

Les documents sonores sont téléchargeables sur le site www.didierfle.com/saison.

## PARTIE 1 Compréhension de l'oral

**Vous allez entendre 2 fois un document. Vous avez 30 secondes de pause entre les 2 écoutes puis 30 secondes pour vérifier vos réponses. Lisez les questions.**

**Vous êtes en France. Vous entendez cette émission à la radio. Répondez aux questions.**

**1.** Quel est le sujet de l'émission ?
☐ La consommation collaborative.
☐ La crise économique.
☐ Le covoiturage.

**2.** Combien de personnes pratiquent le nouveau mode de déplacement ?

..........

**3.** Que permet le covoiturage ?
☐ Faire des économies.
☐ Gagner du temps.
☐ Faire des rencontres.

**4.** Qu'est-ce que le covoiturage a créé ?

..........

**5.** Pourquoi est-ce facile de pratiquer le covoiturage ?

..........

**6.** Pour quelle raison les gens utilisent-ils le covoiturage ?
Donnez une réponse.

..........

## PARTIE 2 Compréhension des écrits

**Vous lisez le document suivant sur Internet. Répondez aux questions.**

**1.** Qu'est-ce qu'une AMAP ?
☐ Un magasin. ☐ Une association. ☐ Une ferme.

**2.** Que produisent les agriculteurs de l'AMAP ?
Donnez 2 réponses.

..........

..........

**3.** Vrai ou faux ? Justifiez.
Les paysans de l'AMAP font attention à la planète.
☐ Vrai ☐ Faux
Les produits vendus dans les AMAP coûtent cher.
☐ Vrai ☐ Faux

**4.** Combien de paniers l'agriculteur apporte-t-il au consommateur chaque semaine ?

..........

**5.** Comment est fixé le prix du panier ?
☐ Ça dépend de la saison.
☐ C'est toujours le même.
☐ Ça dépend des légumes.

**6.** Que faut-il faire pour s'inscrire dans une AMAP ?

..........

### Qu'est-ce-qu'une AMAP ?

**Une AMAP est une association qui regroupe des paysans et des consommateurs.**

Ses objectifs sont :
– d'aider les agriculteurs qui produisent des fruits, des légumes, des céréales, de la viande dans leur ferme en respectant l'environnement ;
– de permettre aux consommateurs d'avoir de bons produits de la ferme pas très chers.

**Comment marche une AMAP ?**

Le principe est le suivant : les consommateurs de l'association achètent chaque semaine un panier de produits de la ferme. Le prix du panier est le même chaque semaine. Les consommateurs s'inscrivent pour plusieurs mois. L'agriculteur prépare un panier chaque semaine et les apporte directement au consommateur.

**Comment peut-on s'inscrire dans une AMAP ?**

On peut trouver une AMAP près de chez soi en se connectant sur le site www.reseau-amap.org.

## PARTIE 3 Production écrite

**Racontez votre expérience en matière de consommation collaborative.**
**Que faites-vous dans votre vie quotidienne pour consommer autrement ? (160 mots)**

## PARTIE 4 Production orale

### EXERCICE 1 – Entretien dirigé

**Répondez aux questions suivantes à l'oral.**

• Avez-vous déjà acheté des fruits et légumes dans une AMAP ?
• Quel service pourriez-vous proposer dans une accorderie ?

### EXERCICE 2 – Monologue suivi

**Choisissez un sujet et exprimez-vous.**

**Sujet 1**
Est-ce que vous utilisez souvent votre voiture ?

**Sujet 2**
Comment payez-vous vos achats ?

### EXERCICE 3 – Exercice en interaction

**Choisissez un sujet. Jouez la situation avec l'examinateur.**

**Sujet 1**
Vous voulez vous inscrire dans une association de covoiturage. Vous allez voir le responsable de l'association pour connaître les démarches à faire. Vous l'interrogez aussi sur les tarifs.

**Sujet 2**
Vous arrivez dans un pays francophone. Vous allez à la banque pour ouvrir un compte bancaire. Vous posez des questions sur les services et les tarifs.

Unité 8

# S'engager pour une cause

## S'INFORMER

### DÉCOUVRIR

- Des occasions de donner
- Une association pour la jeunesse

### RÉAGIR

- Exprimer le but
- Raconter un événement

## S'EXPRIMER

### ATELIERS D'EXPRESSION ORALE

- Exprimer un souhait ou un espoir
- Exprimer des degrés de certitude
- Encourager

### ATELIER D'ÉCRITURE

- Écrire une lettre à un mécène

### L'ATELIER 2.0

▶ Réaliser une vidéo au profit d'une cause

## S'ÉVALUER

- DELF B1

**On en parle ?**

Qui peuvent être ces personnages ?
Pourquoi se donnent-ils la main ?
À quels mots vous fait penser cette image ?

DÉCOUVRIR

# Petits dons, grands effets ?

## Une appli solidaire en vidéo 9

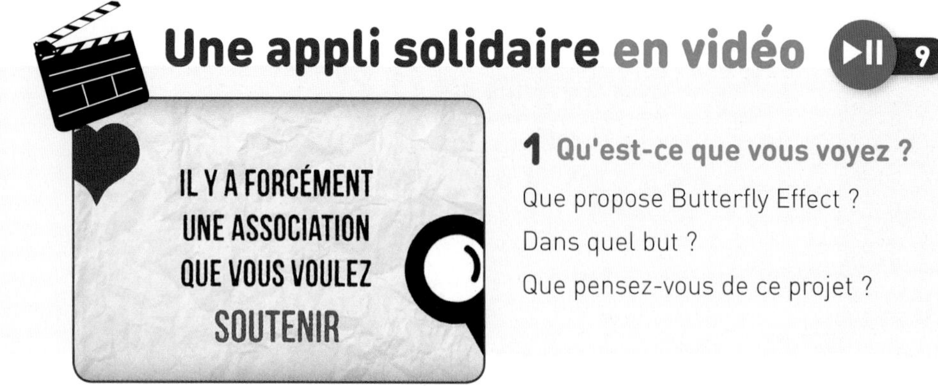


**1 Qu'est-ce que vous voyez ?**

Que propose Butterfly Effect ?

Dans quel but ?

Que pensez-vous de ce projet ?

**LE + INFO**

Savez-vous que 57 % des Français font des dons réguliers ? Ils soutiennent notamment la protection des enfants (15 %), la lutte contre la pauvreté (14 %) et la recherche médicale (12 %). *(La Croix, 2013)*

## Un généreux donateur

**2 Écoutez le document.** 

**a.** De quoi s'agit-il ?
**b.** Qui a gagné ? Que sait-on sur ce gagnant ?
**c.** Quel est son projet ?

**3 Écoutez à nouveau.** 

**a.** Qui est Gilberte ? De qui parle-t-elle ? Quels sont leurs besoins ?

**b.** Qui est Fatiha ? Que propose-t-elle et pour qui ? De quoi a-t-elle peur ?

**4 Écoutez une dernière fois.** 

**a.** Ces expressions désignent des personnes qui ont peu d'argent : lesquelles entendez-vous dans le reportage ?

| | |
|---|---|
| ☐ les exclus sociaux | ☐ les personnes dans le besoin |
| ☐ les plus démunis | ☐ une population en détresse |
| ☐ avoir de faibles revenus | ☐ vivre sous le seuil de pauvreté |

**b.** Tendez l'oreille. Levez le bras quand vous entendez le son [w]. 

**5 Observez ces phrases.**

*Si j'étais à la place de cette personne, je créerais un endroit pour les enfants.*
*Si on connaissait cet homme, on lui demanderait son aide.*

**a.** Les sujets « je » et « on » ☐ réalisent ☐ imaginent l'action du verbe.

**b.** Dans chaque phrase, soulignez la condition.

**c.** Au moment où on prononce ces phrases, la condition :
☐ peut tout à fait se réaliser. ☐ ne peut pas se réaliser.

**d.** Quels sont les temps utilisés dans la phrase ?

▶ L'hypothèse à l'imparfait → Vérifiez et exercez-vous : 1-2 p. 159
▶ *vaincre* → Précis p. 200

**Mots et expressions**

**Les problèmes sociaux**
- les plus démunis
- l'exclusion
- la galère *(familier)*
- connaître des difficultés
- ..............................
- ..............................

**Stratégie**

Quand j'écoute un reportage, je repère les différentes personnes qui parlent.

# Une association en action

**Euforia** est une organisation de jeunes basée à Genève et à Zurich. Elle a pour but de démontrer à la nouvelle génération que l'engagement est possible et nécessaire pour faire face aux défis globaux comme le réchauffement climatique, la pauvreté ou le racisme.

**Beaucoup de jeunes aimeraient s'engager** face à ces défis, mais bien souvent, ils ne savent pas comment s'y prendre ni par où commencer. Euforia les soutient pour qu'ils puissent agir, en leur présentant des opportunités d'engagement concret.

**Depuis 2007, Euforia propose des ateliers** afin de faire découvrir des outils utiles à la réalisation de projets. Elle offre également aux participants la possibilité d'organiser eux-mêmes des rencontres Euforia dans leur propre ville.

Retrouvez toutes les informations utiles sur le site : www.euforiaction.org.

### 6 Lisez le document.

a. Qu'est-ce qu'Euforia ? À qui s'adresse-t-elle ?
b. Quel est son objectif principal ?

### 7 Relisez le document.

a. Quelles causes défend Euforia ?
b. Quel est le problème des jeunes, selon Euforia ?
c. Quelle aide leur apporte Euforia ?

### 8 Associez chaque mot à sa définition.

| | |
|---|---|
| l'engagement • | • la participation active à des questions sociales ou politiques |
| un défi • | • une personne qui travaille gratuitement sur un projet |
| un bénévole • | • un combat difficile |
| une manifestation • | • un événement organisé pour attirer du public |

**Mots et expressions**

**L'engagement**
- une association
- (un) bénévole *(nom ou adj.)*
- monter un projet
- soutenir une cause

.....................................................

.....................................................

### 9 Observez ces phrases.

*L'engagement est nécessaire pour faire face aux défis globaux.*
*Nous soutenons les jeunes pour qu'ils puissent agir.*
*Euforia organise des manifestations afin de mobiliser la jeunesse.*

a. Dans chaque phrase, soulignez les objectifs exprimés.
EXEMPLE : *Il faut être nombreux pour changer les choses.*
Quels mots introduisent les buts ?

b. Dans chaque phrase, entourez le ou les sujets. Dans quel cas a-t-on deux sujets différents ?

c. Cochez les bonnes réponses.
Avec *pour* et *afin de*, on utilise : ☐ l'infinitif ☐ le subjonctif
Avec *pour que*, on utilise : ☐ l'infinitif ☐ le subjonctif

▶ Le but → Vérifiez et exercez-vous : 3-4 p. 159

**Parlez de l'info !**

**10** Quels sont les problèmes sociaux actuels ? Pour quelles autres causes peut-on s'engager ?

**11** De quelles manières peut-on soutenir une cause ?

# Donner de son temps

## Courir pour une cause

**TOUTES LES ACTUALITÉS SPORT**

### Pérec s'attaque au marathon de New York pour la bonne cause

Par Gregory Fortune, Jean-Michel Rascol | Publié le 09/10/2013 à 12h35

**La plus grande athlète de l'histoire de l'athlétisme français (triple médaillée d'or olympique sur 400 m et 200 m)**, a retrouvé une silhouette de championne pour disputer le marathon de New York, le 3 novembre prochain. Son but sera juste de franchir la ligne d'arrivée. Elle court pour une bonne cause, offrir des équipements sportifs aux enfants les plus déshérités d'Haïti.
Problème, Marie-José Pérec n'a plus fait de sport depuis 10 ans. Et jamais elle n'aurait imaginé s'élancer pour 42,195 km, la distance du marathon. « Je me dis qu'avec l'envie et la cause que l'on défend, je trouverai l'énergie nécessaire pour passer la ligne d'arrivée. Mais ça me fait très peur », insiste-t-elle.
Marie-José sera accompagnée par vingt coureurs qui verseront chacun 2 500 dollars au profit du développement du sport en Haïti. Joël Bouzou est le Président de l'association « Peace and Sport ». Il explique qu'avec « 50 000 dollars, on peut importer un peu d'équipements, et on en fabrique. Il y a tout un savoir qui a été développé par l'organisation et qui va être utilisé à la création d'équipements adaptés. »
Lorsqu'elle était jeune, Marie-Jo vivait en Guadeloupe au contact d'enfants haïtiens. Ce marathon est aussi un clin d'œil à son passé.

### 1 Lisez l'article.

**a.** Qui est Marie-José Pérec ? **b.** Que va-t-elle faire ? Pourquoi ?

### 2 Relisez l'article.

**a.** Pourquoi Marie-José Pérec a-t-elle choisi cette cause ?
**b.** Comment envisage-t-elle la course ?
**c.** Comment s'appelle l'association qu'elle soutient ?
**d.** Comment cette association va-t-elle gagner de l'argent ? Dans quel but ?

### Mots et expressions

**Le sport**
- une athlète
- l'athlétisme
- les jeux Olympiques
- un marathon
- ..........................................
- ..........................................

### 3 Observez ces phrases.

*Marie-José sera accompagnée par vingt coureurs.*
*Vingt coureurs accompagneront Marie-José.*

**a.** Dans chaque phrase, qui accomplit l'action ? Quel est le sujet du verbe *accompagner* ?
**b.** Dans quelle phrase donne-t-on plus d'importance à Marie-José ?
**c.** Dans la première phrase, comment est construit le verbe ? Quel mot introduit son complément ?
**d.** Observez le participe passé *accompagnée*. Que remarquez-vous ?

▶ Le passif → Vérifiez et exercez-vous : 5-6 p. 159

# Des bénévoles en blouses roses

## 4 Écoutez le document. 

a. Qui est l'invité de cette émission ?

b. Quel est le sujet de la discussion ?

c. Dans quel ordre ces thèmes sont-ils abordés ?
... les débuts dans l'association
... l'association
... les difficultés rencontrées
... l'envie de s'engager

## 5 Écoutez à nouveau. 

a. Complétez cette fiche de présentation de l'association.

Nom : *Les Blouses Roses*
But : ..........
Lieu : ..........
Actions : ..........

b. Complétez.
Yolaine fait partie de l'association en tant que ..........
depuis .......... .

c. Pourquoi a-t-elle commencé ?

d. Qu'est-ce qui peut motiver les gens à s'engager ?
Qu'est-ce qui peut les freiner ?

e. Tendez l'oreille. Levez le bras quand vous entendez le son [ɔn]. 65

## 6 Observez ces phrases.

*1. Vous parlez de votre jeu à l'enfant, vous le lui expliquez.*
*2. Elle connaissait le président, elle me l'a présenté.*
*3. On n'a pas de temps pour les malades, mais on va leur en donner.*

a. Reformulez les phrases 2 et 3 avec les noms que remplacent les pronoms compléments. Quels sont les pronoms directs et indirects ? À quelle personne sont-ils ?

EXEMPLE : *Vous le lui expliquez. → Vous expliquez votre jeu à l'enfant.*
*le = pronom direct (3ᵉ pers.) ; lui = pronom indirect (3ᵉ pers.)*

b. Observez la place des pronoms dans chaque phrase. Puis complétez le tableau pour indiquer leur ordre.

| 1. pronom ...... de .... pers. | 2. pronoms ...... de .... pers. | 3. pronoms indirects de 3ᵉ pers. | 4. autre pronom |
|---|---|---|---|
| .......... | .......... | *lui*, .......... | .......... |

▶ Les doubles pronoms → Vérifiez et exercez-vous : 7-8 p. 159

### Mots et expressions

**La santé**
- une clinique
- un patient
- souffrir de
- être en bonne santé
- être hospitalisé
- ..........
- ..........

## Réagissez ! 

**7 Par petits groupes, imaginez les objectifs de ces associations. Utilisez les expressions du but !**

Croissants de lune – Ris ta vie – Les Petits Grands – Ton toit chez moi

EXEMPLE : *Ris ta vie s'engage pour que les personnes tristes rient plus.*

## Agissez ! 

**8 Écrivez une brève de journal pour présenter un événement solidaire.**

EXEMPLE : *Soirée théâtre.*
*Une représentation a été donnée par les élèves de l'atelier théâtre de la ville afin de financer leur tournée en Espagne. 500 € ont été récoltés.*

→ Cahier d'activités, unité 8

## Lexique 

### Les problèmes sociaux et l'engagement

**1 Forum • Vous organisez un forum des associations sociales.**

• Formez deux groupes : un groupe avec des personnes en difficulté, un autre avec des associations qui luttent contre les problèmes sociaux.
• Dans le premier groupe, chacun décrit son besoin. Dans le deuxième groupe, les associations disent qui elles peuvent soutenir.

EXEMPLE : *Je suis dans le besoin parce que je ne sais ni lire ni écrire. → Les bénévoles de notre association donnent des cours de lecture et d'écriture pour adultes.*

### Le sport

**2 Marathon des définitions • C'est à vous d'être le dictionnaire !**

• Se joue à trois. Le premier invente une phrase avec un mot lié au sport.
• Le deuxième propose une définition de ce mot.
• Le troisième complète et corrige la définition si besoin. Puis, changez de rôles.

EXEMPLE : *1. Marie-José Pérec a gagné une médaille.*
*2. Une médaille, c'est un objet rond en or. C'est une récompense.*
*3. Elle peut aussi être en argent.*

### La santé

**3 Imagination • Décrivez l'image.**

Qui voit-on ? Où sont-ils ? Que font-ils ?

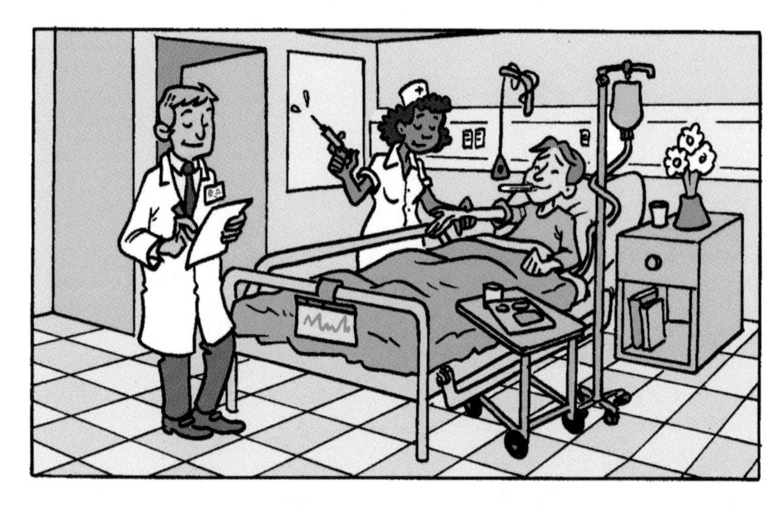

**Stratégie**
Pour enrichir mon vocabulaire, j'essaie de réutiliser un même mot dans des contextes différents.

## Phonétique

### ▸ Les sons [u] et [w] 66

**1 Écoutez et observez.**

[u] [w]
bouche fermée
langue en arrière →
lèvres arrondies

[u] est une voyelle.
[w] est une semi-voyelle.
Elle forme une syllabe avec la voyelle qui suit.
*es-poir be-soin sou-haite*

**2 Écoutez et cochez ce que vous entendez.**

a. ☐ ma ☐ moi
b. ☐ lin ☐ loin
c. ☐ pin ☐ point
d. ☐ pas ☐ pois
e. ☐ lit ☐ Louis

**3 Écoutez et répétez.**

a. Moi, j'y crois !
b. Moi, j'ai confiance en toi.
c. C'est un endroit plein d'espoir.
d. Je souhaite qu'elle aille loin.
e. Je souhaite qu'elle en ait besoin.

### ▸ Voyelles orales et voyelles nasales 67

**1 Écoutez et observez.**

*bon*
• Quand une syllabe se termine par *n* ou *m*, on prononce une voyelle nasale sans prononcer le *n* ou le *m*.

*bonne*
• Quand une syllabe se termine par *n* ou *m* + une voyelle ou + *n*, *m* ou *gn*, on prononce une voyelle orale (l'air passe uniquement par la bouche) et la consonne qui suit.

**2 Écoutez et dites si ce que vous entendez est identique ou différent.**

a. ☐ = ☐ ≠
b. ☐ = ☐ ≠
c. ☐ = ☐ ≠
d. ☐ = ☐ ≠

**3 Écoutez et répétez.**

a. Il est prudent. – Il marche prudemment.
b. Il est patient. – Il explique patiemment.
c. On demande pardon. – On se pardonne.
d. Son plat est bon. – Sa cuisine est bonne.
e. Il devient adulte. – Il faut qu'il devienne adulte.
f. Il doit peindre un mur. – Il faut qu'il peigne un mur.

# Grammaire

## ▶ L'hypothèse à l'imparfait

→ Vérifiez vos réponses (act. 5 p. 154)

**a.** « Je » et « on » imaginent l'action du verbe.
**b.** Les conditions sont : « Si j'étais à la place de cette personne » et « Si on connaissait cet homme ».
Au moment où on prononce ces phrases, la condition **ne peut pas se réaliser**.
**c.** Les temps utilisés sont l'**imparfait** (pour la condition) et le **conditionnel présent**.

### 1 Complétez ces phrases aux bons temps.

1. Si je gagnais au Loto, je *(faire)* ............ un don.
2. Si je *(s'engager)* ............ pour une cause, je choisirais la santé.
3. Si on organisait un marathon, on *(pouvoir)* ............ collecter de l'argent.
4. Vous comprendriez le problème si vous *(prendre)* ............ le temps d'y réfléchir.

### 2 Imaginez la suite de ces phrases.

1. Si nous avions le pouvoir de changer les choses...
2. Mes amis viendraient nous aider si...
3. Si les maladies n'existaient pas...
4. Je donnerais de mon temps si...

## ▶ Le but

→ Vérifiez vos réponses (act. 9 p. 155)

**a.** et **b.** L'engagement est nécessaire pour faire face aux défis globaux.
Nous soutenons les jeunes pour qu'ils puissent agir.
Euforia organise des manifestations afin de mobiliser la jeunesse.
*Pour que* et *afin de* introduisent le but.
**b.** Avec *pour que*, il y a deux sujets différents dans la phrase.
**c.** Avec *pour* et *afin de*, on utilise l'**infinitif**. Avec *pour que*, on utilise le **subjonctif**.

### 3 Faites une seule phrase pour exprimer le but.

EXEMPLE : *Je cours. Je récolte de l'argent. → Je cours pour récolter de l'argent.*

1. Il se bat. La recherche fait des progrès.
2. Ton projet a été sélectionné. Il représentera notre école au niveau régional.
3. Nous lançons un concours de dessins. Nous parlons de l'illettrisme.
4. Nous collectons des cahiers. Les enfants ont des fournitures pour étudier.

### 4 Imaginez une activité et un but pour chacun de ces sujets. Variez les structures.

l'Europe – un couple à vélo – un chanteur – un maçon – une classe de français

EXEMPLE : *L'Europe lutte pour défendre les droits des enfants.*

## ▶ Le passif

→ Vérifiez vos réponses (act. 3 p. 156)

**a.** Dans les deux phrases, les vingt coureurs accomplissent l'action. Mais les sujets sont différents : « Marie-José » (phrase 1) et « vingt coureurs » (phrase 2).
**b.** C'est la première phrase qui donne plus d'importance à Marie-José.
**c.** Le verbe « sera accompagnée » est formé du **verbe** *être* au futur et du **participe passé** d'« accompagner ».
Le complément du verbe est introduit par « par ».
**d.** Le participe passé s'accorde avec le sujet du verbe.

### 5 Mettez les verbes à la forme passive.

EXEMPLE : *Quatre chaînes filment le match. → Le match est filmé par quatre chaînes.*

1. On prévoit un concours de tir à l'arc en juin.
2. L'équipe de France a gagné la médaille d'or.
3. Deux étudiants proposaient une randonnée à vélo.
4. Le club organise un marathon.
5. La mairie soutiendra notre cause.

### 6 Racontez des anecdotes sur des événements sportifs en utilisant la forme passive.

EXEMPLE : *La piscine des jeux Olympiques de Londres 2012 a été imaginée pour ressembler à un poisson !*

## ▶ Les doubles pronoms

→ Vérifiez vos réponses (act. 6 p. 157)

**a.** 2. Elle a présenté le président (à moi). *me* = pronom indirect (1re pers.) ; *l'* = pronom direct (3e pers.)
3. On va quand même donner du temps aux malades. *leur* = pronom indirect (3e pers.) ; *en* = pronom direct (3e pers.)
**b.** 1. pronom indirect de 1re pers. → me
2. pronoms directs de 3e pers. → le, l'
3. pronoms indirects de 3e pers. → lui, leur
4. autre pronom → en

### 7 Ajoutez un pronom qui remplace le mot souligné.

EXEMPLE : *Il m'a parlé d'un projet. → Il m'en a parlé.*

1. Le docteur lui a donné un médicament.
2. Je te consacre du temps chaque semaine.
3. Les médecins y soignent les malades avec passion.
4. Pouvez-vous m'expliquer le traitement ?
5. Nous ne les donnerons pas aux parents tout de suite.

### 8 Écrivez trois phrases avec deux compléments. Échangez vos phrases avec votre voisin et remplacez les compléments par des pronoms.

EXEMPLE : *Nous proposons des activités aux personnes âgées. → Nous leur en proposons.*

→ Point Récap p.165

# ATELIERS D'EXPRESSION ORALE

## Exprimer un souhait ou un espoir

**Doc. 1**

**Doc. 2**

**BOURGES ■**

### Illettrisme : Khadija met des mots sur ses maux

**En France, selon l'Insee, 2,5 millions de personnes âgées de 18 à 65 ans souffrent d'illettrisme.**

Khadija, qui vit à Aubigny-sur-Nère, en fait partie. « Qu'est-ce que j'aimerais enfin pouvoir lire du Balzac... » Khadija sait tout le chemin qu'il lui reste à parcourir pour que son rêve devienne réalité. Car à soixante et un ans, cette habitante d'Aubigny-sur-Nère ne sait ni écrire ni lire.

Pour enfin ouvrir les yeux sur la littérature et « guérir de cette maladie qui empêche de vivre », Khadija, à raison de deux fois par semaine depuis 2009, participe aux ateliers dispensés par *C'est possible autrement*, une association berruyère.

Le Berry républicain, 29 mars 2013

**Doc. 3**

### 1 Regardez et écoutez ces documents. 68

**a.** Retrouvez le thème et le(s) objectif(s) de chaque document.

| | |
|---|---|
| l'éducation | doc. ... |
| l'enfance | doc. ... |
| la pauvreté | doc. ... |

| | |
|---|---|
| demander des dons | doc. ... |
| lutter contre les inégalités | doc. ... |
| présenter des rêves | doc. ... |

**b.** Quels souhaits sont exprimés dans ces documents ?

### 2 Exprimez un souhait !

Formez des groupes. Si votre groupe pouvait utiliser un million d'euros, que feriez-vous ? Présentez des utilisations possibles à la classe.

EXEMPLE : *Si nous avions un million d'euros, nous commencerions par partir en voyage autour du monde !*

**Communication**

**Exprimer des souhaits ou un espoir**

- Je rêve de savoir lire.
- J'espère pouvoir sortir de cette situation.
- Je souhaite qu'ils réussissent.
- Qu'est-ce que j'aimerais l'aider !
- Je garde espoir.

# Exprimer des degrés de certitude • Encourager

## 1 Top chrono !

Observez le dessin.

**a.** Qui voyez-vous ? Que font-ils ? Comment le cycliste se sent-il ?

**b.** Qu'est-ce qui peut aider un sportif à se sentir sûr de lui ?

**c.** Pourquoi peut-il douter ?

## 2 Préparation

**a.** Formez des équipes sportives.

EXEMPLE : *5 personnes pour une équipe de basket-ball*

**b.** Votre équipe va affronter une équipe qu'on dit plus forte que vous. Dans votre groupe, certains coéquipiers ont peur, d'autres sont sûrs de gagner. Imaginez des raisons de douter et d'avoir confiance.

EXEMPLE : *Je me demande si nous sommes assez entraînés.*

**c.** Prononcez.

Repérez les mots contenant les sons [u], [w] et les voyelles orales et nasales. Entraînez-vous à les prononcer.

Écoutez et prononcez. 69

*Louis ouït tout, Lou a ouï moins.*

*Ce sonnet en somme assommant m'a sonné.*

## 3 À vous !

Jouez la scène. Les coéquipiers qui doutent s'expriment ; les autres formulent leurs certitudes et encouragent l'équipe.

### Communication

**Exprimer des degrés de certitude**

- Cela ne fait aucun doute.
- Je suis absolument certain qu'elle va réussir.
- C'est évident qu'il va gagner.
- Je ne suis pas sûr qu'il puisse me battre.
- Je me demande si...
- J'ai des doutes sur...

**Encourager**

- Allez champion ! Courage !
- Vas-y, tiens bon !
- Tu peux y arriver ! Encore un effort !
- J'ai confiance en toi !

# Écrire une lettre à un mécène

Malika Baumard et Amandine Lefranc
4 rue de la Rosière
62000 Arras

AssoClic
7 rue Kléber
94300 Bonneuil

Rennes, le 10 novembre 2013

Objet : candidature pour le projet Assoclic

Madame, Monsieur,

1 C'est avec un grand intérêt que nous avons pris connaissance de votre projet.

2 Actuellement étudiantes en économie, nous avons fondé une association dont le but est de lutter contre les inégalités sociales à l'université. En effet, beaucoup de nos camarades n'ont pas les moyens de s'acheter un ordinateur portable. En partenariat avec l'université, nous souhaitons mettre à la disposition des étudiants une salle équipée d'ordinateurs ainsi que des ateliers numériques.

3 Nous vous garantissons que nous utiliserons efficacement l'équipement offert. En contrepartie, nous nous engageons à vous envoyer régulièrement le bilan de nos actions.

4 Nous joignons à ce courrier une clé USB contenant une vidéo de présentation et un dossier qui vous en apprendront plus sur notre association.

Nous sommes à votre disposition pour un entretien. Dans cette attente, nous vous prions d'agréer, Madame, Monsieur, l'expression de nos salutations distinguées.

Malika Baumard et Amandine Lefranc

**Stratégie**
Quand j'écris un texte, je pense à employer des mots ou des expressions utilisés dans le modèle, ou bien des synonymes.

## 1 Réaction

Observez cette lettre officielle.

**a.** Repérez l'adresse de l'expéditeur, l'adresse du destinataire, la date et l'objet.
**b.** Quelles formules de politesse ouvrent et terminent la lettre ?
**c.** Les paragraphes 1 à 4 forment le cœur de la lettre. Identifiez l'objectif de chaque paragraphe.
**d.** Que promettent Amandine et Malika ?

## 2 Préparation

**a.** Formez des groupes de trois. Pensez à un projet que vous pourriez soumettre à Assoclic. (Pourquoi auriez-vous besoin d'ordinateurs ?) Si vous le souhaitez, imaginez un autre appel à projet.
**b.** Que pouvez-vous promettre à votre mécène ?

## 3 Rédaction

Écrivez une lettre à Assoclic ou au mécène de votre choix. Respectez la même progression que dans la lettre ci-dessus.
N'oubliez pas de formuler vos engagements !

### Communication

**Exprimer un engagement**
- Nous vous garantissons que...
- Nous nous engageons à...
- Vous pouvez être sûrs que nous...
- Je vous promets que...
- Nous vous assurons que...
- Il va sans dire que...

**Écrire une formule de politesse**
- Cordialement. *(mail)*
- Cordiales salutations.
- Veuillez agréer mes salutations distinguées.

# L'ATELIER 2.0

## Réaliser une vidéo au profit d'une cause

**Vous tournez une vidéo au profit d'un événement ou d'un organisme.**

### 1 On s'organise

**a.** En classe, faites une liste des causes que vous pourriez soutenir et votez pour une d'entre elles. Choisissez un type de vidéo en fonction du public visé : témoignage, publicité, clip de chanson...

**b.** Pensez aux contraintes : matériel nécessaire (smartphone ou caméra ?), lieu de tournage, musique à prévoir, etc.
EXEMPLE : *Qui fera le montage de la vidéo ? Quand les lieux de tournage sont-ils libres ? Comment diffuserons-nous notre vidéo ?*

**c.** Réfléchissez ensemble au scénario de la vidéo. Veillez à bien représenter la cause que vous soutenez !

### 2 On se prépare

**a.** Notez au tableau les types d'actions à réaliser : rédaction détaillée du scénario ; sélection des acteurs ; logistique (contacts pour un lieu, une date, des autorisations...) ; montage de la vidéo, etc.

**b.** Formez des groupes et choisissez ce qui vous intéresse. N'oubliez pas de nommer une ou deux personnes pour l'organisation globale.

### 3 On présente à la classe

Chaque groupe présente le résultat de son travail à la classe. Les autres suggèrent des améliorations si besoin.

### 4 On publie

Filmez votre vidéo ! Publiez-la sur l'espace de votre choix (mur(s), blog...) et n'oubliez pas de l'accompagner d'un article qui présente votre but.

# POINT RÉCAP'

## Lexique / Communication

# S'ENGAGER POUR UNE CAUSE

### Les problèmes sociaux

- l'exclusion
- les inégalités
- la galère *(familier)*
- les plus démunis
- un sans domicile fixe (SDF)
- avoir de faibles revenus
- connaître des difficultés

### L'engagement

- une association
- (un) bénévole *(nom ou adj.)*
- (un) volontaire *(nom ou adj.)*
- un défi
- collecter des fonds au profit de
- monter un projet
- s'engager au service de
- soutenir une cause
- se sentir utile

### Le sport

- un(e) athlète
- l'athlétisme
- un(e) champion(ne)
- une épreuve
- un marathon
- une médaille
- les jeux Olympiques
- franchir la ligne d'arrivée

### La santé

- une clinique
- une consultation
- un(e) infirmier(-ère)
- une blessure
- un patient
- le milieu médical
- être en bonne santé
- être hospitalisé
- se battre contre une maladie
- souffrir (de)

### Exprimer un souhait ou un espoir

- Je rêve de + *infinitif* / Je rêve que + *subjonctif*
- J'espère que + *indicatif*
- Je souhaite, j'aimerais + *infinitif*
- Je souhaite que, j'aimerais que + *subjonctif*
- Qu'est-ce que j'aimerais + *infinitif* !
- Si je pouvais, je + *conditionnel*
- Je garde espoir.

### Encourager

- Allez champion ! Courage !
- Encore un effort !
- Vas-y, tiens bon !
- Tu peux y arriver !
- Tu es le meilleur !
- J'ai confiance en toi !

### Exprimer des degrés de certitude

- Cela ne fait aucun doute.
- Je suis (absolument) certain que + *indicatif*
- C'est évident que + *indicatif*
- C'est possible que + *subjonctif*
- Je ne suis pas sûr que + *subjonctif*
- Je me demande si + *indicatif*
- J'ai des doutes sur...

### Exprimer un engagement

- Nous vous assurons que + *indicatif*
- Nous vous garantissons que + *indicatif*
- Nous nous engageons à + *indicatif*
- Vous pouvez être sûrs que + *indicatif*
- Je vous promets que + *indicatif*
- Il va sans dire que + *indicatif*

## Activité RÉCAP'

**Vous fêtez les 15 ans d'une association. À cette occasion, vous organisez une rencontre.**

**1** Répartissez-vous en groupes. Choisissez le thème de votre association : cours pour personnes illettrées, activités pour les personnes âgées, handisport, services offerts aux plus démunis, etc.

**2** Dans chaque groupe, il y a un journaliste et des personnes qui témoignent : le président de l'association, des bénévoles et des personnes qui bénéficient de l'association.

**3** Le journaliste pose des questions au président pour présenter l'association (but de l'association, date de création, public, etc.).
Les bénévoles expriment leurs engagements, les bénéficiaires les encouragent. Chacun dit ses doutes et espoirs pour l'avenir.

# Grammaire

## L'hypothèse à l'imparfait

Pour présenter une situation irréelle au moment où on parle, on peut utiliser la forme :
*si* + **imparfait // + conditionnel présent**

EXEMPLES : *Si j'étais très sportif, je participerais à des courses caritatives. (→ Mais je ne suis pas très sportif !)*
*Je m'engagerais dans une association si j'avais plus de temps libre. (→ Mais je n'ai pas de temps libre !)*

→ Précis, P. 195

## Le but

Pour exprimer le but, on peut utiliser :

• ***pour*** **+ nom**
EXEMPLE : *Les stars s'engagent* ***pour*** *une cause.*

• ***pour*** ou ***afin de*** **+ infinitif**, si le sujet qui accomplit le but est le même que celui de la proposition principale.
EXEMPLES : *Les enfants organisent un concert* ***pour collecter*** *des fonds.*
*L'école récupère des livres* ***afin de*** *les* ***offrir*** *aux plus démunis.*

• ***pour que*** **+ subjonctif**, si le sujet qui accomplit le but est différent de celui de la proposition principale.
EXEMPLE : *Les bénévoles distribuent des repas* ***pour que*** *les SDF* ***aient*** *un repas chaud en hiver.*

→ Précis, P. 194

## Le passif

• La forme passive permet de mettre en valeur le **résultat d'une action**. On peut préciser qui fait l'action avec *par* + nom.
EXEMPLE : *Le projet a été soutenu par la mairie.*

• La forme passive d'un verbe se forme avec le verbe *être* + le participe passé du verbe.

• Si le verbe a un **complément d'objet direct** à la forme active, on peut mettre la phrase à la **forme passive**.
Le sujet devient complément, et le complément devient sujet. On conjugue *être* au temps du verbe actif.

FORME ACTIVE :
*Les bénévoles organisent une action.*
présent

FORME PASSIVE :
*Une action* ***est organisée*** *par les bénévoles.*
présent passif

→ Précis, P. 197

## Les doubles pronoms

Quand il y a deux pronoms compléments dans une phrase, on respecte l'ordre suivant :

| 1 pronoms indirects des 1re et 2e pers. + *se* | 2 pronoms directs de 3e pers. | 3 pronoms indirects de 3e pers. | 4 pronoms *en* et *y* |
|---|---|---|---|
| *me, te, se, nous, vous* | *la, le, les* | *lui, leur* | |

EXEMPLES :
*Ses espoirs, il me les a racontés un jour.* (1 – 2)
*Cette tâche, je la lui confie.* (2 – 3)
*Des questions, nous leur en avons posé.* (3 – 4)
*Les enfants ? Nous étions en ville et nous les y avons vus.* (2 – 4)

→ Précis, P. 192

# S'engager aujourd'hui pour transformer demain

## DU CÔTÉ DES AUTEURS ENGAGÉS

dénoncer Société association
plainte collectif engagement
Numérique s'indigner
responsabilité bonheur

### Victor Hugo (1802-1885)

Écrivain français engagé à toutes les différentes étapes de sa vie contre l'injustice sociale et la peine de mort.

- **1845** se consacre à la vie politique
- **1851** s'exile à Jersey puis à Guernesey où il mène jusqu'en 1870 une vie d'opposant

**Son combat social**

Des positions sociales très en avance sur son époque illustrées notamment par *Les Misérables*, un hymne à la misère.

**Son combat politique**

- Défense des institutions républicaines
- Pour l'amnistie des Communards avec son dernier roman, *Quatre-vingt-treize*.

### Jean-Paul Sartre (1905-1980)

**Son combat**

Contre toutes formes d'injustice sociale. A mis sa notoriété au service d'un combat d'une cause. Selon lui, « un intellectuel doit s'engager ».

**Des dates clés**

- **1964** refuse le prix Nobel de littérature
- **Mai 1968** participe à la révolte étudiante de Mai 68
- **1973** fonde le journal *Libération*

### Stéphane Hessel (1917-2013)

« La pire des attitudes est l'indifférence. »
Diplomate et militant politique français, il a pris position pour les droits de l'Homme et la question des « sans-papiers ». Son manifeste *Indignez-vous !* (paru en 2010) est un succès international. Il encourage les jeunes générations à s'indigner.

**Ses deux manifestes**

- *Indignez-vous !*, Indigène, 2010
- *À nous de jouer ! Appel aux indignés de cette Terre*, éditions Autrement, 2013

**Top 5 des chansons françaises engagées**

**Jean Baptiste Clément** – *Le temps des cerises* : Hommage éternel aux communards.
**Léo Ferré** – *Ils ont voté*
**NTM** – *Qu'est ce qu'on attend ?*
**Hugues Aufray** – *Les crayons de couleur*
**Michel Sardou** – *Je suis pour*
**Georges Brassens** – *Mourir pour des idées*

**1 Lisez les informations et répondez aux questions.**

1. Qui sont ces hommes ?
2. Quel est leur point commun ?
3. Quels sont les personnalités engagées dans votre pays ?

# Et aussi...

## Du côté des jeunes

### En quelques chiffres

**État d'esprit des jeunes, aujourd'hui, face à la société française ?**

- **8 %** très heureux
- **67 %** se déclarent heureux
- **59 %** assez heureux

### En quelques lignes

**Quelles raisons de s'engager aujourd'hui ?**

Aujourd'hui, ce n'est pas un combat d'idéaux qui séparent les générations. Dans la France du XXIe siècle, les jeunes ressentent un conflit de générations. 67 % des jeunes estiment que la société ne leur laisse pas de place.

**Facteurs d'indignation**

- **40 %** – les personnes qui profitent du système d'aides sociales
- **37 %** – la difficulté à trouver du travail
- **31 %** – le manque de respect entre les gens

*Source* : institut viavoice 2013

**Pour une société idéale, il faudrait plus de :**

- **50 %** – respect entre les gens
- **41 %** – emploi
- **36 %** – qualité de vie
- **34 %** – solidarité
- **32 %** – égalité

*Source* : institut viavoice 2013

**Modes d'engagement**

- **44 %** – engagement personnel en donnant l'exemple
- **32 %** – boycott de produits
- **27 %** – vote, militantisme
- **24 %** – action collective dans la rue

*Source* : institut viavoice 2013

**2** **Lisez les informations et répondez aux questions.**

**1.** Que ressentent les jeunes Français aujourd'hui ?
**2.** Quel est l'origine de leur ressenti ?
**4.** Qu'est-ce qui les indigne le plus ?
**3.** Partagez-vous les mêmes critères d'indignation ?

## Drôle d'expression

« *Remuer ciel et terre* »

contexte Sébastien a remué ciel et terre pour résoudre le problème. Après de nombreuses difficultés, il y est parvenu.

**3** **Qu'est-ce que ça veut dire ?**

**1.** Dessinez l'expression.
**2.** D'après le contexte, que signifie l'expression *Remuer ciel et terre* ?
**3.** Avez-vous une expression similaire dans votre langue ?

# PRÉPARATION AU **DELF B1**

 Les documents sonores sont téléchargeables sur le site www.didierfle.com/saison.

## PARTIE 1 Compréhension de l'oral

**Vous allez entendre 2 fois un document. Vous avez 30 secondes de pause entre les 2 écoutes puis 30 secondes pour vérifier vos réponses. Lisez les questions.**

**Vous êtes en France. Vous entendez cette conversation. Répondez aux questions.**

**1.** Quelles personnes sont aidées par l'association ?
☐ Des malades.
☐ Des enfants.
☐ Des sans domicile fixe.

**2.** Pourquoi la femme est-elle venue voir l'homme ?
☐ Elle veut devenir bénévole.
☐ Elle cherche de l'argent.
☐ Elle a besoin d'aide.

**3.** Qu'est-ce que la femme a fait pendant ses études ?

..........

**4.** Quel était son projet ?

..........

**5.** Comment a-t-elle collecté des fonds ?
Donnez une réponse.

..........

**6.** Pourquoi veut-elle devenir bénévole ?

..........

## PARTIE 2 Compréhension des écrits

**Vous lisez le document suivant sur Internet. Répondez aux questions.**

**1.** Qui est Alain Mimoun ?

..........

**2.** Quelle est sa nationalité ?

..........

**3.** Quel a été son premier métier ?

..........

**4.** Quand Alain Mimoun a-t-il été champion olympique ?

..........

**5.** En combien de temps a-t-il couru le marathon de Melbourne ?

..........

**6.** Vrai ou faux ? Justifiez.
Alain Mimoun a gagné l'épreuve du 10 000 mètres.
☐ Vrai ☐ Faux

**7.** À quel âge Alain Mimoun a-t-il arrêté sa carrière ?
☐ 35 ans.
☐ 45 ans.
☐ 90 ans.

### **Alain Mimoun**, champion d'athlétisme

Alain Mimoun est un athlète français exceptionnel qui est mort en juin 2013, à l'âge de 92 ans. Il est né en Algérie le 1er janvier 1921. Avant sa carrière de sportif de haut niveau, Alain Mimoun a été soldat dans l'armée française pendant la Seconde Guerre mondiale. Après la guerre, il a gagné beaucoup de titres de champion de France. Sa victoire la plus célèbre est celle du marathon des jeux Olympiques d'été de 1956 à Melbourne, en Australie. Il a remporté le marathon après avoir franchi la ligne d'arrivée au bout de 2 heures et 25 minutes. Ensuite, il a gagné encore trois médailles olympiques sur l'épreuve du 10 000 mètres : l'argent en 1948 et en 1952 à Londres et à Helsinki. En Finlande, il a également obtenu l'argent sur l'épreuve du 5 000 mètres. Même s'il a arrêté sa carrière internationale en 1966, à 45 ans, Alain Mimoun n'a jamais cessé de courir. À 90 ans, Alain Mimoun faisait encore une heure de course à pieds par jour ! Un bel exemple ! ■

## PARTIE 3 Production écrite

**Vous avez assisté à un événement sportif dernièrement.**
**Racontez l'événement et donnez vos impressions. (80 mots)**

.............................................................................

.............................................................................

.............................................................................

.............................................................................

.............................................................................

.............................................................................

.............................................................................

## PARTIE 4 Production orale

**EXERCICE 1 – Entretien dirigé**

**Répondez aux questions suivantes à l'oral.**

- Quel sport pratiquez-vous ?
- Comment aidez-vous les autres ?

**EXERCICE 2 – Monologue suivi**

**Choisissez un sujet et exprimez-vous.**

**Sujet 1**
Que pensez-vous des associations qui aident les personnes démunies ?

**Sujet 2**
« Dans le sport, ce qui est intéressant, c'est de gagner. »
Que pensez-vous de cette affirmation ?

**EXERCICE 3 – Exercice en interaction**

**Choisissez un sujet. Jouez la situation avec l'examinateur.**

**Sujet 1**
Vous voulez vous engager dans une association qui aide les enfants. Vous allez voir le responsable pour lui poser des questions.

**Sujet 2**
Vous voulez vous inscrire dans un club d'athlétisme mais vous ne voulez pas faire de compétition. Vous allez voir le responsable du club pour lui poser des questions.

# Unité 9

# Repenser le quotidien

## S'INFORMER

### DÉCOUVRIR
- Des étudiants à la campagne
- Les rurbains

### RÉAGIR
- Raconter une expérience artistique
- Décrire un changement

## S'EXPRIMER

### ATELIERS D'EXPRESSION ORALE
- Expliquer un mot
- Exprimer son désaccord
- Prendre et garder la parole

### ATELIER D'ÉCRITURE
- Écrire un texte pour présenter une opinion

### L'ATELIER 2.0
▶ Réaliser une exposition sur des expressions françaises

## S'ÉVALUER
- DELF B1

**On en parle ?**

Qu'est-ce que c'est ?
Que pensez-vous de cette idée ?
Dans votre ville, y a-t-il des éléments originaux ?

DÉCOUVRIR

# Où vivre mieux ?

## Quitter la ville en vidéo ▶II 10

**1 Qu'est-ce que vous voyez ?**

Où ce couple habitait-il avant ?
Qu'est-ce qui leur plaît dans leur nouvelle vie ?
Quelles difficultés rencontrent-ils ?

**LE + INFO**

Savez-vous que plus des trois quarts des Français vivent en zone urbaine ? Dans le monde, cette proportion est de 47 %. *(Insee, 2010/INED, 2007)*

## Se loger dans une ferme ?

**2 Écoutez le document.** 

**a.** De qui parle-t-on ?
**b.** Où habitent ces personnes ?
**c.** Quel est le problème évoqué ? Qui l'a résolu ? Comment ?

**3 Écoutez à nouveau.** 

**a.** Quelles sont les caractéristiques du logement décrit ?
**b.** Quels sont les avantages de cette formule ? Quels sont ses inconvénients ?

**4 Observez ces phrases.**

*1. Les étudiants ne trouvent pas de logement malgré la construction de chambres universitaires.*
*2. Je ne suis jamais seule même si j'habite loin de mes copains.*
*3. En ville, il y a pas mal de bruit, alors qu'ici c'est calme.*
*4. Mon studio est grand et très bien équipé. Par contre, il faut avoir une voiture.*

**a.** Dans chaque phrase, relevez les deux faits qu'on oppose.
**b.** Quels mots permettent d'exprimer ces oppositions ? Lequel est suivi d'un nom ? Lequel peut se placer en début de phrase ?
**c.** Dans quelles phrases compare-t-on deux idées équivalentes ? Dans quelles phrases compare-t-on deux idées qui semblent illogiques ?

▶ L'opposition et la concession → Vérifiez et exercez-vous : 1-2 p. 177
▶ *résoudre* → Précis p. 199

**Stratégie**

Quand j'écoute un document, je repère l'intonation et le rythme des phrases pour donner du sens aux paroles.

**Mots et expressions**

**Le logement**
- 45 m² (mètres carrés)
- un logement équipé
- une ferme
- un studio
- ......................................
- ......................................

# Ruraux ou urbains ?

## Les rurbains dans la « ville archipel »

Un pied à la campagne et l'autre en ville, les rurbains sont en croissance constante. De plus en plus ruraux, ils sont même obligés de s'éloigner toujours plus pour trouver le bien recherché – un pavillon avec terrain – à un prix abordable.
Chaque matin, après avoir déposé les enfants à l'école, ils se rendent à leur lieu de travail *via* une aire de covoiturage ou le métro, avant de rentrer le soir, après quelques embouteillages, revoir les vaches du champ voisin.
Les rurbains appartiennent le plus souvent à une classe d'actifs plutôt jeunes et aux revenus moyens. Dans le centre-ville, on trouve les plus pauvres qui habitent les logements sociaux et les plus riches qui peuvent se permettre de vivre là.

La métropole de Rennes a inventé le concept de « ville archipel » : chaque ville de la périphérie dispose des services et des équipements indispensables à son autonomie. Par exemple, « Le Grand Logis » à Bruz ou « L'Aire Libre » à Saint-Jacques-de-la-Lande sont des centres culturels avec une programmation de choix toute l'année.

Autre point positif : la configuration des lotissements (les voies se terminent souvent en parking ou en impasse) a des conséquences sur les modes de vie. Tout petits, les enfants se retrouvent sans grand risque autour des panneaux de basket ou des aires de jeux avant le dîner, pendant que les parents s'échangent tondeuses ou charbon de bois pour le barbecue dès les premiers beaux jours. ■

**Le Point**

### 5 Lisez l'article.

a. Qu'est-ce qu'un rurbain ?
b. De quelle ville française parle l'article ?
c. Qu'est-ce que la « ville archipel » ?
☐ une ville sur une île
☐ une ville isolée des autres
☐ un ensemble de villes autonomes

### 6 Relisez l'article.

a. Ville ou campagne ? Dites où se passent ces aspects de la vie des rurbains.
habitation – travail – école – sortie culturelle
b. Que sait-on sur leur profil sociologique (âge, salaire) ?
c. Leur mode de vie est-il plutôt individuel ou collectif ? Relevez des exemples.

### 7 Ces mots sont-ils associés à la ville, à la campagne ou aux deux ?

un pavillon – un terrain – une ligne de métro – un embouteillage – un champ – un logement social – un lotissement

### 8 Observez ces phrases.

*Après avoir déposé les enfants à l'école, ils se rendent à leur lieu de travail.*
*Ils se rendent au travail avant de rentrer le soir revoir les vaches.*
*Les enfants se retrouvent avant le dîner.*

a. Dans chaque phrase, soulignez l'action qui se passe en premier.
b. Quelles structures utilise-t-on ? Reliez les bonnes réponses.

*après* • • + nom
*avant* • • + infinitif
*avant de* • • + infinitif passé

▶ **Avant et après** → Vérifiez et exercez-vous : 3-4 p. 177

#### Mots et expressions

**La ville et la campagne**
- rural – urbain
- un champ
- un lotissement
- une métropole
- la périphérie
- ..........
- ..........

**Les profils sociologiques**
- les actifs
- une classe sociale
- un logement social
- un revenu
- ..........
- ..........

#### Parlez de l' info !

**9** Quels sont les différents types de logement ?

**10** D'après quels critères les Français choisissent-ils leur lieu d'habitation ?

RÉAGIR

# La ville est à nous !

## Créons urbain...

### Oakoak rend la rue plus amusante

PAR **COSIMA DELMARE** • *14 SEPTEMBRE 2013* STREET ART ŒUVRE EPHEMERE

*Avec un regard amusé sur les éléments familiers de nos villes, Oakoak transforme un passage piéton en bougies, une borne d'incendie en monstre, un feu tricolore en pomme d'ami... pour changer notre vision du quotidien.*

**C'est en te promenant dans ta ville natale, Saint-Étienne, que les idées te viennent. Comment procèdes-tu ensuite pour passer du concept à la réalisation ?**

Oakoak : Non pas forcément Saint-Étienne. L'avantage c'est que toutes les villes ont souvent un mobilier urbain très différent, ce qui offre beaucoup de possibilités. Une fois que j'ai repéré un endroit intéressant, j'y retourne un peu plus tard pour la réalisation.

**Tu dis avoir « toujours trouvé un peu triste de ne rien faire de drôle sur les murs ». Par le biais de l'humour justement, quel discours cherches-tu à proposer ?**

Oakoak : Je n'ai pas vraiment de discours, je m'amuse dans ce que je fais. Et si cela peut montrer qu'un mur peut être autre chose qu'un simple mur gris tant mieux.

**Tu dis aussi aimer ce principe de « l'œuvre éphémère ». Cela dit, si tu avais le choix, tu préférerais que tes œuvres ne soient pas effacées ?**

Oakoak : Certaines restent, d'autres non... Ça ne me dérange pas, dès que j'en ai fait une, pour moi c'est terminé et je passe à autre chose.

**À partir de quand as-tu commencé à prendre en photo tes œuvres ?**

Oakoak : Je prends mes œuvres en photo depuis le départ. Je poste les photos sur le blog pour que les gens qui ne sont pas sur les lieux puissent les voir, c'est tout. Cela ne change pas ma manière de travailler.

1 commentaire

Julien B. • *14 septembre 2013 à 12:40*
Ça me fait plaisir que vous parliez d'Oakoak ! J'en conclue qu'il devient connu, c'est bien que les gens connaissent le street art.

D'après www.brain-magazine.fr

**1 Lisez l'introduction de l'article.**

**a.** Qui est Oakoak ?
**b.** Quel est son art ? Décrivez ce qu'il fait.
**c.** Quel est son but ?

**2 Lisez l'interview.**

**a.** Comment Oakoak travaille-t-il ?
**b.** Qu'est-ce qu'une œuvre éphémère ? Qu'en pense-t-il ?
**c.** Que prend-il en photo ? Pourquoi ?

**3 Observez ces phrases.**

*1. Je poste les photos pour que les gens puissent les voir.*
*Il transforme la rue pour changer notre vision du quotidien.*
*2. Ça me fait plaisir que vous parliez d'Oakoak !*
*Il trouve triste de ne rien faire de drôle sur les murs.*
*3. Tu préférerais que tes œuvres ne soient pas effacées ?*
*Les artistes veulent rendre les façades plus belles.*

**a.** Soulignez les expressions qui sont suivies du subjonctif. Qu'exprime chaque groupe de phrases ?
**b.** Pourquoi utilise-t-on l'infinitif dans certaines phrases ?

▶ Subjonctif ou infinitif : synthèse → Vérifiez et exercez-vous : 5-6 p. 177
▶ *conclure* → Précis p. 199

**Mots et expressions**

**L'urbanisme**
- une façade
- un feu tricolore
- un graffiti
- un passage piéton
- ..............................
- ..............................

# Les arts dans la rue

## 4 Écoutez le document. 

**a.** De quel festival parle-t-on ? Où se passe-t-il ? Qui l'organise ?
**b.** Qu'est-ce que le 17e arrondissement ?
**c.** Quel est son objectif ?
**d.** Combien de temps dure le projet ?

## 5 Écoutez à nouveau. 

**a.** Quels aspects de la vie quotidienne sont cités ?
**b.** Que sait-on sur la programmation artistique ?
**c.** Que pourra faire le public ?

## 6 Écoutez et retrouvez les mots qui se rapportent aux arts suivants. 71

arts plastiques : ..........................................................................................
arts de la scène ou de la rue : ...............................................................

## 7 Qui fait ces actions : le public ou les artistes ?

réaliser une œuvre – jouer un rôle – assister à une représentation – entrer en scène – applaudir

## 8 Observez ces phrases et écoutez à nouveau. 

*Ce quartier, la compagnie l'appelle le 17e arrondissement.*
*Des arts, il y en aura partout.*
*Le mélange, ça peut donner des résultats inattendus.*
*Les visiteurs, ils vont forcément jouer un rôle.*

**a.** Retrouvez la forme simple de ces phrases.
EXEMPLE : *Ce quartier, la compagnie l'appelle le 17e arrondissement.*
→ *La compagnie appelle ce quartier le 17e arrondissement.*
Quelle forme utilise-t-on plutôt à l'oral ?

**b.** Relisez les phrases données en exemple. Sur quels mots insiste-t-on ? Comment ?

▶ La mise en relief avec l'apposition → Vérifiez et exercez-vous : 7-8 p. 177

**Mots et expressions**

**L'art**
- un peintre
- une performance
- assister à une représentation
- réaliser une œuvre

..........................................................
..........................................................

## Réagissez ! 

**9** **Vous avez participé à des animations du quartier utopique à Marseille. Racontez votre expérience artistique. Mettez en relief ce qui vous a marqué !**

EXEMPLE : *Cette œuvre, nous y avons contribué en choisissant les couleurs pour le peintre...*

## Agissez ! 

**10** **Quelle transformation récente dans votre ville avez-vous appréciée ? Écrivez à votre maire pour le féliciter en décrivant les changements.**

EXEMPLE : *Avant les travaux, ma station de métro était banale. Maintenant, j'adore admirer les œuvres des peintres du quartier.*

→ Cahier d'activités, unité 9

## Lexique

### Les profils sociologiques

**1** Qui est qui ? • **Créez des personnages et mettez-vous dans leur peau !**

- À 5, imaginez 5 personnages avec des profils sociologiques différents (âge, milieu social, métier, revenus, lieu d'habitation...).
- Donnez-leur un nom, puis notez les caractéristiques de chaque personnage sur des feuilles.
- Chacun tire au sort un nom. Posez-vous des questions pour deviner qui est qui.

### La ville et la campagne

**2** Listes • **Listez des mots et donnez des définitions.**

- Faites une liste de dix éléments de la ville ou de la campagne.
- Échangez votre liste avec celle de votre voisin. Chacun fait deviner à l'autre trois mots de son choix.

EXEMPLE : *« C'est un objet qui permet de savoir quand on doit traverser. » → « Un feu tricolore ! »*

### L'art

**3** Mots mêlés • **Retrouvez les 5 mots cachés dans la grille.**

Attention, les mots peuvent être à l'envers ou en diagonale ↘ ! EXEMPLE : *art*

| | | | | | | | | | | |
|---|---|---|---|---|---|---|---|---|---|---|
| a | r | u | e | t | p | l | u | c | s | t |
| b | h | a | c | t | o | n | f | p | l | b |
| v | p | f | o | e | u | v | r | e | w | i |
| a | l | e | m | a | e | s | j | q | z | d |
| r | o | v | i | n | h | f | o | s | a | p |
| t | u | s | d | n | g | m | t | c | k | j |
| z | h | q | i | f | t | d | y | e | n | y |
| p | t | s | e | h | o | r | p | n | s | e |
| l | x | s | n | z | f | w | e | e | h | g |
| p | e | r | f | o | r | m | a | n | c | e |

**Stratégie**
Pour retenir un mot, je l'associe à un autre mot qui m'y fait penser, un geste, une phrase drôle ou rythmée, etc.

## Phonétique

### ▶ Le jeu des sons • **Lancez les dés et jouez. Le premier arrivé a gagné !**

| | | | | | |
|---|---|---|---|---|---|
| **13**<br>Avancez de 2 cases. ↓ | **12**<br>Trouvez un mot avec le son [ɔ̃]. | **11**<br>*Prononcez !*<br>L'élève énerve Ève et l'évite. | **10**<br>Reculez → de 4 cases. | **9** (72)<br>*Choisissez !*<br>☐ Claude est gentil.<br>☐ Claude est gentille. | **8** (72)<br>*Choisissez !*<br>☐ Il irrite.<br>☐ Il hérite. |
| **14**<br>*Prononcez !*<br>Rodolphe frôle un frêne et freine. | ARRIVÉE | **22**<br>Passez votre tour. | **21** (72)<br>*Choisissez !*<br>☐ C'est trop lent !<br>☐ C'est trop long ! | **20**<br>Trouvez un mot avec le son [w]. | **7**<br>Passez votre tour. |
| **15**<br>Passez votre tour. | **16**<br>*Prononcez !*<br>La pie pille et ripaille. | **17** (72)<br>*Choisissez !*<br>☐ La plainte est grande.<br>☐ La plante est grande. | **18**<br>Trouvez un mot avec le son [ɑ̃]. | **19**<br>← Reculez de 4 cases. | **6**<br>*Prononcez !*<br>Il lui a lu un livre qui lui a plu. |
| DÉPART | **1** (72)<br>*Choisissez !*<br>☐ Il loue tout.<br>☐ Il ôte tout. | **2**<br>*Prononcez !*<br>Es-tu allé à Tahiti ou à Haïti ? | **3**<br>Avancez → de 2 cases. | **4** (72)<br>*Choisissez !*<br>☐ Il a lu.<br>☐ Il a lui. | **5**<br>Trouvez un mot avec le son [ɔ]. |

# Grammaire

## L'opposition et la concession

→ **Vérifiez vos réponses** (act. 4 p. 172)

**a.** Les étudiants ne trouvent pas de logement. / la construction de chambres universitaires
Je ne suis jamais seule. / J'habite loin de mes copains.
En ville, il y a pas mal de bruit. / Ici c'est calme.
Mon studio est grand et très bien équipé. / Il faut avoir une voiture.

**b.** « malgré », « même si », « alors que », « par contre » expriment les oppositions.
*Malgré* est suivi d'un nom. *Par contre* peut se placer en début de phrase.

**c.** Avec *alors que* et *par contre*, on oppose deux idées équivalentes (opposition). Avec *malgré* et *même si*, on compare deux idées qui semblent illogiques (concession).

**1 Écrivez des oppositions avec les mots proposés.**

*alors que – malgré – même si – par contre*

**1.** Ils se sont installés en Auvergne ... ils ne connaissaient pas la région avant.
**2.** Ils viennent souvent me voir ... la distance.
**3.** J'aime la montagne. ... je ne voudrais pas y habiter.
**4.** Elle partira ... tu n'es pas d'accord.

**2 Terminez ces phrases.**

EXEMPLE : *Je loue un studio alors que mes parents vivent dans un pavillon.*

**1.** J'habite en ville malgré...
**2.** Ils aiment cette maison même si...
**3.** Nous avons décidé de déménager alors que...
**4.** Jeanne aime beaucoup le théâtre. Par contre...

## *Avant* et *après*

→ **Vérifiez vos réponses** (act. 8 p. 173)

**a.** Après avoir déposé les enfants à l'école, ils se rendent à leur lieu de travail.
Ils se rendent au travail avant de rentrer le soir [...].
Les enfants se retrouvent avant le dîner.

**b.** *après* + nom ou infinitif passé
*avant* + nom
*avant de* + infinitif

**3 Complétez les phrases avec les éléments de la liste. Faites les modifications nécessaires.**

*mercredi – la pluie – faire des exercices – prendre le train*

**1.** Il faut composer son billet avant ... .
**2.** Après ..., je comprends mieux la règle.
**3.** Le paysage est lumineux après ... .
**4.** Vous devez faire un choix avant ... .

**4 Écrivez trois questions pour savoir ce que fait votre voisin avant ou après une action.**

EXEMPLE : *Qu'est-ce que tu fais avant de te coucher ?*
*→ Avant de me coucher, je lis un peu.*

## Subjonctif ou infinitif : synthèse

→ **Vérifiez vos réponses** (act. 3 p. 174)

**a.** 1. Je poste les photos pour que les gens puissent les voir. Les deux phrases expriment le **but**.
2. Ça me fait plaisir que vous parliez d'Oakoak !
Les deux phrases expriment un **sentiment**.
3. Tu préférerais que tes œuvres ne soient pas effacées ?
Les deux phrases expriment un **souhait**.

**b.** Lorsqu'il n'y a qu'un sujet dans la phrase, le deuxième verbe est à l'infinitif.

**5 Écrivez la fin de ces phrases en utilisant les éléments entre parenthèses.**

**1.** Les habitants sont contents... (ils vivent dans une belle ville)
**2.** Les artistes voudraient... (ils sont célèbres)
**3.** Je suis heureux... (tu fais une exposition)
**4.** Ils peignent pour... (le quotidien est beau)

**6 Terminez les phrases en choisissant une des formes proposées.**

EXEMPLE : *Pierre est triste de partir. / Pierre est triste que le match soit annulé.*

**1.** Ma femme veut / veut que...
**2.** Je ne suis pas sûr / pas sûr que...
**3.** On paie pour / pour que...
**4.** Il a peur de / que...

## La mise en relief avec l'apposition

→ **Vérifiez vos réponses** (act. 8 p. 175)

**a.** « Il y aura des arts partout. »
« Le mélange peut donner des résultats inattendus. »
« Les visiteurs vont forcément jouer un rôle. »
On utilise la première forme plutôt à l'oral.

**b.** On insiste sur le mot placé en début de phrase. Il est séparé du reste de la phrase par une virgule, et on le reprend dans la phrase par un pronom.

**7 À l'oral, insistez sur les éléments soulignés.**

EXEMPLE : *Je trouve mon appartement trop petit.*
*→ Mon appartement, je le trouve trop petit.*

**1.** Notre compagnie a organisé ce festival.
**2.** Les spectateurs ont applaudi les acteurs.
**3.** Nous réservons des surprises au public.
**4.** Nous visitons de superbes maisons.

**8 Choisissez une phrase d'un texte de l'unité. Soulignez un élément (sujet ou complément) et demandez à votre voisin de le mettre en relief.**

EXEMPLE : *Oakoak rend la rue plus amusante.*
*→ La rue, Oakoak* **la** *rend plus amusante.*

→ Point Récap p.183

# Expliquer un mot

**Doc. 1**

**Doc. 2**

festival XYZ

## « Pleinior », le néologisme de l'année

**Le festival XYZ du mot et du son nouveau, qui se tenait au Havre hier, a dévoilé son lauréat.**

Chaque année, le festival vote pour le mot de l'année parmi une série de néologismes. Le prix 2013 a été attribué à « pleinior ».
Ce mot-valise formé à partir de « plein » et « senior » désigne les « personnes en activité qui croquent la vie à pleines dents », explique Eric Donfu, le créateur du festival. « Peut-être est-ce plus représentatif que retraité, senior ou troisième âge. » Il succède à « watture » le lauréat 2012, qui désignait une voiture électrique.

25 novembre 2013 ACTUALITÉ LITTÉRAIRE

**Doc. 3**

### 1 Regardez et écoutez ces documents. 

**a.** Qu'est-ce qu'un néologisme ?
**b.** Dans le document 1, quels mots n'existent pas en français ? Reformulez ces phrases avec les vrais mots.
**c.** Dans le document 2, à partir de quels mots le mot « pleinior » est-il formé ?
**d.** Qu'est-ce qu'un « bobo » ? Comment ce mot est-il formé ?

### 2 Inventez et expliquez des mots nouveaux ! 

**a.** Imaginez une définition pour les mots de cette page que vous ne connaissez pas.
**b.** À la manière de l'« OuLiPo* », inventez des mots formés comme « bobo » ou « pleinior » en associant la première ou dernière partie de deux mots différents.
Chaque groupe présente ses mots, et la classe essaie de deviner leur définition.
EXEMPLE : « *un litro* » → « *C'est un lit pour les habitants de Rome ?* »
« *Non c'est un* ***livre*** *qu'on ne lit que dans le* ***métro*** *!* »

**Communication**

**Expliquer un mot**
- Ce mot désigne une voiture électrique.
- Le terme s'applique aux artistes.
- C'est un néologisme qui signifie...
- On emploie ce mot pour...
- Cette expression recouvre différents sens.

* Fondé en 1960, l'OuLiPo (Ouvroir de littérature potentielle) est un groupe d'écrivains et de mathématiciens qui propose des projets de création littéraire à partir de contraintes d'écriture.

# Exprimer son désaccord • Prendre et garder la parole

▶ Tagueurs, graffeurs : vandales ou artistes ?

## 1 Top chrono !

Observez l'image.

**a.** Que voit-on ? Quelle est la question posée ?
**b.** Quelles sont les caractéristiques de cet art ?

## 2 Préparation

Vous allez organiser un débat sur le thème : « L'art urbain : est-ce une chance ou un problème pour nos villes ? »

**a.** Formez quatre groupes qui représentent des avis différents : des artistes, des organisateurs d'événements culturels pour la ville, des habitants qui aiment les bâtiments historiques, des employés chargés du nettoyage des graffitis.

**b.** Dans chaque groupe, préparez vos arguments. Imaginez aussi les arguments des autres groupes : qu'est-ce que vous pourrez leur répondre ?
EXEMPLE : *« Je suis contre les tags parce que je trouve qu'on abîme les murs. »*
*« Je ne suis pas d'accord, il me semble au contraire qu'ils embellissent la ville. »*

## 3 À vous !

Lancez le débat. Exprimez votre opinion. Utilisez les expressions pour prendre ou garder la parole quand c'est nécessaire.

### Stratégie

Si je participe à une discussion où il faut argumenter, je peux faire des pauses quand je parle pour prendre le temps de réfléchir.

### Communication

**Exprimer son désaccord**
- Pas du tout !
- C'est faux.
- Tu as tort.
- Tu exagères !
- C'est ridicule !

**Prendre et garder la parole**
- Vous permettez ?
- Je voudrais préciser que...
- Je ne peux pas vous laisser dire cela.
- Je n'ai pas fini, excusez-moi.
- Soyez gentil, laissez-moi finir.

# Écrire un texte pour présenter une opinion

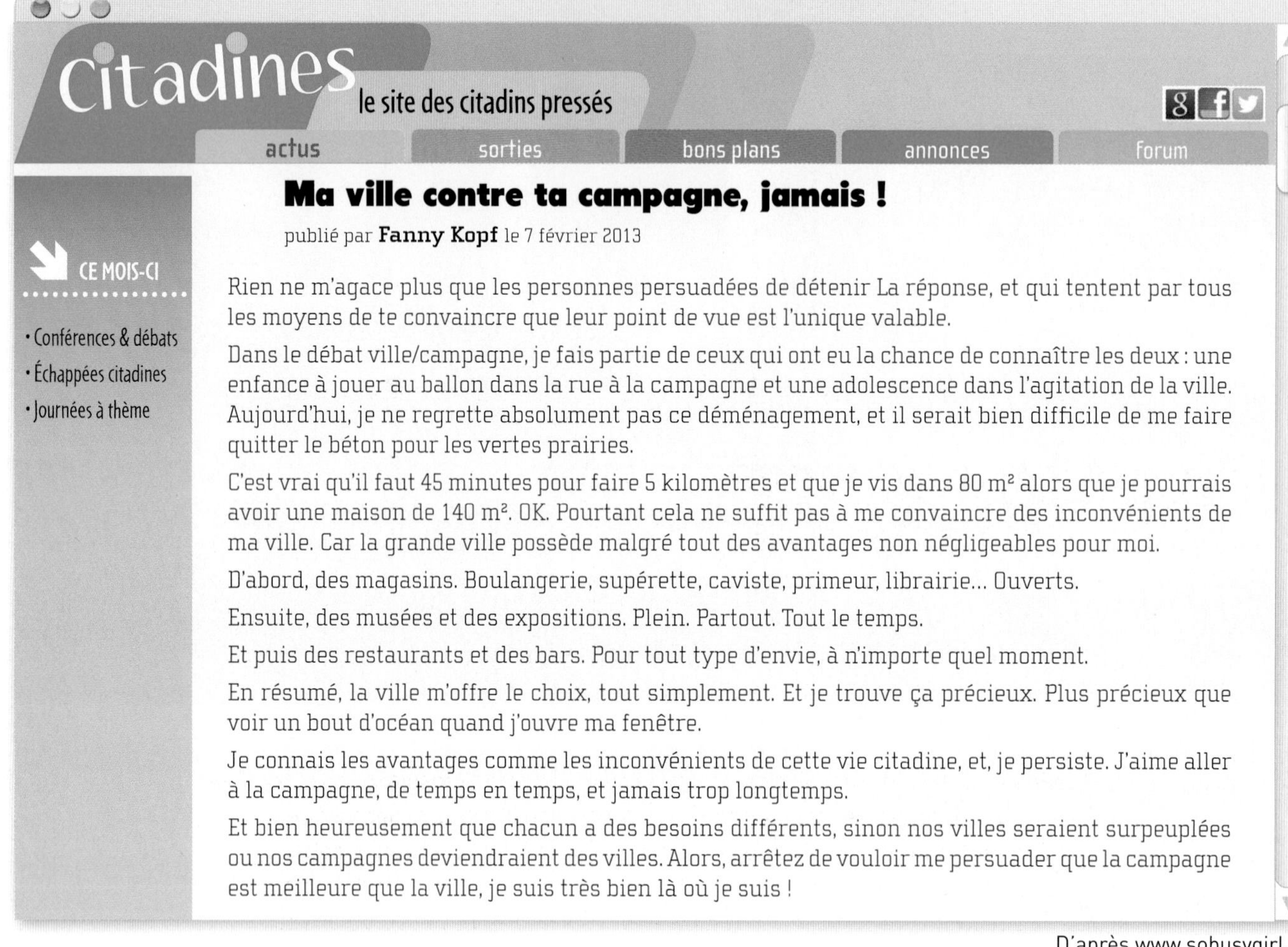


**Ma ville contre ta campagne, jamais !**

publié par **Fanny Kopf** le 7 février 2013

Rien ne m'agace plus que les personnes persuadées de détenir La réponse, et qui tentent par tous les moyens de te convaincre que leur point de vue est l'unique valable.

Dans le débat ville/campagne, je fais partie de ceux qui ont eu la chance de connaître les deux : une enfance à jouer au ballon dans la rue à la campagne et une adolescence dans l'agitation de la ville. Aujourd'hui, je ne regrette absolument pas ce déménagement, et il serait bien difficile de me faire quitter le béton pour les vertes prairies.

C'est vrai qu'il faut 45 minutes pour faire 5 kilomètres et que je vis dans 80 m² alors que je pourrais avoir une maison de 140 m². OK. Pourtant cela ne suffit pas à me convaincre des inconvénients de ma ville. Car la grande ville possède malgré tout des avantages non négligeables pour moi.

D'abord, des magasins. Boulangerie, supérette, caviste, primeur, librairie... Ouverts.

Ensuite, des musées et des expositions. Plein. Partout. Tout le temps.

Et puis des restaurants et des bars. Pour tout type d'envie, à n'importe quel moment.

En résumé, la ville m'offre le choix, tout simplement. Et je trouve ça précieux. Plus précieux que voir un bout d'océan quand j'ouvre ma fenêtre.

Je connais les avantages comme les inconvénients de cette vie citadine, et, je persiste. J'aime aller à la campagne, de temps en temps, et jamais trop longtemps.

Et bien heureusement que chacun a des besoins différents, sinon nos villes seraient surpeuplées ou nos campagnes deviendraient des villes. Alors, arrêtez de vouloir me persuader que la campagne est meilleure que la ville, je suis très bien là où je suis !

D'après www.sobusygirl.fr

## 1 Réaction

Lisez cet article.

**a.** Quel est le sujet ? Pourquoi l'auteur écrit-elle ?
**b.** Comment est construit l'article ? Distinguez les trois parties.
**c.** Repérez les arguments « pour » et « contre » son avis.
**d.** Quels mots de transition utilise-t-elle ? Soulignez-les.

## 2 Préparation

**a.** À votre tour, exprimez votre opinion au sujet du débat ville / campagne.
**b.** Réfléchissez à trois ou quatre arguments qui justifient votre opinion.
**c.** Écrivez l'introduction et la conclusion de votre article.
Dans la conclusion, montrez que vous pouvez accepter d'autres avis.

## 3 Rédaction

Écrivez un texte qui présente votre position. Utilisez des connecteurs pour l'organiser.

**Communication**

**Organiser une argumentation**

Introduire
D'abord, premièrement, pour commencer...

Développer
Ensuite, de plus, c'est vrai, par contre...

Conclure
Enfin, en résumé, en conclusion...

# L'ATELIER 2.0

## Réaliser une exposition sur des expressions françaises

**Vous organisez une exposition artistique sur des expressions imagées de la langue française.**

### 1 On s'organise

**a.** Quelles expressions françaises avez-vous envie d'illustrer ? Inspirez-vous de celles que vous avez découvertes dans le livre, et cherchez-en d'autres si nécessaire.
**b.** Réfléchissez aux formes d'art que vous allez utiliser (photographie, collage, illustrations…). Si vous le souhaitez, faites des recherches sur des artistes qui utilisent ces formes d'expression et faites-les découvrir aux autres étudiants.
**c.** Cherchez un lieu pour votre exposition : les couloirs de votre école, une rue ou une salle de la ville, un lieu à la campagne…

### 2 On se prépare

**a.** Formez des groupes et répartissez-vous les expressions.
**b.** Débattez ensemble pour choisir la forme de représentation des expressions, puis créez vos œuvres.
**c.** Contactez les responsables des lieux de votre exposition.
**d.** Rédigez les légendes de vos œuvres et préparez des documents pour annoncer l'événement.

### 3 On présente à la classe

Faites une première présentation de vos œuvres à la classe. N'oubliez pas d'expliquer les expressions.

### 4 On publie

Montez votre exposition et publiez-la sur l'espace de votre choix : mur(s), blog…

## Lexique / Communication

# REPENSER LE QUOTIDIEN

### Les profils sociologiques

- les actifs
- une classe sociale
- un logement social
- un mode de vie
- un revenu faible, moyen, élevé

### La ville et la campagne

- rural / urbain
- une métropole
- un embouteillage
- une ligne de métro
- un lotissement
- le centre-ville
- la périphérie
- un champ
- un pavillon
- un terrain

### L'urbanisme

- une borne d'incendie
- une façade
- un feu tricolore
- un graffiti
- un passage piéton

### L'art

- un comédien
- un funambule
- un peintre
- un sculpteur
- le théâtre de rue
- une performance
- une représentation
- une scène
- donner un concert
- jouer un rôle
- réaliser une œuvre

### Le logement

- 45 m² (mètres carrés)
- équipé (*adj.*)
- un hébergement
- une chambre universitaire
- une ferme
- un studio
- un locataire
- un loyer

### Expliquer un mot

- Ce mot désigne…
- Le terme s'applique à…
- C'est un néologisme qui signifie…
- On emploie ce mot pour…
- Cette expression recouvre différents sens.

### Exprimer son désaccord

- Pas du tout !
- Absolument pas !
- Je ne trouve pas.
- C'est faux.
- Tu as tort.
- Tu te trompes.
- Tu exagères !
- C'est ridicule !

### Prendre et garder la parole

- Vous permettez ?
- J'aimerais ajouter que…
- Je voudrais préciser que…
- Je ne peux pas vous laisser dire cela.
- Je n'ai pas fini, excusez-moi.
- Soyez gentil, laissez-moi finir.
- Laisse-moi parler.

### Organiser une argumentation

- Premièrement, deuxièmement…
- D'abord
- Après, ensuite, de plus, puis
- C'est vrai que…, par contre,…
- Enfin, pour terminer
- En résumé, en conclusion

## Activité RÉCAP'

**Votre mairie organise une consultation des habitants pour repenser la ville.**

**1** Formez des groupes. Dans chaque groupe, il y a un maire, des artistes, des urbanistes et des habitants de la ville.

**2** Chacun exprime ses idées pour améliorer la ville. Les artistes imaginent des créations pour rendre la ville plus belle, les urbanistes proposent des solutions pour la rendre plus pratique au quotidien et les habitants réagissent à ces propositions.
Chacun argumente pour défendre son point de vue.

**3** Le maire organise le débat et donne la parole aux intervenants.
Quand tout le monde a fini de s'exprimer, il annonce les décisions qu'il a prises.

# Grammaire

## L'opposition et la concession

• Pour opposer deux faits, on peut utiliser différents connecteurs.

– ***Alors que*** et ***mais*** s'emploient en milieu de phrase.

EXEMPLES : *J'adore aller au musée **alors que** mon ami déteste ça.*
*Je n'aime pas l'art contemporain, **mais** j'adore la peinture moderne.*
Attention, il faut mettre une virgule avant *mais*.

– ***Par contre*** s'emploie après un point ou un point-virgule.

EXEMPLE : *Je marche peu en ville ; **par contre,** je prends souvent le bus.*

• La **concession** est une forme d'opposition qui présente une conséquence qui peut sembler illogique.

– ***Malgré*** est suivi d'un nom.

EXEMPLE : *Le spectacle aura lieu **malgré** la pluie.*
(Comme il pleut, on pourrait penser que le spectacle est annulé.)

– ***Même si*** relie deux phrases.

EXEMPLE : *Je vais finir ce livre **même si** je ne l'aime pas trop.*

→ Précis, P. 194

## Subjonctif ou infinitif : synthèse

• On emploie le subjonctif pour exprimer : un **sentiment**, un **souhait**, un **doute** ou le **but**.

EXEMPLE : *J'ai peur que ce quartier **soit** très bruyant.*
*Elle appelle sa sœur pour qu'elle **prenne** un pull.*

• Quand **un seul sujet** réalise les deux actions de la phrase, on utilise **l'infinitif**.

EXEMPLE : *J'ai peur d'**arriver** en retard.*

→ Précis, P. 196

## La mise en relief avec l'apposition

• À l'oral, pour insister sur un élément de la phrase, on utilise l'apposition.

• Pour cela :
– on met l'élément important **en début de phrase** ;
– on le remplace par un **pronom** (sujet, direct ou indirect) dans la suite de la phrase.

EXEMPLES : ***Le quartier**, **il** a beaucoup changé.*
***Le quartier**, les nouveaux voisins **l'**ont adopté facilement.*
***Le quartier**, le festival va s'**y** installer en mai.*

→ Précis, P. 195

## Avant et après

• ***Avant*** exprime l'**antériorité** de l'action.

On utilise :
*avant* + nom
*avant de* + infinitif

EXEMPLES : ***Avant** notre déménagement, nous vivions à Papeete.*
***Avant** d'arriver ici, nous habitions dans un pavillon.*

• ***Après*** exprime la **postériorité** de l'action.

On utilise :
*après* + nom
*après* + infinitif passé

EXEMPLES : ***Après** le travail, j'irai au cinéma.*
***Après** avoir cuisiné, je me reposerai.*

→ Précis, P. 197

# L'art au coin de la rue...

## PARCOURS SAINT-GERMAIN 2013

**En quelques chiffres**

**11**[e] édition du Parcours Saint-Germain
**2000** Création
**30** lieux insolites

### L'art en quelques mots

cinéma **dailymotion** exposition **vidéo**
**spectacle** film galerie **théâtre** danse
musique **festival** **comédie** Paris
artiste art photographie **art contemporain**
**album** vernissage **peinture** Exposition
concert **clip**

## À VOIR

■ L'art contemporain s'invite à Saint-Germain-des-Prés pour une promenade artistique dans le quartier. Ce quartier est un des symboles de la vie culturelle parisienne.

■ À cette occasion, les terrasses de cafés, les vitrines chics, les hôtels et les places du 6e arrondissement se transforment en lieux d'expositions dans des endroits inattendus et insolites.

■ Cette année est dédiée aux cultures et aux univers variés avec de jeunes artistes internationaux venus d'Égypte, de Roumanie, d'Argentine...

Jardin du Luxembourg

## À L'AFFICHE

- Anne-Flore Cabanis, Place Saint-Germain-des-Prés
- Matias Duville, Chapelle des Beaux-arts de Paris
- Pierre Malphettes, Atelier de céramique France Franck–Francine Del Pierre
- Petra Mrzyk et Jean-François Moriceau, Café de Flore
- Sabine Pigalle, Café des Deux Magots

**1 Lisez les informations et répondez aux questions.**

1. Qu'est-ce que le Parcours Saint-Germain ?
2. De quand date-t-il ?
3. Quelle est son originalité ?
4. Y a-t-il des artistes de votre pays dans la liste ?

# Et aussi...

## FIFF
## Festival International du Film Francophone de Namur

### Quelques infos

**Création :** 1986
**Type :** Festival longs et courts métrages
**Thème :** Francophone
**Lieu :** Belgique
**Période :** Septembre, Octobre
**30 000 spectateurs**
**+ de 120 films** des quatre coins de la francophonie : Suisse, Maghreb, Québec, France, Afrique subsaharienne, Vietnam, Roumanie, ...
**Bayards d'or** : des prix de 70 000 €

### En quelques lignes

■ Le Festival International du Film Francophone de Namur (FIFF) promeut et diffuse des courts métrages et des longs métrages de fiction, d'animation ou documentaires.

■ Il vise à refléter la diversité de la francophonie mais accorde tout de même une place importante au cinéma belge.

■ Le FIFF est un véritable lieu de rendez-vous.
Depuis 2004, le Forum francophone de la production est une des rencontres importantes qui a pour but d'aider à la concrétisation de projets de long métrage de fiction.

**Bayard d'Or du Meilleur Film 2012**
Radu Jude pour « Papa vient dimanche »

**Prix Spécial du Jury**
Nabil Ayouch pour « Les Chevaux de Dieu »

**Bayard d'Or de la Meilleure comédienne**
Djamila Sahraoui pour « Yema »

**Bayard d'Or du Meilleur comédien**
Serban Pavlu pour « Papa vient dimanche »

**2 Lisez les informations et répondez aux questions.**

1. Qu'est-ce que le FIFF ?
2. Depuis quand existe-il ?
3. Qu'est-ce que les Bayards d'or ?
4. Connaissez-vous des films de la liste ?

**Le cinéma français en quelques chiffres**
Chaque année, le cinéma français dans le monde c'est :
- Plus d'1 film français nouveau par jour sur les écrans de cinéma du monde
- 40 films français par jour sur les télévisions étrangères
- 65 millions de spectateurs de films français chaque année en moyenne

## Drôle d'expression

« *Ça ne court pas les rues.* »

contexte Les bonnes actrices, ça ne court pas les rues !

**3 Lisez l'expression et répondez.**

1. Dessinez l'expression.
2. D'après le contexte, quel est le sens figuré de cette expression ?
3. Écrivez un petit dialogue dans lequel vous placerez cette expression.
4. Avez-vous une expression similaire dans votre langue ?

# PRÉPARATION AU DELF B1

 Les documents sonores sont téléchargeables sur le site www.didierfle.com/saison.

## PARTIE 1 Compréhension de l'oral

**Vous allez entendre 2 fois un document. Vous avez 30 secondes de pause entre les 2 écoutes puis 30 secondes pour vérifier vos réponses. Lisez les questions.**

**Vous êtes en France. Vous entendez cette émission à la radio. Répondez aux questions.**

**1.** Quel est le sujet de l'émission ?
☐ Quitter la vie rurale.
☐ S'installer à la campagne.
☐ Vivre en ville.

**2.** Où vit Jim aujourd'hui ?

..........

**3.** Pourquoi Jim n'a-t-il pas encore déménagé ?

..........

**4.** Qu'est-ce que Jim veut acheter ?

..........

**5.** Qu'est-ce que Jim n'aime pas en ville ?
Donnez une réponse.

..........

**6.** Pour Jim, qu'est-ce qui est négatif à la campagne ?
☐ Les moyens de transport.
☐ Les relations avec les voisins.
☐ Le manque de magasins.

## PARTIE 2 Compréhension des écrits

**Vous lisez le document suivant sur Internet.**

### L'art urbain va-t-il bientôt disparaître ?

**Une idée de sortie pour cette fin de semaine ?**

L'art urbain investit la ville pour 48 heures.
En vous promenant dans la ville, vous pourrez découvrir des dessins, des messages et des graffitis sur les murs des bâtiments et sur les trottoirs.

**Aujourd'hui, l'art urbain français change.**

Pourquoi ? Parce qu'il est à la mode. De plus en plus d'artistes ont quitté la rue pour exposer leurs œuvres dans les galeries ou les musées. Il y a même des ventes aux enchères organisées spécialement pour vendre ces œuvres. C'est un peu dommage car normalement, l'expression « art urbain » signifie que c'est l'art de la rue. Les objectifs de l'art urbain étant de rendre plus beau le quotidien et parfois de faire passer un message politique.

Heureusement, on trouve toujours des graffitis dans chaque ville de France et les jeunes artistes anonymes ne manquent pas. C'est peut-être là qu'il faut chercher les futurs talents…

**Répondez aux questions.**

1. Que peut-on faire ce week-end ?
☐ Visiter une exposition dans un musée.
☐ Découvrir des œuvres dans la rue.
☐ Assister à une vente aux enchères.

2. Quelles sont les œuvres exposées dans la ville ? Donnez 3 réponses.

..............................

..............................

..............................

3. Pourquoi l'art urbain change-t-il ?
☐ Il est à la mode.
☐ Il ne coûte pas cher.
☐ Il n'intéresse pas le public.

4. Qu'est-ce qui a changé aujourd'hui ?

..............................

5. À quoi sert l'art urbain ?

..............................

6. Qui sont les artistes de demain ?

..............................

## PARTIE 3 Production écrite

**Vous avez assisté à un événement artistique dernièrement.**
**Racontez ce que vous avez vu et donnez vos impressions. (80 mots)**

..............................

..............................

..............................

## PARTIE 4 Production orale

### EXERCICE 1 – Entretien dirigé

**Répondez aux questions suivantes à l'oral.**

- Dans quel logement habitez-vous ?
- Quelle est votre sortie artistique préférée ?

### EXERCICE 2 – Monologue suivi

**Choisissez un sujet et exprimez-vous.**

**Sujet 1** Préférez-vous vivre à la campagne ou en ville ? Pourquoi ?

**Sujet 2** Que pensez-vous de l'art urbain ?

### EXERCICE 3 – Exercice en interaction

**Choisissez un sujet. Jouez la situation avec l'examinateur.**

**Sujet 1**
Vous voulez vivre avec un ami français pendant vos études. Vous décidez de chercher un logement. Vous discutez ensemble des critères de l'appartement. Vous vous mettez également d'accord sur le lieu et le prix du loyer.

**Sujet 2**
Vous proposez à un ami d'aller voir un spectacle dans la rue. Mais il n'est pas très motivé car cela ne l'intéresse pas. Vous essayez de le convaincre.

# Précis de phonétique

## Les voyelles et les semi-voyelles

### Les sons

| ouverture de la bouche ↓ | Langue en avant ← | Langue en avant ← | Langue en arrière → |
|---|---|---|---|
| | **Lèvres tirées** | **Lèvres arrondies** | |
| | [i] · d**i**t<br>[j] · solei**l** | [y] · d**u**<br>[ɥ] · p**u**is | [u] · d**ou**x<br>[w] · l**ou**é |
| | [e] · d**é** | [ø] · d**eux** | [o] · d**o**s<br>[ɔ̃] · d**on** |
| | [ɛ] · p**ai**x<br>[ɛ̃] · p**ain** | [œ] · p**eu**r | [ɔ] · p**o**rt |
| | [a] · l**a** | [ɑ̃] · l**en**t | |

### Les graphies

| on entend | on écrit | exemples |
|---|---|---|
| [i] | i – î – ï – y | lit – île – haïr – cycle |
| [e] | é – er/ez/ed (à la fin du mot) | thé – dîner – nez – pied |
| [ɛ] | è – ê – e (+ consonne prononcée dans la même syllabe) | père – fête – sel |
| [a] | a – à – â – e (+ -mm) | la – là – pâtes – femme |
| [y] | u – û – eu (verbe *avoir*) | tu – dû – j'ai eu |
| [ø] | eu/oeu (à la fin d'une syllabe) • eu + [z]/[t] | feu – chanteuse – feutre |
| [œ] | eu/oeu (+ consonne prononcée dans la même syllabe) | chanteur – sœur |
| [u] | ou – où – oû – aoul – aoû | ou – où – goût – saoul – août |
| [o] | o (à la fin d'une syllabe) – o + [z] – au – eau – ô | photo – rose – autre – eau – hôtel |
| [ɔ] | o (+ consonne prononcée dans la même syllabe) • um (à la fin du mot) | mode – maximum |
| [ɛ̃] | in – im – un – ain – aim – ein – ien – yen – yn – ym | quinze – simple – lundi – pain – faim – plein – chien – moyen – synthèse – sympathique |
| [ɑ̃] | an – am – en – em – ean – aon – ient | danse – chambre – cent – temps – jean – paon – client |
| [ɔ̃] | on – om | non – nom |
| [j] | i (+ voyelle) – il – (i)ll – y | plier – soleil – travailler – payer |
| [ɥ] | u (+ voyelle) | tuer |
| [w] | ou (+ voyelle) • oi | louer – loin |

# Les consonnes

## Les sons

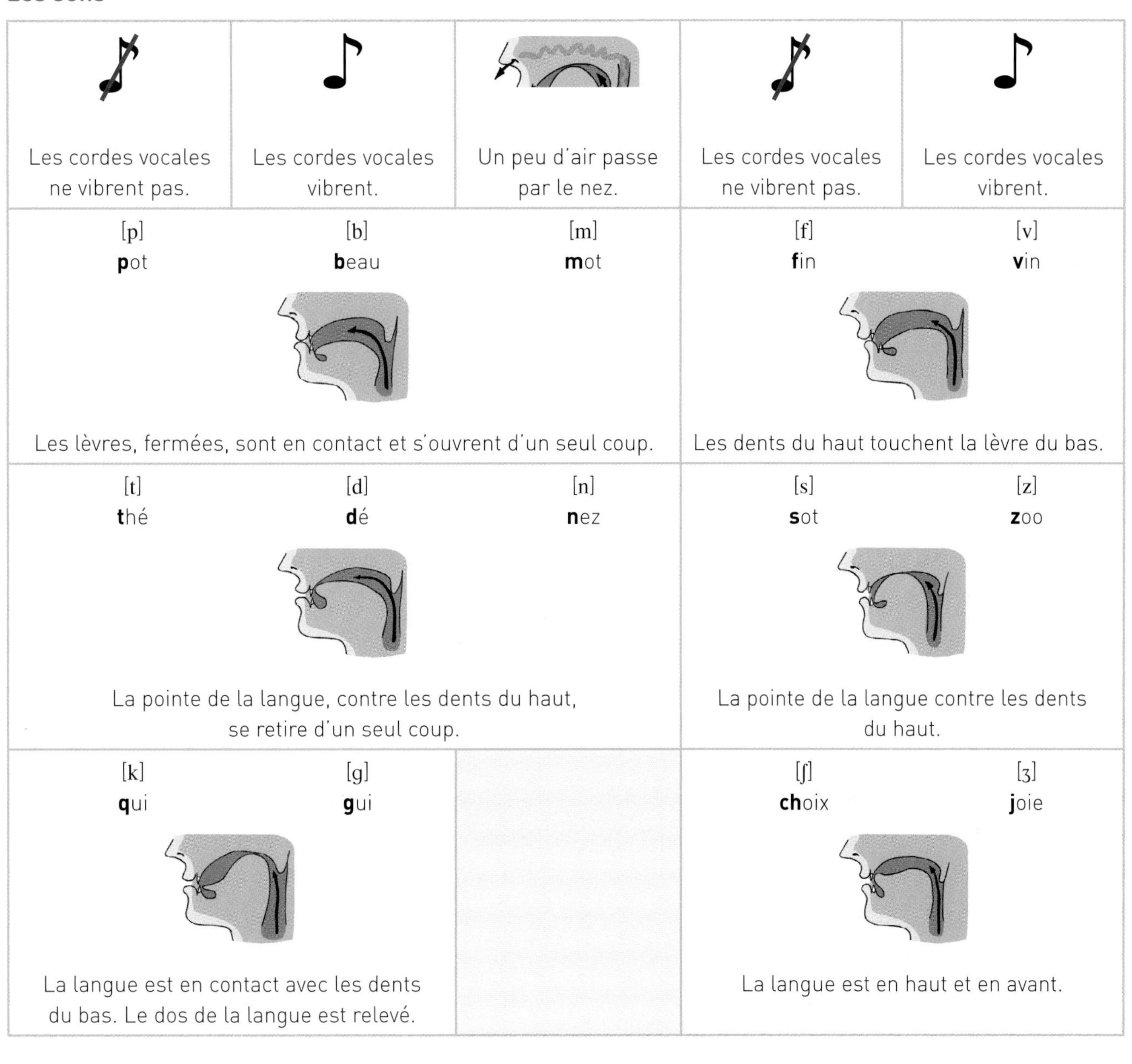

| Les cordes vocales ne vibrent pas. | Les cordes vocales vibrent. | Un peu d'air passe par le nez. | Les cordes vocales ne vibrent pas. | Les cordes vocales vibrent. |
|---|---|---|---|---|
| [p] **p**ot | [b] **b**eau | [m] **m**ot | [f] **f**in | [v] **v**in |
| Les lèvres, fermées, sont en contact et s'ouvrent d'un seul coup. | | | Les dents du haut touchent la lèvre du bas. | |
| [t] **t**hé | [d] **d**é | [n] **n**ez | [s] **s**ot | [z] **z**oo |
| La pointe de la langue, contre les dents du haut, se retire d'un seul coup. | | | La pointe de la langue contre les dents du haut. | |
| [k] **qu**i | [g] **g**ui | | [ʃ] **ch**oix | [ʒ] **j**oie |
| La langue est en contact avec les dents du bas. Le dos de la langue est relevé. | | | La langue est en haut et en avant. | |

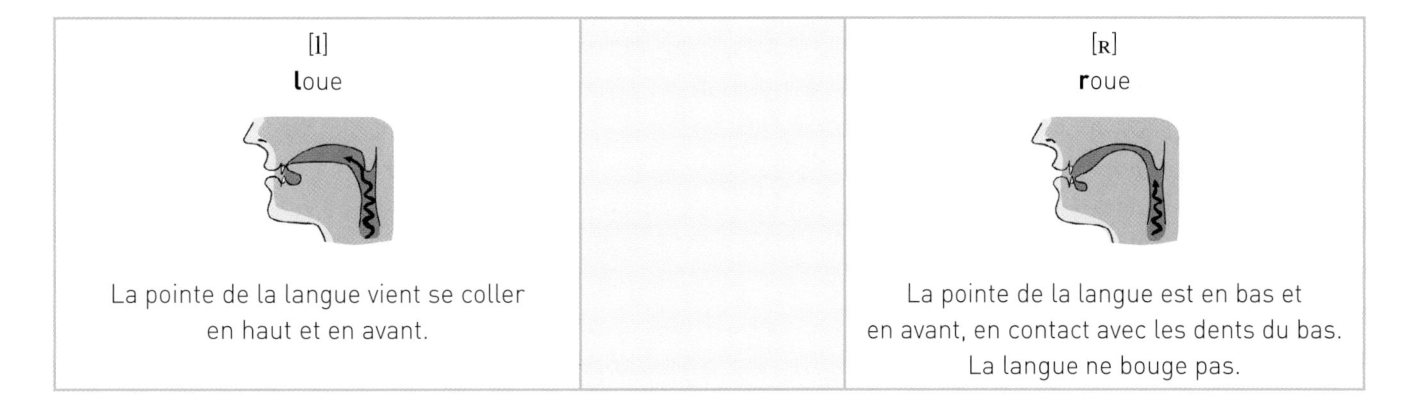

| [l] **l**oue | | [ʀ] **r**oue |
|---|---|---|
| La pointe de la langue vient se coller en haut et en avant. | | La pointe de la langue est en bas et en avant, en contact avec les dents du bas. La langue ne bouge pas. |

## Les graphies

| on entend | on écrit | exemples |
|---|---|---|
| [p] | p – pp – b (+ s) | père – appel – absolu |
| [b] | b – bb | ballon – abbé |
| [t] | t – tt – th | pâte – patte – thé |
| [d] | d – dd | donner – addition |
| [k] | c (+ a, o, u) – k – q – ch – x | cas – corps – kilo – quitter – chœur – axe |
| [g] | g (+ a, o, u) – gg – x | garder – guider – agglutiner – exercer |
| [f] | f – ff – ph | café – effort – physique |
| [v] | v – w | venir – wagon |
| [s] | s (en début de mot) – ss – sc – ç – c (+ e, i, y) – x – t (+ ion/ient) | sonner – passer – scène – façon – ceci – recycler – axe – action – patience |
| [z] | s (en milieu de mot) – z – x | causer – zone – exercer |
| [ʃ] | ch – sch | chat – schéma |
| [ʒ] | j – g (+ e, i, y) | jeune – gentil – gymnastique |
| [m] | m – mm | mère – commode |
| [n] | n – nn | nez – colonne |
| [l] | l – ll | lit – belle |
| [ʀ] | r – rr – rh | riz – terre – rhume |

### La liaison

Quand un mot se termine par une consonne muette et que le mot suivant commence par une voyelle, ces deux mots peuvent se retrouver « liés ».

- La liaison est obligatoire (devant une voyelle ou un « h » muet) :

– entre le déterminant et le nom : *les habitants*
– avant le verbe : *Vous êtes amis ?*
– dans les locutions figées : *de temps en temps*
– entre l'adjectif et le nom lorsque l'adjectif est placé avant le nom : *le premier homme*

- La liaison est généralement interdite après le nom, après le verbe (sauf après *être* et *avoir*), après *et*, entre l'adjectif et le nom lorsque l'adjectif est placé après le nom.

Attention ! Dans les liaisons :
– *s* et *x* se prononcent [z] : *les amis*
– *d* se prononce [t] : *un grand homme*
– *f* se prononce [v] : *neuf heures*
– [ɛ̃] se prononce [ɛn] : *le prochain anniversaire*

### L'enchaînement vocalique

Quand deux voyelles dans un même mot ou dans un même groupe de mots, on les prononce dans le même souffle (sans coup de glotte) mais dans deux syllabes différentes : *le théâtre*.

### L'enchaînement consonantique

Quand un mot se termine par une consonne prononcée et que le mot suivant commence par une voyelle, la consonne et la voyelle s'enchaînent et forment une syllabe orale : *un sac à dos*.

### Le *e* muet

Quand un *e* sans accent à la fin d'une syllabe écrite :
– est placé à la fin d'un mot et suivi d'une voyelle, on ne le prononce pas ;
*une équipe*
– est précédé de deux consonnes prononcées et suivi d'une consonne prononcée, on doit le prononcer ;
*votr**e** fils*
– est précédé d'une seule consonne prononcée et suivi d'une consonne prononcée, on peut le prononcer, ou non.
*Bienv**e**nue ou Bienvenue*

# Précis de grammaire

## LA PHRASE

### 1. La phrase interrogative

Il existe trois formes de questions. On parle de **question inversée** lorsque le sujet est placé après le verbe.

| | |
|---|---|
| Langage standard (oral) | Tu fais quoi ? |
| Langage standard | Qu'est-ce que tu fais ? |
| Langage soutenu | Que **fais-tu** ? |

### 2. La restriction

Le plus souvent, pour exprimer la restriction, on utilise *ne... que* ou *seulement*.

EXEMPLES : *Il **ne** pense **qu'**à sortir.*
*Il pense **seulement** à ses sorties.*

## LES NOMS ET LES DÉTERMINANTS

### 1. Le genre des noms

Les terminaisons de certains noms indiquent le genre.

| | Terminaisons en | Exemples |
|---|---|---|
| Noms féminins | *-ée ; -esse ; -oire ; -té ; -tion ; -ure* | une entr**ée** ; la just**esse** ; une arm**oire** ; une célébri**té** ; une augmenta**tion** ; une coup**ure** |
| Noms masculins | *-age ; -isme ; -ment* | un apprentiss**age** ; le fémin**isme** ; un mouve**ment** |

### 2. La nominalisation

Certains noms peuvent se former à partir de verbes. La nominalisation permet de remplacer un groupe verbal par un nom.

| | Verbes | Exemples |
|---|---|---|
| **Transformations simples** | **baisser** | **une baisse** |
| **+ suffixe** | rattraper<br>changer<br>manifester | un rattrap**age**<br>un change**ment**<br>une manifest**ation** |

### 3. Les déterminants

Les noms sont généralement précédés d'un déterminant. Il peut s'agir d'un article (*le, la, les, un(e), des,* etc.) ou d'un déterminant (démonstratif, possessif, indéfini...).

**Les déterminants indéfinis**

| Quantité nulle | Quantité peu importante | Quantité importante | Quantité divisée |
|---|---|---|---|
| aucun(e) | peu de, quelques, certain(e)s | plusieurs, beaucoup de | chaque |

# LES PRONOMS

**Un pronom sert à remplacer un nom.** Pour choisir le pronom approprié, il faut faire attention au genre et nombre du nom qu'il remplace et à la construction du verbe (directe ou indirecte).

## 1. Les pronoms relatifs

Ils servent à établir une **relation** entre deux phrases. Ils représentent des choses ou des personnes.

| Sujet | Complément d'objet direct | Complément introduit par *de* | Complément de lieu ou de temps |
|---|---|---|---|
| qui | que | dont | où |

## 2. Les pronoms démonstratifs

Ils servent à **désigner** une chose ou une personne et à **apporter une précision** sur la distance entre celui qui parle et l'objet (*-ci* = proximité / *-là* = éloignement).

| Singulier | | Pluriel | |
|---|---|---|---|
| **Masculin** | **Féminin** | **Masculin** | **Féminin** |
| celui | celle | ceux | celles |
| celui-ci / celui-là | celle-ci / celle-là | ceux-ci / ceux-là | celles-ci / celles-là |

## 3. Le pronom interrogatif *lequel*

Ils servent à demander une précision sur l'objet ou la personne dont on parle.

| Singulier | | Pluriel | |
|---|---|---|---|
| **Masculin** | **Féminin** | **Masculin** | **Féminin** |
| lequel | laquelle | lesquels | lesquelles |

## 4. *En* et *y*

| | *En* | *Y* |
|---|---|---|
| On l'utilise pour | remplacer le complément d'un verbe avec *de* | remplacer le complément d'un verbe avec *à* |
| Il peut faire référence à | une quantité, une origine, un objet ou un être inanimé | un lieu, un objet ou un être inanimé |
| EXEMPLES | – Paris ? J'en viens !<br>– Ce guide, j'en ai besoin.<br>– Des tomates ? Oui, je vais en prendre trois. | – Paris ? J'y vais.<br>– Je me prépare à faire le tour du monde. Je m'y prépare depuis un an. |

## 5. Les doubles pronoms

Quand il y a deux pronoms compléments dans une phrase, on respecte l'ordre suivant.

| Pronoms compléments indirects | Pronoms compléments directs | Pronoms compléments indirects (3e pers.) | *En* et *y* |
|---|---|---|---|
| **À qui ?** | **Quoi ?** | **À qui ?** | **Où ? D'où ? De quoi ?** |
| me, te, se, nous, vous | le, la, les | lui, leur | |

# LES ADJECTIFS

## 1. Le genre et le nombre

| | Masculin | | Féminin | |
|---|---|---|---|---|
| **Règle générale** | **Singulier** | **Pluriel** | **Singulier** | **Pluriel** |
| + **e** pour le féminin<br>+ **s** pour le pluriel | grand | grand**s** | grand**e** | grand**es** |
| **Pas de transformations** | | | | |
| – adjectifs en « e »<br>– adjectifs en « x » | sympathique<br>heureux | heureux | sympathique | |
| **Transformations masculin → féminin** | | | | |
| *-eur / -eux → -euse*<br>*-if → -ive*<br>*-c → -che* | heur**eux**<br>v**if**<br>blan**c** | | heur**euse**<br>v**ive**<br>blan**che** | |
| **Transformations singulier → pluriel** | | | | |
| *-al → -aux*<br>*-eau → -eaux* | norm**al**<br>**beau** | norm**aux**<br>**beaux** | normal**e** | normal**es** |

## 2. La place des adjectifs

| Place des adjectifs | Avant le nom | Après le nom |
|---|---|---|
| **En général** | | x |
| de forme, de nationalité, d'origine, de couleur | | x toujours après |
| *petit, grand, bon, mauvais, beau, jeune, vieux, joli, vrai...* | x souvent avant | |
| *ancien, léger, faux, grand, bon, brave, curieux, drôle...* | x mais le sens change | x mais le sens change |

EXEMPLES : *un léger problème (léger = petit) ≠ un tableau léger (léger =* contraire de *lourd)*
*un ancien artiste (ancien = qui n'est plus) ≠ une recette ancienne (ancien = vieille, d'autrefois)*

## 3. La comparaison

### Le comparatif

| | Avec un adjectif | Avec un nom |
|---|---|---|
| + | Il est **plus** grand **que** moi. | Il a **plus** de chance **que** moi. |
| - | Il est **moins** grand **que** moi. | Il a **moins** de chance **que** moi. |
| = | Il est **aussi** grand **que** moi. | Il a **autant** de chance **que** moi. |

### Le superlatif

| | Avec un adjectif | Avec un nom | Avec un verbe |
|---|---|---|---|
| + | L'enfance est la période **la plus** importante. | L'enfance est la période avec **le plus de** joie. | L'enfance est la période où on s'amuse **le plus**. |
| - | L'enfance est la période **la moins** fatigante. | L'enfance est la période avec **le moins de** moments sérieux. | L'enfance est la période où on travaille **le moins**. |

Attention aux comparatifs et superlatifs irréguliers : *bon* → ***meilleur** (que) / le **meilleur** ;*
*mauvais* → ***pire** (que) / **le pire** ; bien* → ***mieux** / **le mieux***

# LES ADVERBES

Ils permettent d'apporter une précision à un verbe, un adjectif, un autre adverbe ou une phrase en indiquant une nuance de temps, de lieu, de quantité, etc. Ils sont invariables.
Les adverbes en *-ment* sont des adverbes de manière.

**La formation des adverbes en *-ment***

| En général | Adjectifs en *-ant* et *-ent* |
|---|---|
| adjectif au féminin + *-ment*<br>*positif → positive + ment = positivement* | ***-ant : - amment***<br>*méchant → méchamment*<br>***-ent : - emment***<br>*fréquent → fréquemment* |

# LES RELATIONS LOGIQUES

## 1. Le but

| On utilise | Exemples |
|---|---|
| **afin de / pour** + infinitif | Il apprend le français **afin de** travailler en France. |
| **afin que / pour que** + subjonctif | Il apprend le français **pour que** ses parents soient fiers de lui. |

## 2. La cause

| On utilise | | Exemples |
|---|---|---|
| standard | **parce que** + indicatif | Il apprend le français **parce qu'**il veut étudier en France. |
| à l'écrit | **car** + indicatif | Je ne peux pas venir **car** mon fils est malade. |
| négative | **à cause de** + nom | Nous avons manqué le train **à cause de** son retard. |
| positive | **grâce à** + nom | Elle apprend le français **grâce à** son père. |

## 3. La conséquence

| On utilise | | Exemples |
|---|---|---|
| logique | **donc** | Il apprend le français ; il a **donc** acheté un dictionnaire. |
| succession | **alors** | Il ne la connaissait pas, **alors**, il s'est présenté. |
| dans un discours | **C'est pour cela que**<br>**C'est pourquoi** | Il n'a pas déjeuné. **C'est pour cela qu'**il se sent mal. |

## 4. L'opposition et la concession

| | On utilise | Exemples |
|---|---|---|
| **Opposition**<br>= deux faits opposés | **alors que / mais**<br>**par contre** | J'adore aller au musée **alors que** mon ami n'aime pas ça.<br>Je marche peu en ville ; **par contre**, je prends souvent le bus. |
| **Concession**<br>= conséquence illogique | **malgré** + nom<br>**même si** | Le spectacle aura lieu **malgré** la pluie.<br>Le spectacle aura lieu **même s'**il pleut. |

## 5. La condition et l'hypothèse

| | On utilise | | Exemples |
|---|---|---|---|
| Au présent = réelle | *Si* + présent | + présent<br>+ impératif<br>+ futur | Si tu veux, tu peux.<br>Si tu ne veux pas, sors !<br>Si tu étudies bien, tu pourras sortir. |
| À l'imparfait = irréelle | *Si* + imparfait | + conditionnel présent | Si j'étais sportif, je participerais aux jeux Olympiques.<br>→ Mais je ne suis pas sportif ! |

# LE DISCOURS

## 1. Discours direct, discours indirect

Ces deux types de discours servent à rapporter les paroles de quelqu'un.

| | On utilise | Exemples |
|---|---|---|
| Discours direct | un verbe de parole (*dire*, *demander*, *répondre*, etc.)<br>+ les deux-points :<br>+ les guillemets « ... » | Elle dit : « Tu es fou ».<br>Il demande : « Comment vas-tu ? »<br>Il demande : « Est-ce que tu es fou ? » |
| Discours indirect | un verbe de parole + *que* ou pronom interrogatif<br>*demander* + *si* | Elle dit **que** je suis fou.<br>Il demande **comment** je vais.<br>Il demande **si** je suis fou. |

Attention aux changements de personne : *tu* → *je* ; *ton* → *mon*, etc.

## 2. Exprimer le temps

### Les indicateurs de temps

| | En | Depuis | Pendant | Il y a | Dans |
|---|---|---|---|---|---|
| Est suivi de | + mois, année | + mois, année, durée | + durée | + *un jour, un an...* | + *deux jours, une semaine...* |
| Exprime | date | action ou situation qui continue | durée totale d'une action | durée entre une action terminée et maintenant | durée entre maintenant et une action future |

### Les connecteurs temporels

| Pour introduire | Pour développer | Pour conclure |
|---|---|---|
| (tout) d'abord, pour commencer | puis, ensuite | enfin, pour finir, finalement |

## 3. La mise en relief

Elle sert à faire ressortir un élément de la phrase pour le mettre en valeur, lui donner de l'importance.

| | On utilise | Exemples |
|---|---|---|
| Les pronoms relatifs | **ce qui...** c'est...<br>**ce que...** c'est... | Ce qui est important pour moi, c'est voyager.<br>Ce que j'aime, c'est parler français. |
| L'apposition | élément mis en valeur + virgule + phrase (avec pronom sujet ou complément) | **Le quartier, il** a beaucoup changé.<br>**Le quartier,** les gens **l'**ont redécouvert. |

# LES TEMPS

## 1. Les temps

| | On l'utilise pour exprimer... | Formation |
|---|---|---|
| **Présent** | • ce qui se passe « maintenant »<br>• une habitude, une répétition<br>• une vérité générale<br>• une action dans le futur très proche | 1er groupe : radical du verbe +<br>***e, -es, -e, -ons, -ez, -ent***<br>2e groupe : radical du verbe +<br>***-s, -s, -t, -ons, -ez, -ent***<br>3e groupe* : radical (variable) +<br>****-s, -s, -t** (ou **-d),-ons, -ez, -ent*** |
| **Impératif** | • un ordre ou un conseil<br>• une obligation<br>• un interdit | • 3 personnes : *tu, nous, vous*<br>• pas de sujet<br>• pas de *s* à *aller* + verbes en *-er*<br>*Regarde ! Regardons ! Ne regardez pas !* |
| **Passé récent** | • une action qui vient de se produire | *venir de* + infinitif |
| **Passé composé** | • une action qui a lieu dans un moment précis du passé<br>• un changement de situation à un moment dans le passé<br>• une durée limitée | *être / avoir* au présent<br>+ le participe passé |
| **Imparfait** | • une situation dans le passé<br>• une description au passé<br>• une habitude dans le passé | radical du verbe à la 1re personne du pluriel présent<br>+ ***-ais, -ais, -ait, -ions, -iez, -aient*** |
| **Plus-que-parfait** | • une action antérieure à une action passée | *être / avoir* à l'imparfait<br>+ le participe passé |
| **Futur proche** | • une action dans un avenir proche<br>• une action qui a beaucoup de chances de se réaliser | *aller* au présent + infinitif |
| **Futur simple** | • une action dans un avenir proche ou lointain<br>• un événement sûr ou programmé | verbe à l'infinitif<br>+ ***-ai, -as, -a, -ons, -ez, -ont*** |
| **Conditionnel présent** | • la politesse<br>• un souhait, un désir<br>• une proposition<br>• un conseil<br>• une éventualité, un fait non confirmé | verbe à l'infinitif<br>+ ***-ais, -ais, -ait, -ions, -iez, -aient*** |
| **Subjonctif** | • une obligation *(Il faut que...)*<br>• un sentiment<br>• un souhait<br>• un doute | *que* + radical de la 3e personne du pluriel au présent<br>+ ***-e, -es, -e, -ions, -iez, -ent*** |

## 2. Le participe passé

• Le participe passé sert à former les temps composés.

| 1er groupe | 2e groupe | 3e groupe |
|---|---|---|
| **Terminaison -*é*** | **Terminaison -*i*** | **Formes irrégulières** |
| mang**é**, chant**é**, parl**é** | fin**i**, réuss**i**, ag**i** | mis, vu, ouvert parti, peint |

• Il est employé le plus souvent avec *avoir*.
Pour certains verbes, il s'emploie avec être : *naître, mourir, descendre, monter, sortir, entrer, tomber, arriver, partir, rester, retourner, rentrer, venir, aller*.

• Le participe passé peut s'accorder avec le sujet ou le complément du verbe.

| Avec *être* | Avec *avoir* | Avec *avoir* + COD avant le verbe |
|---|---|---|
| **Accord avec le sujet** | **Pas d'accord** | **Accord avec le COD** |
| Marie est sortie. | Marie a mangé une pomme. | La pomme que Marie a mangé**e** est verte. |

## 3. L'infinitif présent et passé

| Avec | Infinitif présent | Infinitif passé |
|---|---|---|
| **Avant de** | Avant de **sortir**, il a pris son sac. | |
| **Après** | | Après **avoir pris** son sac, il est sorti. |

## 4. Le gérondif

Cette forme permet d'indiquer la manière (comment ?) ou la simultanéité (quand ?).

| | On utilise |
|---|---|
| | **en + radical de la 1re personne du pluriel au présent + *-ant*** |
| **La manière** | Je découvre la vie en voyageant. |
| **La simultanéité** | Il ne faut pas parler en mangeant. |

## 5. La forme passive

Cette forme permet de mettre en valeur le bénéficiaire ou la victime d'une action.
Pour pouvoir mettre une phrase à la forme passive, il faut qu'elle ait un complément.

| | |
|---|---|
| Forme active | La mairie a soutenu le projet.<br>sujet — complément |
| Forme passive :<br>*être* au temps souhaité + participe passé | **Le projet** a été soutenu **par** la mairie. |

Remarque : parfois, il n'y a pas de complément.
EXEMPLES : ***Le projet*** *sera soutenu. (On ne sait pas par qui.)*

# Conjugaisons

### ÊTRE

| présent | passé composé | imparfait | futur simple | subjonctif |
|---|---|---|---|---|
| je suis | j'ai été | j'étais | je serai | que je sois |
| tu es | tu as été | tu étais | tu seras | que tu sois |
| il est | il a été | il était | il sera | qu'il soit |
| nous sommes | nous avons été | nous étions | nous serons | que nous soyons |
| vous êtes | vous avez été | vous étiez | vous serez | que vous soyez |
| ils sont | ils ont été | ils étaient | ils seront | qu'ils soient |

### AVOIR

| présent | passé composé | imparfait | futur simple | subjonctif |
|---|---|---|---|---|
| j'ai | j'ai eu | j'avais | j'aurai | que j'aie |
| tu as | tu as eu | tu avais | tu auras | que tu aies |
| il a | il a eu | il avait | il aura | qu'il ait |
| nous avons | nous avons eu | nous avions | nous aurons | que nous ayons |
| vous avez | vous avez eu | vous aviez | vous aurez | que vous ayez |
| ils ont | ils ont eu | ils avaient | ils auront | qu'ils aient |

### Verbes réguliers en -er : PARLER (aimer, écouter, regarder)

| présent | passé composé | imparfait | futur simple | subjonctif |
|---|---|---|---|---|
| je parle | j'ai parlé | je parlais | je parlerai | que je parle |
| tu parles | tu as parlé | tu parlais | tu parleras | que tu parles |
| il parle | il a parlé | il parlait | il parlera | qu'il parle |
| nous parlons | nous avons parlé | nous parlions | nous parlerons | que nous parlions |
| vous parlez | vous avez parlé | vous parliez | vous parlerez | que vous parliez |
| ils parlent | ils ont parlé | ils parlaient | ils parleront | qu'ils parlent |

### Verbes réguliers en -ir : FINIR (choisir, réfléchir, remplir, réussir)

| présent | passé composé | imparfait | futur simple | subjonctif |
|---|---|---|---|---|
| je finis | j'ai fini | je finissais | je finirai | que je finisse |
| tu finis | tu as fini | tu finissais | tu finiras | que tu finisses |
| il finit | il a fini | il finissait | il finira | qu'il finisse |
| nous finissons | nous avons fini | nous finissions | nous finirons | que nous finissions |
| vous finissez | vous avez fini | vous finissiez | vous finirez | que vous finissiez |
| ils finissent | ils ont fini | ils finissaient | ils finiront | qu'ils finissent |

### Verbe en -ir du 3e groupe : ACCUEILLIR

| présent | passé composé | imparfait | futur simple | subjonctif |
|---|---|---|---|---|
| j'accueille | j'ai accueilli | j'accueillais | j'accueillerai | que j'accueille |
| tu accueilles | tu as accueilli | tu accueillais | tu accueilleras | que tu accueilles |
| il accueille | il a accueilli | il accueillait | il accueillera | qu'il accueille |
| nous accueillons | nous avons accueilli | nous accueillions | nous accueillerons | que nous accueillions |
| vous accueillez | vous avez accueilli | vous accueilliez | vous accueillerez | que vous accueilliez |
| ils accueillent | ils ont accueilli | ils accueillaient | ils accueilleront | qu'ils accueillent |

### Verbe en -indre : CRAINDRE

| présent | passé composé | imparfait | futur simple | subjonctif |
|---|---|---|---|---|
| je crains | j'ai craint | je craignais | je craindrai | que je craigne |
| tu crains | tu as craint | tu craignais | tu craindras | que tu craignes |
| il craint | il a craint | il craignait | il craindra | qu'il craigne |
| nous craignons | nous avons craint | nous craignions | nous craindrons | que nous craignions |
| vous craignez | vous avez craint | vous craigniez | vous craindrez | que vous craigniez |
| ils craignent | ils ont craint | ils craignaient | ils craindront | qu'ils craignent |

### Verbe en -oire : BOIRE

| présent | passé composé | imparfait | futur simple | subjonctif |
|---|---|---|---|---|
| je bois | j'ai bu | je buvais | je boirai | que je boive |
| tu bois | tu as bu | tu buvais | tu boiras | que tu boives |
| il boit | il a bu | il buvait | il boira | qu'il boive |
| nous buvons | nous avons bu | nous buvions | nous boirons | que nous buvions |
| vous buvez | vous avez bu | vous buviez | vous boirez | que vous buviez |
| ils boivent | ils ont bu | ils buvaient | ils boiront | qu'ils boivent |

### Verbe en -ure : CONCLURE

| présent | passé composé | imparfait | futur simple | subjonctif |
|---|---|---|---|---|
| je conclus | j'ai conclu | je concluais | je conclurai | que je conclue |
| tu conclus | tu as conclu | tu concluais | tu concluras | que tu conclues |
| il conclut | il a conclu | il concluait | il conclura | qu'il conclue |
| nous concluons | nous avons conclu | nous concluions | nous conclurons | que nous concluions |
| vous concluez | vous avez conclu | vous concluiez | vous conclurez | que vous concluiez |
| ils concluent | ils ont conclu | ils concluaient | ils concluront | qu'ils concluent |

### Verbe en -oudre : RESOUDRE

| présent | passé composé | imparfait | futur simple | subjonctif |
|---|---|---|---|---|
| je résous | j'ai résolu | je résolvais | je résoudrai | que je résolve |
| tu résous | tu as résolu | tu résolvais | tu résoudras | que tu résolves |
| il résout | il a résolu | il résolvait | il résoudra | qu'il résolve |
| nous résolvons | nous avons résolu | nous résolvions | nous résoudrons | que nous résolvions |
| vous résolvez | vous avez résolu | vous résolviez | vous résoudrez | que vous résolviez |
| ils résolvent | ils ont résolu | ils résolvaient | ils résoudront | qu'ils résolvent |

### Verbe en -tre : METTRE

| présent | passé composé | imparfait | futur simple | subjonctif |
|---|---|---|---|---|
| je mets | j'ai mis | je mettais | je mettrai | que je mette |
| tu mets | tu as mis | tu mettais | tu mettras | que tu mettes |
| il met | il a mis | il mettait | il mettra | qu'il mette |
| nous mettons | nous avons mis | nous mettions | nous mettrons | que nous mettions |
| vous mettez | vous avez mis | vous mettiez | vous mettrez | que vous mettiez |
| ils mettent | ils ont mis | ils mettaient | ils mettront | qu'ils mettent |

### Verbe en -uire : PRODUIRE

| présent | passé composé | imparfait | futur simple | subjonctif |
|---|---|---|---|---|
| je produis | j'ai produit | je produisais | je produirai | que je produise |
| tu produis | tu as produit | tu produisais | tu produiras | que tu produises |
| il produit | il a produit | il produisait | il produira | qu'il produise |
| nous produisons | nous avons produit | nous produisions | nous produirons | que nous produisions |
| vous produisez | vous avez produit | vous produisiez | vous produirez | que vous produisiez |
| ils produisent | ils ont produit | ils produisaient | ils produiront | qu'ils produisent |

### SUIVRE

| présent | passé composé | imparfait | futur simple | subjonctif |
|---|---|---|---|---|
| je suis | j'ai suivi | je suivais | je suivrai | que je suive |
| tu suis | tu as suivi | tu suivais | tu suivras | que tu suives |
| il suit | il a suivi | il suivait | il suivra | qu'il suive |
| nous suivons | nous avons suivi | nous suivions | nous suivrons | que nous suivions |
| vous suivez | vous avez suivi | vous suiviez | vous suivrez | que vous suiviez |
| ils suivent | ils ont suivi | ils suivaient | ils suivront | qu'ils suivent |

### VAINCRE

| présent | passé composé | imparfait | futur simple | subjonctif |
|---|---|---|---|---|
| je vaincs | j'ai vaincu | je vainquais | je vaincrai | que je vainque |
| tu vaincs | tu as vaincu | tu vainquais | tu vaincras | que tu vainques |
| il vainc | il a vaincu | il vainquait | il vaincra | qu'il vainque |
| nous vainquons | nous avons vaincu | nous vainquions | nous vaincrons | que nous vainquions |
| vous vainquez | vous avez vaincu | vous vainquiez | vous vaincrez | que vous vainquiez |
| ils vainquent | ils ont vaincu | ils vainquaient | ils vaincront | qu'ils vainquent |

### VALOIR

| présent | passé composé | imparfait | futur simple | subjonctif |
|---|---|---|---|---|
| je vaux | j'ai valu | je valais | je vaudrai | que je vaille |
| tu vaux | tu as valu | tu valais | tu vaudras | que tu vailles |
| il vaut | il a valu | il valait | il vaudra | qu'il vaille |
| nous valons | nous avons valu | nous valions | nous vaudrons | que nous valions |
| vous valez | vous avez valu | vous valiez | vous vaudrez | que vous valiez |
| ils valent | ils ont valu | ils valaient | ils vaudront | qu'ils vaillent |

### VIVRE

| présent | passé composé | imparfait | futur simple | subjonctif |
|---|---|---|---|---|
| je vis | j'ai vécu | je vivais | je vivrai | que je vive |
| tu vis | tu as vécu | tu vivais | tu vivras | que tu vives |
| il vit | il a vécu | il vivait | il vivra | qu'il vive |
| nous vivons | nous avons vécu | nous vivions | nous vivrons | que nous vivions |
| vous vivez | vous avez vécu | vous viviez | vous vivrez | que vous viviez |
| ils vivent | ils ont vécu | ils vivaient | ils vivront | qu'ils vivent |

# Lexique plurilingue

| français | anglais | espagnol | portugais | chinois | arabe |
|---|---|---|---|---|---|
| **A** | | | | | |
| à l'appareil | on the phone | al aparato | ao telefone | 电话中的是… | على الخط |
| admettre | to admit | admitir | admitir | 接纳，允许 | قَبِلَ ب |
| administration, *f.* | administration | administración | administração | 政府部门 | إدارة |
| admirer | to admire | admirar | admirar | 赞美，钦佩 | أعجب ب |
| aérien | aerial | aéreo | aéreo | 空气的，轻盈的，航空的 | جوي |
| affaires, *f. pl.* | business | negocios | negocios | 商业活动 | أعمال |
| agile | nimble | ágil | ágil | 灵活的 | خفيف الحركة |
| agriculture, *f.* | agriculture | agricultura | agricultura | 农业 | زراعة |
| ailleurs | elsewhere | en otra parte | algures | 在其它地方 | في مكان آخر |
| ainsi | so | así | assim | 这样，因此 | بالتالي |
| allumer | to light | encender | acender | 点燃 | أشعل |
| alors | then | entonces | então | 当时，那么 | عندئذ |
| alourdir | to lighten | recargar | pesar | 加重，使沉重 | أثقل |
| ambition, *f.* | ambition | ambición | ambição | 野心，抱负 | طموح |
| améliorer | to improve | mejorar | melhorar | 改善，改良，改进 | حَسَّن |
| amicalement | best regards | con cariño | amigavelmente | 友好地，亲切地 | تحية ودية |
| ampoule, *f.* | bulb | bombilla | ampola | 灯泡 | مصباح كهربائي |
| annuel | annual | anual | anual | 每年的 | سنوي |
| annuler | to cancel | anular | anular | 取消，使无效 | ألغى |
| apparaître | to appear | aparecer | aparecer | 出现，显现 | ظَهَرَ |
| appel, *m.* | call | llamada | chamada | 一通电话 | مكالمة |
| apprécier | to appreciate | apreciar | apreciar | 爱好，重视 | استحسن |
| approbation, *f.* | approval | aprobación | aprovação | 赞成，同意，许可 | موافقة |
| appuyer | to support | apoyar | premir | 支撑，支持，压，按 | ضَغَطَ |
| arrêter de | to stop | dejar de | parar de | 停止 | توقَّفَ عن |
| article, *m.* | article | artículo | artigo | 文章，报道 | مقالة |
| artisan, *m.* | craftsman | artesano | artesão | 工匠 | حِرَفِيّ |
| artiste, *m.* ou *f.* | artist | artista | artista | 艺术家 | فنان |
| atteindre | to reach | alcanzar | alcançar | 到达，命中 | وصل إلى |
| au pied de | at the foot of | al pie de | nos pés da | 在…的基部，在…的脚下 | أسفل |
| au sujet de | about | al respecto | acerca de | 关于，对于 | فيما يخص |
| augmenter | to increase | aumentar | aumentar | 增加，增长 | زاد |
| autonome | autonomous | autónomo | autónoma | 能自主的 | ذاتي |
| autorisation, *f.* | authorisation | autorización | autorização | 准许，同意 | رخصة |
| autoroute, *f.* | motorway | autopista | auto-estrada | 高速公路 | طريق سريع |
| autrefois | in the past | antaño | antigamente | 从前，往昔 | فيما مضى |
| avantage, *m.* | advantage | ventaja | vantagem | 好处，利益 | امتياز |
| avoir faim | to be hungry | tener hambre | ter fome | 饿，饥饿 | جاع |
| avoir horreur (de) | to hate | detestar | ter horror (de) | 讨厌… | ذُعِرَ |
| avoir tort | to be wrong | estar equivocado | estar errado | 错了 | على خطأ |
| **B** | | | | | |
| baisse, *f.* | fall | bajada | baixa | 下降，降低 | انخفاض |
| battre | to break | batir | bater | 打破，缔造 | تخطّى |
| bazar, *m.* | general store | bazar | bazar | 市场 | سوق تجاري |
| bienfait, *m.* | benefit | beneficio | benefício | 善行，利益 | منفعة |
| bientôt | soon | pronto | brevemente | 不久，马上 | قريبا |
| billet, *m.* | short letter | nota | nota | 短文 | مقال صحفي |
| bizarre | strange | raro | bizarro | 奇异的，古怪的 | غريب |
| bouchon, *m.* | traffic jam | atasco | tampa | 交通堵塞 | ازدحام |
| branché (*adj.*, à la mode) | tuned in | a la última | na moda | 时髦的 | مواكب للموضة |
| bref | in short | en resumen | enfim | 总之 | مختصر |
| bref (pas long) | short | breve | rápido | 简短的 | قصير |
| brûler | to burn | quemar | queimar | 烧，点燃 | حَرَقَ |
| bruyant | noisy | ruidoso | ruidoso | 大声的吵闹的 | صاخب |
| **C** | | | | | |
| cadre, *m.* | frame | marco | quadro | 框，框架 | إطار الصورة |
| camarade, *m.* ou *f.* | comrade | compañero | camarada | 同学，同事，同志 | زميل |
| carrière, *f.* | quarry / career | cantera | carreira | 生涯，职业 | مسيرة مهنية |
| carte bancaire, *f.* | bank card | tarjeta bancaria | cartão de multibanco | 金融卡，提款卡 | بطاقة بنكية |
| catalogue, *m.* | catalogue | catálogo | catálogo | 目录 | فهرس |
| centaine, *f.* | a hundred or so | centena | centena | 百个，百来个 | مئات |
| certain | certain | seguro | seguro | 肯定的，确实的 | متأكد |
| certitude, *f.* | certainty | certeza | certeza | 确信，确实 | يقين |
| charges, *f.* | expenses | gastos | encargos | 费用，开支 | تكاليف |

| français | anglais | espagnol | portugais | chinois | arabe |
|---|---|---|---|---|---|
| chaud | hot | caliente | quente | 热的，烫的，暖的 | نخاس |
| chef de projet, *m.* ou *f.* | project manager | jefe de proyecto | chefe de projecto | 项目经理 | عورشم سيئر |
| chemin, *m.* | way | camino | caminho | 道路 | قيرط |
| chéquier, *m.* | cheque book | chequera | caderneta de cheques | 支票簿 | كوكص رتفد |
| chômage, *m.* | unemployment | paro | fundo de desemprego | 失业，无工作 | ةلاطب |
| ci-joint | herewith | adjunto | anexado | 内附的 | هيط |
| circulation, *f.* | traffic | circulación | circulação | 交通 | رورم ةكرح |
| circuler | to drive | circular | circular | 循环，通行 | ىدج |
| ciseaux, *m. pl.* | scissors | tijeras | tesoura | 剪刀 | صقم |
| citer | to quote | citar | citar | 引用，引述 | رَكذ |
| cœur, *m.* | heart | corazón | coração | 心，心脏 | ّبلق |
| coin, *m.* | corner | rincón | canto | 角落，隅 | نكر |
| colère, *f.* | anger | cólera | ira | 愤怒，发怒 | ّبضغ |
| colline, *f.* | hill | colina | colina | 山丘 | ةلت |
| comme | since | como | como | 由于，因为 | نأل |
| commerçant, *m.* | trader | comerciante | comerciante | 商人 | رجات |
| commettre | to commit | cometer | cometer | 犯，干 | بكترا |
| commissaire, *m.* ou *f.* | commissioner | comisario | comissário | 特派员，专员，委员 | شتفم |
| commun | common | común | comum | 共有的，公众的 | كرتشم |
| compétence, *f.* | skill | competencia | competência | 能力，技能 | ةءافك |
| compétent | qualified | competente | competente | 有能力的 | ؤفك |
| complètement | completely | completamente | completamente | 完全地，全然地 | امامت |
| composter | to stamp | marcar | compor | 打印，穿孔 | ةركذت عطق |
| compte, *m.* | account | cuenta | conta | 帐户，户头 | باسح |
| compter | to count | contar | contar | 数，计算 | بسح |
| conclusion, *f.* | conclusion | conclusión | conclusão | 结论，达成 | ةصالخ |
| conduire | to drive | conducir | conduzir | 驾驶 | داق |
| conflit, *m.* | conflict | conflicto | conflito | 冲突，争端 | عارص |
| connaissance, *f.* | acquaintance / know-ledge | conocimiento / conocido | conhecimento | 认识，知识 | ةفرعم |
| consacrer | to dedicate | dedicar | consagrar | 把...用于 | صصخ |
| conséquence, *f.* | consequence | consecuencia | consequência | 后果，结果 | ةعبت |
| consommateur, *m.* | consumer | consumidor | consumidor | 消费者 | كلهتسم |
| consommation, *f.* | consumption | consumo | consumo | 食用，消费，饮料 | كالهتسا |
| consommer | to consume | consumir | consumir | 食用，消费 | كلهتسا |
| consulter | to look up | consultar | consultar | 查阅 | راز |
| contact, *m.* | contact | contacto | contacto | 联系，往来 | طباور |
| contacter | to contact | contactar | contactar | 联络，联系 | لصتا |
| contre | against | contra | contra | 反对 | دض |
| contrôleur, *m.* | inspector | revisor | controlador | 查票员 | بقارم |
| convivial | convivial | agradable | convidativo | 融洽的 | يدو |
| convivialité, *f.* | conviviality / user-friendliness | convivencia | convívio | 热闹融洽 | ّدو |
| cordialement | best regards | cordialmente | cordialmente | 真诚地 | قدصب |
| correspondre à | to correspond with | corresponder a | corresponder a | 与...相符 | عم قباطت |
| côté, *m.* | side | lado | lado | 侧，边，方面 | ّبناج |
| couple, *m.* | couple | pareja | casal | 一对夫妇，一对男女 | ّجوز |
| courrier, *m.* | correspondence | correo | correio | 邮件 | ديرب |
| coût, *m.* | cost | coste | custo | 费用，成本 | ةّدراطم |
| crainte, *f.* | fear | temor | receio | 害怕，畏惧 | ةيشخ |
| créatif | creative | creativo | criativo | 有创造能力的，有创造性的 | عدبم |
| créer | to create | crear | criar | 创作，建立 | ئشنأ |
| croissance, *f.* | growth | crecimiento | crescimento | 生长，成长 | ومن |
| croyance, *f.* | belief | creencia | crença | 相信，信仰 | داقتعا |
| **D** | | | | | |
| d'habitude | as usual | habitualmente | habitualmente | 通常，惯常 | ام ةداع |
| danger, *m.* | danger | peligro | perigo | 危险 | رطخ |
| dangereux | dangerous | peligroso | perigoso | 危险的，有害的 | ريطخ |
| de temps en temps | from time to time | de vez en cuando | de vez em quando | 不时地，经常 | رخآل تقو نم |
| déception, *f.* | disappointment | decepción | decepção | 失望 | لمأ ةبيخ |
| décision, *f.* | decision | decisión | decisão | 决定 | رارق |
| déclarer | to declare | declarar | declarar | 表示，声明 | حازأ |
| décoller | to take off | despegar | descolar | 揭下，起飞 | علقأ |
| décor, *m.* | décor | decoración | decoração | 装饰，装潢 | روكيد |
| déçu | disappointed | decepcionado | decepcionado | 失望的，落空的 | لمألا بئاخ |
| défiler | to march / to scroll | desfilar | desfilar | 游行 | عباتت |

| français | anglais | espagnol | portugais | chinois | arabe |
|---|---|---|---|---|---|
| déjà | already | ya | já | 已经 | فلاس |
| délai, *m.* | timeframe | plazo | prazo | 期限，时限 | ةلهم |
| déménagement, *m.* | removal | mudanza | mudança | 搬家，迁居 | ليحر |
| démissionner | to resign | dimitir | demissionar | 辞职 | لاقتسا |
| dépasser | to exceed | superar | ultrapassar | 高于，超出 | زواجت |
| dépenser | to spend | gastar | gastar | 消耗，花费 | قفنأ |
| depuis | since | desde | desde | 自…以来 | ذنم |
| déranger | to upset | molestar | desarrumar | 弄乱，打乱 | قياض |
| désapprobation, *f.* | disapproval | desaprobación | desaprovação | 反对，不赞成 | ٌضفر |
| détendu | relaxed | distendido | descontraído | 放松的，轻松的 | ئداه |
| détruire | to destroy | destruir | destruir | 破坏，摧毁 | رّمد |
| développement, *m.* | development | desarrollo | desenvolvimento | 成长，发展 | روطت |
| devis, *m.* | quote | presupuesto | orçamento | 预算表，估价单 | ةيريدقت راعسأ |
| diminuer | to decrease | disminuir | diminuir | 减少，减低 | صقنأ |
| discrétion | dicretion | discreción | discrição | 谨慎，低调 | متكت |
| disparaître | to disappear | desaparecer | desaparecer | 消失，死亡 | ىفتخا |
| disparu | missing | desaparecido | desaparecido | 死亡的人，失踪的人 | دوقفم |
| disponible | available | disponible | disponível | 可使用的，空闲的 | رفوتم |
| dossier, *m.* | file | dossier | dossier | 卷宗，档案 | فلم |
| doute, *m.* | doubt | duda | dúvida | 怀疑，疑问 | ّكش |
| durée, *f.* | duration | duración | duração | 期限，持续时间 | ةدم |

## E

| français | anglais | espagnol | portugais | chinois | arabe |
|---|---|---|---|---|---|
| échouer | to fail | fracasar | falhar | 失败，受挫 | قفخأ |
| économie, *f.* | economy | economía | economia | 经济 | داصتقا |
| écran, *m.* | screen | pantalla | ecrã | 屏幕 | ةشاش |
| éducation, *f.* | education | educación | educação | 教育 | ةيبرت |
| effectivement | actually | efectivamente | efectivamente | 的确，确实如此 | العف |
| effectuer | to carry out | efectuar | efectuar | 实行，执行 | ب ماق |
| effort, *m.* | effort | esfuerzo | esforço | 努力，尽力 | ٌدهج |
| élections, *f. pl.* | elections | elecciones | eleições | 选举 | تاباختنا |
| élevé | high | elevado | elevado | 高的 | عيفر |
| embaucher | to hire | contratar | contratar | 招募，雇用 | اصخش لّغش |
| emménager | to move into | mudarse | mudar de casa | 迁入新居 | انكسم لَغَش |
| empêcher | to prevent | impedir | impedir | 阻挡，妨碍 | عنم |
| emploi, *m.* | job | empleo | emprego | 工作 | لَمَع |
| employé, *n. m.* | employee | empleado | empregado | 雇员，职员 | فظوم |
| employeur, *m.* | employer | patrono | empregador | 雇主 | لمعلا بر |
| emprunter | to borrow | tomar prestado | pedir emprestado | 借，借用 | فلتسا |
| en avoir assez de | to have had enough of | estar harto | não suportar mais | 受够了…，厌烦了 | يفكي ام كلتما<br>نم |
| en avoir marre de | to be fed up with | estar harto | não aguentar mais | 受够了…，厌烦了 | مربص دفن |
| en effet | actually | en efecto | efectivamente | 的确，确实，果然 | لعفلاب |
| en ligne | online | en línea | on-line | 在线 | لصتم<br>تنرتنإلاب |
| encombrant | cumbersome | voluminoso | incómodo | 体积大的，笨重的 | محازم |
| énergie, *f.* | power | energía | energia | 能，能量 | ةقاط |
| engager | to hire | contratar | contratar | 招募，雇用 | اصخش لّغش |
| enlever | to remove | retirar | eliminar | 去处 | عزن |
| entraîner | to lead to | suponer | levar a | 招致，引起 | ىلإ ىدأ |
| entretenir | to maintain | mantener | manter | 保持 | ىلع ظفاح |
| environnement, *m.* | environment | entorno | ambiente | 环境 | ةئيب |
| envisager de | to intend | pretender | pensar em | 考虑，打算 | ىلع مزع |
| équipe, *f.* | team | equipo | equipa | 队 | قيرف |
| espoir, *m.* | hope | esperanza | esperança | 希望，期望 | لمأ |
| essence, *f.* | petrol | esencia | gasolina | 本质，要素，精华 | رهوج |
| essentiel | essential | esencial | essencial | 主要的，十分重要的 | يرهوج |
| estimer | to believe | estimar | estimar | 估价，评价，尊重 | رّدق |
| étonner | to astonish | sorprender | surpreender | 使震惊，使惊愕 | لهذأ |
| être égal | to be equal | ser igual | ser igual | 无关紧要的 | عم ىواست |
| événement, *m.* | event | evento | acontecimento | 事件，大事 | ثدح |
| évident | obvious | evidente | evidente | 明显的，显而易见的 | يهيدب |
| exagérer | to exaggerate | exagerar | exagerar | 夸大，夸张 | طرفأ |
| excuse, *f.* | excuse | excusa | desculpas | 辩白，借口，推托 | رذع |
| existence, *f.* | existence | existencia | existência | 存在，生存 | دوجو |
| exposer | to exhibit | exponer | expor | 陈列，展出，使暴露 | ضرعتسا |
| extérieur | outside | exterior | exterior | 外部的，外面的 | جراخ |
| extraordinaire | extraordinary | extraordinario | extraordinário | 特别的，非凡的 | يئانثتسا |

| français | anglais | espagnol | portugais | chinois | arabe |
|---|---|---|---|---|---|
| **F** | | | | | |
| fâcher | to annoy | enfadar | zangar | 使生气，使感到不快 | أغضب |
| faible | weak | débil | fraco | 虚弱的，脆弱的 | ضعيف |
| faire connaissance | to get to know | conocer | conhecer | 认识 | تعرف على |
| faire peur | to frighten | asustar | amedrontar | 使感到害怕 | أخافَ |
| familier | familiar | familiar | familiarizar | 随便的，习以为常的 | معتاد |
| fantastique | fantastic | fantástico | fantástico | 幻想的，奇异的 | عجيب |
| fatigue, *f.* | tiredness | cansancio | fadiga | 疲劳，劳累 | تعب |
| faute, *f.* | fault | falta | falta | 错误，过失 | غلطة |
| féliciter | to congratulate | felicitar | felicitar | 赞扬，庆贺 | هنّأ |
| feuilleter | to leaf through | hojear | folhear | 浏览，翻阅 | تصفح |
| fier | proud | orgulloso | orgulhoso | 骄傲的，自负的 | فخور |
| finalement | finally | finalmente | finalmente | 最终，终于 | أخيرا |
| fonctionner | to function | funcionar | funcionar | 发挥作用，运转 | اشتغل |
| fortune, *f.* | fortune | fortuna | fortuna | 财富 | ثروة |
| fou, *m.* | mad | loco | maluco | 疯子 | مخبول |
| franchir | to break | atravesar | passar | 越过，跨过 | تخطى |
| francophone | French-speaker | francófono | francófono | 法语的，说法语的 | فرنسي اللغة |
| fréquenté | busy | frecuentado | frequentada | 车水马龙的 | مرتاد |
| fréquenter (qqn) | to visit | frecuentar | frequentar | 经常与某人往来 | عاشر |
| frontière, *f.* | border | frontera | fronteira | 边界，国境 | حدود |
| fuir | to flee / leak | huir | fugir | 逃跑，逃走 | هرب |
| fuite, *f.* | leak | soplo | fuga | 泄漏，走漏 | تسرب المعلومات |
| furieux | furious | furioso | furioso | 狂怒的，盛怒的 | غاضب جدا |
| **G** | | | | | |
| gagnant | winner | ganador | vencedor | 优胜者，赢家 | ربّاح |
| géant | giant | gigante | gigante | 巨人 | عملاق |
| gêner | to bother | molestar | perturbar | 妨碍，束缚 | أزعج |
| genre | genre | género | género | 种类，样式 | نوع |
| glisser | to slip | deslizar | colocar | 塞进 | سرّب |
| grâce à | thanks to | gracias a | graças a | 多亏，全靠 | بفضل |
| grande surface, *f.* | supermarket | gran superficie | grande superfície | 大型超市 | محل كبير |
| grandeur | size | tamaño | grandeza | 大小，尺寸，伟大 | عظمة |
| gras | high-in-fat, fatty | graso | oleoso | 油腻的 | دَسِم |
| gratuit | free | gratuito | gratuito | 免费的 | مجاني |
| grave | serious | grave | grave | 严重的 | خطير |
| gros mot, *m.* | bad language | palabrota | palavrão | 粗话，骂人话 | لفظ ناب |
| guéri | cured | curado | curado | 痊愈的 | تعافى |
| **H** | | | | | |
| habits, *m. pl.* | clothes | prendas | roupas | 服装，衣服 | ملابس |
| hasard | chance | azar | azar | 风险，巧合 | صُدفة |
| hausse | increase | alza | subida | 上涨，涨价 | ارتفاع |
| hebdomadaire | weekly | semanal | semanal | 每周的，周刊 | أسبوعي |
| hésiter | to hesitate | dudar | hesitar | 踌躇，犹豫 | تردد |
| heureusement | fortunately | afortunadamente | felizmente | 幸运地，幸亏 | لحسن الحظ |
| humour, *m.* | humour | humor | humor | 幽默，滑稽 | فكاهة |
| **I** | | | | | |
| image, *f.* | picture | imagen | imagem | 影像，照片，形象 | صورة |
| imiter | to imitate | imitar | imitar | 模仿，模拟 | قلّد |
| inadmissible | inadmissible | inadmisible | inadmissível | 不许可的，不可接受的 | مرفوض |
| incendie, *m.* | fire | incendio | incêndio | 火灾 | حريق |
| indépendance, *f.* | independence | independencia | independência | 独立，自主 | استقلال |
| indifférence, *f.* | indifference | indiferencia | indiferença | 无动于衷，冷淡 | اللامبالاة |
| informatique | IT (information technology) | informática | informática | 计算机，信息学 | معلوماتية |
| informer | to inform | informar | informar | 通知，告知 | أخبر |
| inquiet | concerned | inquieto | inquieto | 担忧的，担心的 | قَلِق |
| insister | to insist | insistir | insistir | 强调，坚持 | ألح على |
| installation, *f.* | fitting | instalación | instalação | 装置 | تركيب |
| installer | to locate / to fit | instalar | instalar | 安装，放置 | ركّب |
| instant, *m.* | moment | instante | instante | 瞬间，顷刻 | لحظة |
| insupportable | unbearable | insoportable | insuportável | 难以忍受的 | لا يُحتَمَل |
| intégrer | to integrate | integrar | integrar | 融入，融合 | أدمج |
| intention, *f.* | intention | intención | intenção | 意图，意愿 | نية |
| intérimaire, *m.* ou *f.* | temporary worker | interino | temporário | 代理人员，临时人员 | منتدب |
| intervenir | to become involved | intervenir | intervir | 干预，干涉 | تدخّل |

| français | anglais | espagnol | portugais | chinois | arabe |
|---|---|---|---|---|---|
| **J** | | | | | |
| jeu de société, *m.* | board game | juego de sociedad | jogo de sociedade | 团体游戏 | لعبة تسلية جماعية |
| joie, *f.* | joy | alegría | felicidade | 喜悦，快乐 | فرحة |
| justement | exactly | justamente | justamente | 公正的，正确的，正好 | بالضبط |
| **L** | | | | | |
| laisser tranquille | to leave alone | dejar tranquilo | deixar tranquilo | 不管，别管 | ترك في حاله |
| lancer | to launch | lanzar | lançar | 开办 | أطلق |
| larme, *f.* | tear | lágrima | lágrima | 眼泪 | دمعة |
| législation, *f.* | legislation | legislación | legislação | 立法 | تشريع |
| lentement | slowly | lentamente | lentamente | 慢慢地 | ببطء |
| liberté, *f.* | freedom | libertad | liberdade | 自由 | حرية |
| librairie, *f.* | bookshop | librería | livraria | 书店 | مكتبة |
| licencier | to fire | despedir | licenciar | 辞退，解雇，遣散 | مسرّح |
| limité | limited | limitado | limitado | 有限的，限制的 | محدود |
| livrer | to deliver | entregar | entregar | 交付，交出 | سلّم |
| logiciel, *m.* | software | software | software | 软件 | برنامج حاسوبي |
| longtemps | for a long time | mucho tiempo | muito tempo | 长久地，长期地 | لوقت طويل |
| louer | to rent | alquilar | alugar | 承租，租赁 | أجّر |
| lourd | heavy | pesado | pesado | 沉重的，繁重的 | ثقيل |
| loyer, *m.* | rent | alquiler | alugar | 房租，租金 | رسم إيجار |
| **M** | | | | | |
| malgré | despite | a pesar de | apesar de | 虽然，尽管，不管 | رغم |
| malheureux | unfortunate | infeliz | infeliz | 不幸的，遗憾的，倒霉的 | تعيس |
| manifestation, *f.* | demonstration | manifestación | manifestação | 示威游行 | مظاهرة |
| manifester | to demonstrate | manifestar | manifestar | 游行，示威 | تظاهر |
| manquer | to miss (I miss you) | echar de menos | faltar | 想念 | اشتاق إلى |
| marque, *f.* | brand | marca | marca | 标记，记号 | علامة |
| Master, *m.* | Master's degree | Master | master | 硕士学位 | ماستر |
| méchant | wicked | malo | mau | 坏蛋，恶人 | شرير |
| médias, *m. pl.* | media | medios de comuni-cación | médias | 媒体 | وسائل الإعلام |
| médicament, *m.* | medicine | medicamento | medicamento | 药品，药剂 | دواء |
| meilleur | better | mejor | melhor | 较好的，优良的 | الأفضل |
| mémoire, *f.* | memory | memoria | memória | 回忆，记忆 | ذاكرة |
| ménage, *m.* | household | hogar | lar | 家庭 | أسرة |
| mener | to lead | hacer | levar | 进行，过着 | عاش |
| mériter | to deserve | merecer | merecer | 应得，值得 | استحق |
| mieux | better | mejor | melhor | 更好地，较好地 | أحسن |
| mignon | cute | mono | lindo | 可爱的，讨人喜欢的 | ظريف |
| monter | to set up | montar | montar | 筹划，成立 | أسّس |
| mort | dead | muerte | morto | 死亡，死者 | موت |
| mortel | mortal | mortal | mortal | 致命的，垂死的 | قاتل |
| motivé | motivated | motivado | motivado | 有干劲的，受到激励的 | محفّز |
| muscle, *m.* | muscle | músculo | músculo | 肌肉 | عضلة |
| **N** | | | | | |
| naïf | naïve | cándido | ingénuo | 天真的，幼稚的 | ساذج |
| niveau, *m.* | level | nivel | nível | 水平，等级 | مستوى |
| nommer | to name / appoint | nombrar | nomear | 提名，任命，命名 | نصّب |
| non plus | no longer | tampoco | também não | 也不 | كذلك (بعد النفي) |
| noter | to rate | calificar | notar | 评分 | دوّن الدرس |
| nourriture, *f.* | food | alimento | alimentação | 食物 | غذاء |
| **O** | | | | | |
| obliger | to force | obligar | obrigar | 使承担义务，强迫 | أجبر |
| occasion, *f.* | opportunity | ocasión | oportunidade | 机会，时机 | فرصة |
| officiel | official | oficial | oficial | 官方的，正式的 | رسمي |
| optimiste | optimistic | optimista | optimista | 乐观的，乐观主义者 | متفائل |
| organisme, *m.* | body | organismo | organismo | 组织，单位 | هيأة |
| **P** | | | | | |
| paraître | to be published | publicarse | aparecer | 出版，发表 | نُشِر |
| paraître | to appear | parecer | parecer | 似乎 | بدى |

| français | anglais | espagnol | portugais | chinois | arabe |
| --- | --- | --- | --- | --- | --- |
| parmi | among | entre | entre | 在…之中 | من بين |
| pendant | during | durante | durante | 在…期间 | أثناء |
| permis de conduire, *m.* | driving licence | carnet de conducir | carta de condução | 驾照 | رخصة قيادة |
| pessimiste | pessimistic | pesimista | pessimista | 悲观的，悲观主义者 | متشائم |
| pétrole, *m.* | oil | petróleo | petróleo | 石油 | بترول |
| peur, *f.* | fear | miedo | medo | 恐惧，害怕 | خوف |
| pique-nique, *m.* | picnic | merienda | piquenique | 野餐 | نزهة |
| plat, *m.* | dish | plato | prato | 一盘菜 | طَبَق |
| plein (*adj.*) | full | lleno | cheio | 满的，充满的 | ممتلئ |
| pleurer | to cry | llorar | chorar | 哭泣 | بكى |
| poids, *m.* | weight | peso | peso | 重量，份量 | وزن |
| point, *m.* | point | punto | ponto | 部分，要点 | عنصر |
| point de vue | point of view | punto de vista | ponto de vista | 观点 | وجهة نظر |
| population, *f.* | population | población | população | 人口，居民 | سكان |
| portefeuille, *m.* | wallet | cartera | carteira | 皮夹 | حافظة |
| porte-monnaie, *m.* | purse | monedero | porta-moedas | 小钱包，零钱包 | محفظة نقود |
| portrait, *m.* | portrait | retrato | retrato | 肖像 | صورة |
| poste, *m.* | position | puesto | posto | 职位 | منصب |
| pourtant | however | sin embargo | portanto | 然而，还 | بَيْدَ أنَّ |
| précédent | previous | precedente | anterior | 先前的 | سابق |
| presse, *f.* | press | prensa | imprensa | 报刊，新闻界 | صحافة |
| prêt | ready | listo | pronto | 准备好的 | مستعد |
| prêter | to lend | prestar | emprestar | 给予，出借 | أقرَضَ |
| prier (qqn de) | to ask | rogar | suplicar | 恳请，请求，要求 | ترجّى |
| probablement | probably | probablemente | provavelmente | 可能，大概，或许 | على الأرجح |
| production, *f.* | production | producción | produção | 制造，生产 | إنتاج |
| profiter de | to take advantage of / profit from | aprovechar | aproveitar de | 利用，自…得益 | استفاد من |
| projet, *m.* | project | proyecto | projecto | 计划，项目，方案 | مشروع |
| proposition, *f.* | proposal | propuesta | proposta | 提议 | اقتراح |
| protester | to protest | protestar | protestar | 抗议，反对 | اعترض على |
| provoquer | to cause | provocar | provocar | 怂恿，煽动，挑衅 | استفز |
| prudent | careful | prudente | prudente | 谨慎，小心 | حَذِر |
| publier | to publish | publicar | publicar | 出版，发表 | نَشَر |
| public | public | público | público | 公众，对象 | عمومي |
| puissance, *f.* | power | potencia | potência | 权力，威力，功率 | قوة |

## Q

| français | anglais | espagnol | portugais | chinois | arabe |
| --- | --- | --- | --- | --- | --- |
| quartier | district | barrio | bairro | 城市中的区 | حارة |
| quelquefois | sometimes | a veces | por vezes | 有时 | أحيانا |
| quittance, *f.* | receipt | recibo | recibo | 收据 | إيصال |
| quotidien | daily | diario | diário | 每日的，日报 | يومي |

## R

| français | anglais | espagnol | portugais | chinois | arabe |
| --- | --- | --- | --- | --- | --- |
| raconter | to tell | contar | contar | 叙述，告诉 | حكى |
| ranger | to tidy up | ordenar | arrumar | 整理，安排 | رتّب |
| rassurer | to reassure | tranquilizar | tranquilizar | 使安心，使放心 | طمأن |
| rater | to fail | suspender | falhar | 失败，受挫 | رَسَب |
| ravi | delighted | encantado | extasiado | 高兴的，愉快的 | مسرور |
| réagir | to react | reaccionar | reagir | 起反应，抵抗 | تفاعل |
| réaliser | to achieve | realizar | realizar | 实施，实现 | أنجز |
| rechercher | to research | investigar | procurar | 追求，仔细寻找 | بحث عن |
| recruter | to recruit | contratar | recrutar | 招募，雇用 | وظّف |
| reculer | to go back | retroceder | recuar | 退，退后 | تراجَع |
| rédiger | to edit | redactar | redigir | 撰写，编写 | كَتَب |
| réduire | to reduce | reducir | reduzir | 减少 | قلّص |
| réflexion, *f.* | thought | reflexión | reflexão | 思考，感想 | تفكير |
| refus | refusal | rechazo | recusa | 拒绝 | رفض |
| régime, *m.* | diet | régimen | regime | 饮食习惯 | حمية غذائية |
| relation, *f.* | relationship | relación | relação | 关系 | علاقة |
| rembourser | to reimburse | reembolsar | reembolsar | 偿还 | سدّد |
| remplacer | to replace | sustituir | substituir | 代替，取代 | استبدل |
| rendre | to yield / make etc. | devolver | tornar | 归还 | أرجَع |
| reportage, *m.* | report / commentary | reportaje | reportagem | 报导，采访 | تحقيق صحفي |
| repos, *m.* | rest | descanso | repouso | 休息，静止 | راحة |
| responsable | responsible | responsable | responsável | 有责任的 | مسؤول |
| retirer (qqch) | to withdraw | retirar | levantar | 领取，取回 | استلم |

| français | anglais | espagnol | portugais | chinois | arabe |
|---|---|---|---|---|---|
| retourner | to return | volver | virar | 翻转，倒转 | رجع |
| réussite, *f.* | success | triunfo | sucesso | 成功，成就 | نجاح |
| risque, *m.* | risk | riesgo | risco | 风险，危险 | خطر |
| rubrique, *f.* | heading | sección | rubrica | 专栏，标题 | قسم |
| rumeur, v | rumour | rumor | rumor, v | 流言，谣言，嘈杂声 | إشاعة |
| **S** | | | | | |
| s'associer | to be associated with | asociarse | associar-se | 参加，参与，与…相配 | اشترك مع |
| s'inquiéter | to be concerned | inquietarse | preocupar-se | 担心，忧虑 | انتابه القلق |
| s'inscrire | to join | inscribirse | inscrever-se | 报名参加，注册 | سجّل نفسه |
| s'installer | to settle in (restaurant, etc.) | instalarse | instalar-se | 安家，定居，坐定 | استقر ب |
| satisfait | satisfied | satisfecho | satisfeito | 感到满意的 | راضٍ |
| sauvage | wild | salvaje | selvagem | 野生的，野蛮的 | متوحش |
| scotch, *m.* | sellotape | celo | cola fita | 胶带 | شريط لاصق |
| se baisser | to bend down | bajarse | baixar-se | 俯身，弯腰 | انخفض |
| se joindre à | to join | unirse a | juntar-se a | 参加，加入 | انضم إلى |
| se moquer de | to make fun of | burlarse de | troçar de | 嘲笑，不在乎 | استهزأ ب |
| se pencher | to bend over | inclinarse | inclinar-se | 俯身，关心 | انحنى |
| se plaindre | to complain | quejarse | queixar-se | 抱怨 | اشتكى |
| se reposer | to rest | descansar | descansar | 休息 | ارتاح |
| se réunir | to meet | reunirse | reunir | 聚集，集合 | اجتمع |
| se souvenir | to remember | recordar | lembrar-se | 想起，记得，忆及 | تذكر |
| secteur, *m.* | sector | sector | sector | 领域 | قطاع |
| sécurité | security | seguridad | segurança | 安全 | أمن |
| s'éloigner | to go away | alejarse | afastar-se | 离开，远离 | ابتعد |
| selon | according to | según | segundo | 根据，按照 | وفق |
| sentir | to feel | sentir | sentir | 感觉，感受 | شعر ب |
| servir à (ça sert à) | to be used for | servir para | servir para | 用于 | يفيد |
| signe, *m.* | sign | signo | sinal | 迹象，征兆 | إشارة |
| silence, *m.* | silence | silencio | silêncio | 寂静，沉默 | صمت |
| sinon | if not / otherwise | sino | caso contrário | 否则，别的 | وإلا |
| site, *m.* | site | página web | site | 因特网 | موقع إلكتروني |
| société, *f.* | society | sociedad | sociedade | 社会 | مجتمع |
| souci, *m.* | concern / worry | preocupación | preocupação | 忧虑，操心，烦恼 | همّ |
| souffle, *m.* | breath | aliento | fole | 喘气，气息，呼吸 | نفخة |
| souffrir | to suffer | sufrir | sofrer | 忍受，受苦 | تعذّب |
| souligner | to emphasise | destacar | sublinhar | 强调 | شدّد على |
| sourire, *m.* | smile | sonreír | sorriso | 微笑 | ابتسم |
| stage, *m.* | training period | prácticas | estágio | 实习，培训 | تربّص |
| suffire | to be enough | bastar | bastar | 满足，足够 | كفى |
| supprimer | to delete / remove | eliminar | eliminar | 废除，取消，消除，删除 | أزال |
| **T** | | | | | |
| tempête, *f.* | storm | tempestad | tempestade | 风暴，暴风雨 | عاصفة |
| tenter de | to try to | intentar | tentar | 试图，企图 | حاول |
| titre, *m.* | title | titular | título | 标题 | عنوان |
| toile, *f.* | screen | red | tela | 因特网 | شبكة |
| toit, *m.* | roof | techo | tecto | 屋顶 | سقف |
| tolérer | to tolerate | tolerar | tolerar | 容许，忍受 | تسامح مع |
| tort | wrong (to be) | la culpa | sem-razão | 过错 | أخطأ |
| tout à coup | suddenly | de repente | de repente | 突然地 | فجأة |
| tradition, *f.* | custom / tradition | tradición | tradição | 传统 | تقليد |
| transport, *m.* | transport(ation) | transporte | transporte | 运送，运输 | نقل |
| travailleur | worker | trabajador | trabalhador | 工人，工作者 | عامل |
| travaux, *m. pl.* | work | trabajos | trabalhos | 工程 | أعمال |
| tristesse, *f.* | sadness | tristeza | tristeza | 忧愁，悲伤 | حزن |
| tuer | to kill | matar | matar | 杀死，弄死 | قتل |
| **V** | | | | | |
| valeur, *f.* | value | valor | valor | 证券，股票 | قيمة |
| valider | to validate | validar | validar | 使有效，使生效 | أثبت |
| valise, *f.* | suitcase | maleta | mala | 行李，手提箱 | حقيبة |
| valoir | it is better to ... | valer | valer | 最好，宁可 | غلب على |
| victime, *f.* | victim | víctima | vítima | 遇难者，伤亡者，牺牲品 | ضحية |
| vivant | alive | vivo | vivo | 活的，有生命的 | حي |
| vœu, *m.* | wish | voto | voto | 心愿，祝福 | أمنية |
| voilà | here is / this is | aquí está | eis | 是，看，这就是 | ذا |

# Transcriptions CD

## Unité 0

**Activité 2, p. 14**

Le mot de la semaine, très certainement, c'est « francophonie ». Et le mot n'est pas simple parce qu'il a deux significations. D'abord, il peut désigner l'ensemble des gens qui parlent français partout dans le monde, quel que soit leur pays. C'est le premier sens. On le comprend bien : « franco », ça évoque le français. « Phonie », ça vient du mot grec *phonè* qui veut dire « voix ». « Francophonie », mot à mot, c'est la « voix française », le fait d'utiliser sa voix en français, donc de parler français. C'est le premier sens. Mais il y en a un autre. Lorsqu'on met un F majuscule au mot « francophonie ». Là, on veut dire les institutions qui représentent la francophonie. C'est, par exemple, l'Organisation internationale de la Francophonie.

**Activité 2, p. 16**

*De plus en plus de jeunes étrangers apprennent la langue française. Qu'est-ce qui les motive et quels sont leurs projets ?*
– Bonjour, je m'appelle Sok Dara. Je viens du Cambodge et j'apprends le français depuis 2 ans. Mon grand-père m'a toujours parlé du Canada. Il est arrivé dans ce pays quand il était petit. Il m'a invité à le rejoindre. Bientôt, je vais partir à Montréal pour continuer à étudier le français.
– Je m'appelle Oxana Tornea et je viens de Roumanie. Mon père est roumain mais ma mère est belge. À la maison, j'ai toujours parlé français avec ma mère. Puis, j'ai étudié le français au lycée. Mon projet ? Travailler à Bruxelles, à la commission européenne. Je vais faire un stage cet été pour commencer.
– Moi, c'est Rodrigo, je suis mexicain. Petit, je voulais être acteur et partir vivre à Paris. Mes parents m'ont inscrit au lycée franco-mexicain à Mexico. C'est là que j'ai appris le français. J'adore cette langue. J'aime la parler, l'écouter, la vivre. Je vais bientôt commencer mes études de théâtre à Paris.

**Activité 2, p. 18**

*Bienvenue dans « Un jour, une expression », l'émission culturelle qui explore les expressions imagées du français.*
*Aujourd'hui, trois nouvelles expressions à découvrir.*
Au Québec, « parler à travers son chapeau » signifie « parler pour ne rien dire ». Cette expression vient de l'anglais. En France, on utilise l'expression : « parler à tort et à travers », c'est-à-dire parler sans vraiment réfléchir.
En Belgique, on dit « être bleu de quelqu'un », ce qui veut dire qu'on est amoureux de quelqu'un ou qu'on est passionné de quelque chose. En France, on dirait plutôt « être fou de quelqu'un ». Savez-vous qu'en Afrique, il existe des arbres à palabres, sous lesquels on s'installe, dans les villages, pour discuter des questions importantes ? Pas étonnant, alors, que le verbe « palabrer » signifie « parler longuement » !

**Activité 2, p. 20** 

– Alors, tu vas t'inscrire ?
– À quoi ?
– Ben, aux prochains jeux de la Francophonie.
– Tu veux dire, ceux de 2017 à Abidjan ?
– Oui.
– T'es fou, je ne peux pas. Je ne suis pas comme toi. Toi, tu peux te présenter dans plusieurs disciplines : en basket-ball ou même en judo.
– Tu rigoles ! Je suis nul ! Je ne suis même pas capable de jongler avec trois balles ! Et puis, côté basket, il faut que je m'entraîne.
– Ben alors, inscris-toi en hip-hop ! Je t'ai vu l'autre jour : tu sais super bien danser ! Tu n'es pas très rapide, mais t'as vraiment le rythme dans la peau. Je suis jaloux.
– Moi aussi, je suis un peu jaloux ! J'aimerais bien être aussi rapide que toi. Je te rappelle que tu es arrivé troisième à la dernière compétition régionale handisport.
– Si tu veux, on s'inscrit tous les deux ?

## Unité 1

**Activités 2, 3 et 4, p. 24** 

**Situation 1**
M. Breton. – Excusez-moi, connaissez-vous le code de la porte d'entrée de l'immeuble ?
M. Ferrand. – Mais qui êtes-vous ? Le code est réservé aux habitants de l'immeuble ! Je ne peux pas vous le donner, je ne vous ai jamais vu !
M. Breton. – Pardon, je me présente : je suis M. Breton, votre nouveau voisin, j'habite au rez-de-chaussée avec ma famille. Je suis le nouveau boulanger du quartier. Nous sommes arrivés hier.
M. Ferrand. – Ah pardon, dans ce cas c'est différent ! Je suis M. Ferrand. Bienvenue dans l'immeuble !... Je vous offre un café ?
M. Breton. – Oui avec plaisir !

**Situation 2**
Catherine. – Bonjour, excusez-moi, vous savez s'il y a des cours de natation pour les enfants le samedi matin ?
Élise. – Oui, de 9 h à 10 h, tous les samedis matin. Je viens avec mes enfants de temps en temps. C'est la première fois que vous venez au cours d'aquagym ?
Catherine. – Oui, tout à fait. Je m'appelle Catherine.
Élise. – Moi, c'est Élise. Enchantée ! Vous êtes nouvelle dans le quartier, non ?
Catherine. – Oui, nous sommes arrivés il y a trois semaines avec mon mari et mes trois filles.
Élise. – Attendez... vous ne seriez pas notre nouvelle factrice ?
Catherine. – Oui, c'est moi ! j'ai commencé hier !

**Situation 3**
Mme Chauvel. – C'est qui ?
Catherine. – C'est la factrice ! J'ai un colis pour vous !... Vous êtes bien madame Chauvel ?
Mme Chauvel. – Ben oui, c'est écrit sur la porte ! Tout le monde me connaît dans le quartier. Allez ! Entrez... J'ai rarement de la visite.
Catherine. – Merci. Tenez, votre colis.
Mme Chauvel. – Vous savez, je connais bien le quartier, on me demande souvent comment c'était avant. J'étais la boulangère autrefois. Et puis, un jour, j'ai tout vendu. Venez vous asseoir, je vais vous raconter...

**Activité 3 c, p. 24**

**1.** aux habitants – **2.** Je ne vous ai jamais vu. – **3.** les enfants – **4.** de temps en temps – **5.** tout à fait – **6.** Vous êtes nouvelle. – **7.** mes filles et mon mari

**Activités 4, 6 et 7, p. 27**

– Lorsque j'ai rencontré Serena, j'étais étudiante. Elle portait un sac énorme et des chaussures à talons très hauts. Elle avait les cheveux roux et elle était très grande. Elle avait un look incroyable ! À la cafétéria, elle buvait toujours un jus de tomate ! Elle était drôle et extravagante, et en même temps très généreuse. C'était facile de devenir son amie.
– J'ai connu Claudia au cours de danse classique : c'était quelqu'un de souriant et très gentil. Elle avait de longs cheveux bruns. Elle portait souvent des collants et une jupe noire. Elle ressemblait déjà à une danseuse. Elle oubliait toujours quelque chose : elle était très étourdie ! Alors elle notait sur un carnet tout ce qu'elle devait faire.
– J'ai rencontré Julien à l'école, il portait des lunettes rouges. Il était timide et très fort en maths. Il était jaloux car je le battais toujours en sport ! Il me faisait penser à Clotaire dans le livre *Le Petit Nicolas*. Le midi, il lisait parfois un livre, enfin, il essayait, parce que je venais souvent l'embêter !

**Activité 7 b, p. 27** 

**1.** grande – **2.** extravagante – **3.** généreuse – **4.** étourdie – **5.** timide – **6.** fort – **7.** jaloux

**Activité 2, p. 28** 

**a.** extravagante – extravagante
**b.** sportif – sportive
**c.** jaloux – jalouse
**d.** souriant – souriant

### Activité 3, p. 28 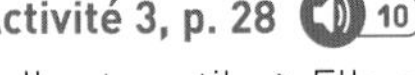

**a.** Il est gentil. → Elle est gentille.
**b.** Il est créatif. → Elle est créative.
**c.** Il est intelligent. → Elle est intelligente.
**d.** Il est courageux. → Elle est courageuse.

### Activité 1, p. 30 (11)

Modérateur. – Bonjour à tous. Aujourd'hui, dans notre groupe de parole « les émotifs anonymes », nous accueillons deux nouvelles : Caroline et Sophie. Soyez les bienvenues, mesdames !
Caroline et Sophie. – Merci...
Modérateur. – Caroline, voulez-vous vous présenter, nous parler de vous ?
Caroline. – Oui... alors, je... je suis Caroline...
Modérateur. – Oui... continuez.
Caroline. – Je suis hyperémotive.
Modérateur. – D'accord... comme nous tous ici... Racontez-nous vos difficultés quotidiennes.
Caroline. – Hé bien, je suis très timide, j'ai du mal à parler aux autres. Je... je n'arrive pas à aller vers les gens. Je préfère éviter ces situations.
Modérateur. – Hum, merci Caroline. Et vous Sophie ?
Sophie. – Moi c'est pareil : impossible de parler en public...
Modérateur. – C'est-à-dire ?
Sophie. – S'il y a plus de deux personnes, c'est difficile de prendre la parole.
Modérateur. – Merci Sophie. Alors comment faites-vous chaque jour mesdames ?
Caroline. – Pour moi, c'est plus naturel d'écouter... alors j'écoute.
Sophie. – Pour moi aussi, c'est difficile d'engager la conversation. Je laisse toujours parler mon amie en premier.
Modérateur. – Aujourd'hui, c'est nous qui vous écoutons, continuez...

### Activité 2, p. 31 (12)

Benoît Poelvoorde est un comédien belge. Physiquement, il est plutôt grand et il a les cheveux châtain clair. Dans la vie, il est passionné de photographie. C'est quelqu'un de généreux et sympathique, et qui sourit souvent.

## Unité 2

### Activités 2, 3 et 5, p. 42 

Bonjour à tous et bienvenus dans votre émission « Vivre en société ». Aujourd'hui, nous allons parler des réseaux. Un cercle de relations, ça sert à quoi ?
Nos relations ne sont pas là seulement pour partager un repas ou travailler sur un projet. Elles sont utiles. Est-ce que vous refusez d'aider quelqu'un que vous connaissez ? Imaginez : un ami a besoin du numéro de votre baby-sitter ? Vous l'aidez, bien sûr. Alors, vos groupes, vous les connaissez ?
D'abord, il y a votre famille : c'est votre premier réseau, ils vous connaissent bien. Expliquez-leur ce que vous savez faire. Si vous donnez votre CV, ils le transmettront à d'autres personnes, avec des commentaires positifs sur vous. Ensuite, il y a vos amis : ils veulent votre bonheur. Parlez de vos difficultés : vous avez un problème de couple ? vous cherchez un logement ? S'ils connaissent une solution, ils la partageront avec vous, c'est sûr ! Il y a aussi vos anciens collègues ou amis d'études. Vous les avez peut-être perdus de vue, mais n'hésitez pas à reprendre contact. Ils peuvent vous mettre en relation avec un possible client, ou vous donner des conseils professionnels. Enfin, il y a aussi votre équipe de foot, votre boulangère... Chaque personne de votre réseau peut vous aider, vous faire entrer en relation avec une connaissance dans son propre réseau.

### Activité 3 b, p. 42 (14)

**1.** bienvenue – **2.** un problème de couple – **3.** votre équipe de foot – **4.** votre boulangère

### Activités 4, 5 et 7, p. 45 (15)

– Bonjour à tous. Il y a 20 ans, Claude Melin a créé notre belle école du design de Nantes. Pour cet anniversaire, nous avons invité d'anciens étudiants pour connaître leur parcours. Je passe tout de suite la parole à Céline...
– Bonjour à tous, je m'appelle Céline Bodin. J'ai obtenu mon master de design en juin 2005. Mon premier emploi était dans le domaine de l'ameublement. J'ai travaillé pendant deux ans et demi pour une entreprise de meubles. C'était une bonne expérience. Et puis, il y a quatre ans, j'ai rencontré Jennifer Carli à une soirée d'anciens étudiants. Elle travaille pour une grande marque de jouets. J'ai suivi ses conseils, j'ai envoyé mon CV et ma lettre de candidature à son chef. Très vite, j'ai rencontré le directeur, qui m'a embauchée. Depuis quatre ans, je suis designer junior dans cette entreprise. Dans trois mois, je vais devenir responsable de l'équipe des jouets en bois. J'ai bien compris l'importance du réseau des anciens étudiants. Je suis inscrite sur le site de l'école depuis 2007. Si vous avez des questions, écrivez-moi, je peux peut-être vous aider.

### Activité 5 c, p. 45 

**1.** Claude Melin a créé – **2.** Nous avons invité – **3.** J'ai obtenu – **4.** J'ai envoyé

### Activité 2, p. 46 

**a.** J'étais étudiant. – J'ai été étudiant.
**b.** Tu étais un copain. – Tu as été un copain.
**c.** On était étudiants. – On a été étudiants.
**d.** Elle était designer. – Elle a été designer.

### Activité 1, p. 48 

Bonjour, je suis Nicolas Pottiez, chargé des relations internationales à l'université de Lille I. Donc j'ai un parcours académique assez particulier puisque j'ai commencé par une école d'ingénieurs en mécanique et automatisme industriel. Et bon, c'est... je me suis rendu compte que c'était pas forcément la voie qui m'intéressait réellement. Et donc du coup, j'ai décidé d'aller étudier à l'université. Donc j'ai été étudiant à l'université de Lille III et de Lille I pour suivre un parcours en sciences humaines et sociales, plus particulièrement un master en ethnologie. Et lors de mes études, j'ai eu la possibilité de partir à l'étranger, de vivre une année en Inde. C'était une expérience culturelle vraiment enrichissante, j'ai appris plein de choses, ça m'a vraiment marqué, tant sur le plan personnel que professionnel. Et d'ailleurs si aujourd'hui, je suis chargé des relations internationales, c'est aussi pour permettre aux étudiants de vivre une expérience similaire à celle que j'ai vécue.

## Unité 3

### Activités 2, 3 et 4, p. 60 

*Pour fêter ses 40 ans, la fédération « Informations-jeunesse Wallonie-Bruxelles » a eu une idée originale : elle a créé une cabine type photomaton appelée « l'infomaton ». Après être restée une journée à la gare de Namur, la cabine a voyagé dans différents espaces publics fréquentés par les jeunes. Objectif : inviter les jeunes à répondre, face à la caméra, à quelques questions pour comprendre comment ils s'informent.*
Assma. – Moi, c'est Assma. J'ai 18 ans. Alors, ben, quand je cherche des informations pour mes études par exemple, je vais le plus souvent sur Internet. Je fais une recherche par mot-clé. J'utilise souvent Wikipédia parce que c'est facile d'accès et on y trouve tout.
Cédric. – Je m'appelle Cédric. Moi, j'aime bien suivre l'actualité tous les jours. Je regarde le journal télévisé sur mon smartphone. C'est pratique. Je peux le voir quand je veux, où je veux.
Antoine. – Ben moi, je m'appelle Antoine, j'ai 21 ans et je suis abonné au « Monde ». Je reçois le « journal électronique » mais je ne reçois pas le journal « papier ». Je lis toujours la « une » avec les gros titres. Cela me suffit pour connaître l'info.
Océane. – Océane, bonjour. J'adore écouter la radio le matin dans le train. Euh, sinon, je n'aime pas trop lire les journaux, les articles sont trop longs. J'adore feuilleter

des magazines. Et puis, je suis abonnée à Twitter. Pour moi, c'est bien parce que les messages sont courts.

**Activité 4 b p. 60** 22

**1.** alors – **2.** informations – **3.** souvent – **4.** mot-clé – **5.** tous les jours – **6.** Je suis abonné – **7.** les gros titres – **8.** le journal – **9.** l'info – **10.** J'adore

**Activités 7 et 8, p. 61** 23

Pas le temps de regarder le journal télévisé ou de lire votre journal ? Ne vous inquiétez pas !
Vous pouvez maintenant connaître l'actualité en un coup d'œil grâce au site internet « Le mur de la presse », qui regroupe les gros titres de journaux et de magazines. Au menu : dix rubriques dont La Une, Monde, Économie, Politique, Sciences et aussi, la possibilité de laisser quelques commentaires.
Quelques minutes seulement pour savoir que le chômage baisse encore en Espagne alors qu'en France, le prix des carburants augmente. En politique, le gros titre à la une ce matin : Hollande change à nouveau d'image ! Côté environnement, c'est la catastrophe à Paris : la Seine se remplit d'eaux usées. Une bonne nouvelle heureusement : après trois ans de discussions, Bruxelles s'engage enfin sur une politique commune pour l'avenir de la pêche. En tennis, Federer rattrape son retard. Et côté culture, on apprend que de nouvelles sculptures sont arrivées au musée du Louvre à Lens. Voilà comment connaître l'actualité en ligne le temps d'un café !

**Activités 6 et 7, p. 63** 24

« Un jour, un métier. » Le podcast du jour : « Hyppolite se raconte ».
On me demande souvent si j'aime mon métier, pourquoi je le fais et si je reçois beaucoup de messages. Je réponds que j'adore mon métier et ça, depuis longtemps. Au début, je voulais être poissonnier comme mon père et puis, un jour, j'ai assisté à une criée. C'était nouveau pour moi. J'ai trouvé cela amusant. J'ai eu envie de transmettre les messages des gens qui sont timides, amoureux ou en colère. Dans les boîtes aux lettres, il y a toujours beaucoup de messages. Mon père dit que je dois changer de métier. Je lui réponds que je suis utile. Et être utile, tout le monde sait que c'est important.

**Activité 6 e, p. 63** 25

**1.** depuis longtemps – **2.** au début – **3.** et puis – **4.** Je lui réponds – **5.** Je suis utile

**Activité 2, p. 64** 26

**a.** beau – **b.** doux – **c.** fort – **d.** sot

**Activité 2, p. 64** 27

**a.** lu – lui
**b.** nuit – nuit
**c.** fut – fuit
**d.** su – su

**Activité 3, p. 64** 27

**a.** Il parle à Pierre depuis longtemps. → Il lui parle depuis longtemps.
**b.** Il a répondu à Marie depuis longtemps. → Il lui a répondu depuis longtemps.

**Activité 1, p. 66** 28

*Ce mercredi 12 janvier, le Journal des Auditeurs s'intéresse aux étudiants africains qui suivent leurs études supérieures à l'étranger et notamment en France. Chers auditeurs, que pensez-vous de cette idée ?*
– Moi, je pense que c'est bien pour les étudiants. Ils ont la chance de découvrir un autre continent et ils peuvent obtenir un diplôme reconnu.
– Je crois que ce n'est pas une bonne idée. Je trouve que les étudiants rencontrent trop de difficultés quand ils arrivent en France.
– À mon avis, les étudiants doivent se préparer au départ. Souvent, ils partent parce qu'ils ont de belles images de la France, mais la réalité est différente.

## Unité 4

**Activités 2, 3 et 4, p. 78** 30

Bienvenue dans notre émission « Un livre, un soir ».
Pour cette rentrée littéraire 2013, nous accueillons Amélie Nothomb qui vient nous présenter son 22e roman, *La Nostalgie heureuse*. Ce livre retrace le plus récent voyage de la romancière au Japon en 2012, pour la réalisation d'un documentaire vidéo intitulé « Une vie entre deux eaux ».
Le documentaire porte sur la relation d'amour-passion qu'entretient Amélie Nothomb avec le Japon où elle a passé sa petite enfance. Mais le livre va plus loin que la caméra puisqu'il évoque, entre autres, les retrouvailles avec son premier amoureux, surnommé « Rin-ri » et ses souvenirs les plus tendres avec sa nounou, « Nishio-San ». De même, la visite de Fukushima – on se souvient tous du terrible Tsunami en mars 2011 – est beaucoup plus forte dans le livre. Il y a des moments sombres et mélancoliques, mais aussi des passages amusants et lumineux dans *La Nostalgie heureuse*.
D'ailleurs, d'où vient ce titre ? C'est en fait la traduction du mot « natsukashii », qui désigne de beaux souvenirs qu'on a plaisir à évoquer.
Un récit plus intime et moins superficiel que le documentaire... très certainement le meilleur récit d'Amélie Nothomb sur le Japon jusqu'à maintenant.
Alors, Amélie Nothomb, vous...

**Activité 3 e, p. 78** 31

**1.** bienvenue – **2.** heureuse – **3.** entre deux eaux – **4.** amoureux – **5.** lumineux – **6.** plus intime – **7.** le meilleur récit

**Activités 4 et 5, p. 81** 32

VENDEUSE. – Bonjour mademoiselle, je peux vous aider ?
CLIENTE. – Oui. En fait, je cherche une lampe de chevet pour l'anniversaire de ma mère... mais je ne vois rien...
VENDEUSE. – Hum... que pensez-vous de celle-ci, juste devant vous ? Elle date des années 1920.
CLIENTE. – Oui, elle est très belle ! Ah, elle est un peu lourde... c'est peut-être parce qu'elle est en métal ! Et puis, elle est un peu chère !
VENDEUSE. – Et celle-là ? Là-bas, près de l'entrée. La grande.
CLIENTE. – Laquelle ? La blanche ?
VENDEUSE. – Oui, la grande lampe avec l'abat-jour en tissu.
CLIENTE. – Elle est très jolie. J'aime beaucoup le pied en bois mais je préférerais un abat-jour de couleur.
VENDEUSE. – Hum, il y a bien celui-ci qui est un peu dans le style des années 1960.
CLIENTE. – Lequel ? Je ne le vois pas.
VENDEUSE. – Ici, juste derrière vous.
CLIENTE. – Ha, non ! Ma mère n'aime pas les rayures...
VENDEUSE. – Et celui-là ? Là-bas, près de la caisse. L'abat-jour en tissu orange.
CLIENTE. – Pourquoi pas. Je peux le voir de plus près ?
VENDEUSE. – Bien sûr.

**Activité 4 d, p. 81** 33

**1.** Je cherche – **2.** l'anniversaire – **3.** des années – **4.** un peu chère – **5.** l'entrée – **6.** celle-là – **7.** laquelle – **8.** lequel

**Activité 2, p. 82** 34

**a.** deux – **b.** – fut – **c.** sœur – **d.** deux œufs

**Activité 2, p. 82** 35

**a.** ni – nez
**b.** nez – nerf
**c.** premier – première
**d.** dis – des

**Activité 1, p. 84** 36

– Ce matin, Pierre Nozières nous emmène dans les pages de son livre.
Bonjour Pierre.
– Bonjour Brigitte, heureux de vous retrouver !
– Mais oui ça fait plaisir de vous entendre avec ce livre qui est là près de moi. Vous nous en aviez parlé quand vous étiez venu pendant une heure dans « Le jour tout

neuf » donc. Alors vous avez écrit un livre, un manuel à l'attention des personnes qui souhaitent écrire pour témoigner. Il est donc possible, avec votre manuel, de se lancer dans l'écriture de sa vie. Finalement, les personnes qui veulent écrire pour témoigner, elles veulent témoigner de quoi ?
– L'essentiel de la demande est effectivement d'écrire ses Mémoires. En fait, de raconter sa vie...

## Unité 5

### Activités 2, 3 et 4, p. 96 

*Porte d'embarquement, votre magazine des vies sur tous les continents, présenté par Norbert Mandjou.*
Études, travail, rêve d'une vie meilleure... Pourquoi passer les frontières et partir vivre à l'étranger ? Plus de 2,2 millions de Français ont fait le choix de s'installer ailleurs.
Prendre un billet d'avion aller simple pour l'inconnu, ce n'est pas comme partir en vacances. Les raisons de s'expatrier sont variées. Vous avez répondu nombreux à notre appel à témoignages sur notre site www.couleurfrance.net. Nous allons écouter trois auditeurs dont les motivations sont très différentes.
Pour commencer, Amélie Pivot est partie après le bac pour découvrir le monde avant ses études. Elle a posé ses valises en Nouvelle-Zélande, où elle a trouvé un emploi grâce à son visa Vacances-Travail. Ensuite, Jeanine N'Diop nous raconte sa vie dans le pays dont elle rêvait, le Maroc. Elle s'est envolée là-bas le jour où elle a pris sa retraite. Il y a aussi Cassandre et Nicolas Bauteil, ils avaient un travail dont ils n'étaient pas satisfaits, alors ils ont tout lâché pour partir en Inde où ils gagnent leur vie en vendant des crêpes bretonnes. Alors, peut-on changer de vie en choisissant un nouveau continent ? Écoutez, et laissez vos commentaires sur notre site.

### Activité 4 b, p. 96 

**1.** embarquement – **2.** à l'étranger – **3.** dont elle rêvait – **4.** Ils ont tout lâché. – **5.** en vendant

### Activités 4, 5 et 6, p. 99 

MATHILDE. – Tu m'entends Clarisse ?
CLARISSE. – Oui ! Comment ça va Mathilde ? Ça fait plaisir de t'entendre !
MATHILDE. – Toi aussi ! Alors, quoi de neuf ? Comment ça se passe de ton côté ?
CLARISSE. – Je m'adapte. Tu sais, c'est pas facile, c'est super différent de chez nous.
MATHILDE. – Pareil ici, je fais plein d'erreurs, il y a des normes de savoir-vivre, c'est pas facile à apprendre. En Inde, le plus difficile, c'est le corps. Tu vois, par exemple, tu dois obligatoirement manger avec la main droite...
CLARISSE. – C'est pas vrai ?
MATHILDE. – ... et comme je suis gauchère, il faut que je réfléchisse, que je fasse attention tout le temps, tu vois ?
CLARISSE. – Ah oui, dur !
MATHILDE. – Pour saluer, il faut que tu mettes tes mains jointes sous le menton en disant « namaste ». Il y a aussi des choses à ne pas dire, par exemple, il ne faut pas que tu dises aux gens que leur bébé est mignon, c'est interdit !
CLARISSE. – Ici aux Etats-Unis, c'est plutôt bien vu au contraire !
MATHILDE. – Qu'est-ce qu'il y a comme différences, pour toi ?
CLARISSE. – C'est moins évident à voir, mais il y en a beaucoup aussi. Au restaurant, si tu ne finis pas ton assiette, tu as le droit d'emporter les restes, tout le monde le fait ! En payant l'addition, il ne faut surtout pas que tu oublies le pourboire. Et puis évidemment, faire la bise, ça ne se fait pas, mais tu peux serrer la main. Zut ! Il est déjà 8 h, il faut absolument que j'aille en cours, désolée !
MATHILDE. – Pas de souci, je comprends, bonne journée à toi. À bientôt et tiens-moi au courant !
CLARISSE. – Salut, bonne nuit !

### Activité 5 b, p. 99 

**1.** pareil – **2.** Il y a – **3.** en payant l'addition – **4.** ton assiette – **5.** Tu oublies – **6.** et puis – **7.** Pas de souci !

### Activité 2, p. 100 

**a.** banc – **b.** vont – **c.** sans – **d.** long

### Activité 2, p. 100 

**a.** qui – quille
**b.** gentille – gentille
**c.** si – si
**d.** accueil – accueilli

### Activité 1, p. 102 

– Bonjour Émilie Gasc.
– Bonjour.
– Ce matin, dans notre chronique « Tendances », vous vous intéressez au covoyage.
– Les covoyageurs, ce sont ces personnes seules qui cherchent quelqu'un avec qui partir pour les vacances. Donc, voilà des femmes et des hommes qui décident de se regrouper et de partager ensemble les frais et les émotions d'un voyage. À l'image de cette femme, dont j'ai lu le parcours dans les témoignages des sites dédiés aux vacances partagées. Elle est divorcée, elle a deux enfants, et donc elle part régulièrement avec d'autres familles qui sont monoparentales elles aussi, pour découvrir les différents pays d'Europe. Ou alors cet homme qui est passionné d'escalade. Lui, il cherche un autre adepte de la grimpe pour un séjour en pleine nature. De plus en plus de sites et d'agences de tourisme proposent cette formule « covoyageurs ». On écoute Valentin Berthomé qui lui a un site « Trip tribe » développé exprès justement pour trouver quelqu'un avec qui partir :
« L'idée du site, c'était une envie personnelle, moi, à un moment, j'étais seul et je voulais partir voyager. J'avais personne dans mon entourage pour me suivre, et je me suis dit, un site comme ça, ça serait pratique. C'est vrai que j'avais envie d'un grand voyage et les grands voyages parfois peuvent faire un peu peur, quand on... enfin pour ma part je manquais un petit peu d'assurance et je me disais que je pouvais pas partir tout seul. Donc c'était simplement avoir un peu plus de confiance et s'aider aussi à lancer le truc. »

## Unité 6

### Activité 3, p. 114 

– Hôtel Zebra square, bonjour.
– Bonjour ! J'appelle pour avoir des renseignements sur l'exposition « À voir et à manger ». J'ai vu l'affiche hier et ça m'intéresse. Mais c'est quoi exactement ?
– Il s'agit d'Alexandre Dubosc, un artiste qui propose des films amusants et colorés sur l'alimentation. Ce sont des courts métrages plutôt jolis, souvent poétiques. Il joue avec les mots, les couleurs et les formes. Il fabrique aussi de vrais objets à partir de nourriture, toujours en léger décalage avec la réalité. C'est fascinant !
– Ah ! C'est original ! Et, est-ce qu'il est possible de le rencontrer ?
– Oui, mais seulement le premier jour. On projettera son nouveau film d'animation et l'artiste parlera ensuite de son travail au public.
– Ah ! C'est bien. C'est gratuit ?
– Oui, bien sûr. Mais je vous conseille de réserver car le nombre de places est limité.
– Entendu, merci. Je vais voir et je vous rappelle.
– Très bien, bonne journée !
– Merci. Bonne journée à vous aussi.

### Activité 3 e, p. 114 

**1.** des films amusants
**2.** de vrais objets

### Activités 5 et 6, p. 117 

*« On va déguster » avec François-Régis Gaudry.*
– Criquets, larves de papillons, œufs de fourmis... Et si ce petit monde se retrouvait demain dans nos assiettes ? Devenir « insectivore », c'est l'hypothèse faite en

1800 par Erasmus Darwin, le grand-père de Charles. C'est aussi la question posée par Jean-Baptiste de Panafieu, auteur de documentaires sur l'alimentation et les animaux. Et vous, qu'en pensez-vous ? N'hésitez pas à laisser vos messages sur le forum de « On va déguster », sur le site de France Inter.
Alors, Jean-Baptiste, les insectes nourriront-ils demain la planète ?
– Oui, c'est sûr, parce qu'ils sont nombreux et riches en protéines. Actuellement, on les vend en bonbons, sucettes, chocolats mais bientôt, on les trouvera partout, au menu de tous les restaurants. C'est d'ailleurs ce que fait David Faure dans son restaurant à Nice. Vous y êtes déjà allé ?
– Non, mais je vais bientôt y aller.
– Vous verrez, c'est très bon ! Il propose des plats délicieux comme des petits pois aux vers de farine ou des grillons au whisky. Nous allons bientôt écrire un livre ensemble...

**Activité 5 e, p. 117** 49

**1.** criquet – **2.** grillon – **3.** larve – **4.** protéine – **5.** lèvre – **6.** fourmi – **7.** verrez – **8.** insectivore – **9.** restaurant

**Activité 2, p. 118** 51

**a.** Il coud – Il court
**b.** Il lit – Il livre
**c.** vais – vers
**d.** paix – père
**e.** lave – larve
**f.** ailleurs – ailleurs

**Activité 3, p. 118** 51

**a.** Il va manger un grillon.
**b.** Tu vas cuisiner des criquets.
**c.** Vous allez manger une grillade.
**d.** Ils vont voir un concert.

**Activité 1, p. 120** 52

Léo. – Allô ?
Marc. – Salut Léo, c'est moi !
Léo. – Ah Marc, de retour à Nice ? Alors ces vacances, c'était bien ?
Marc. – Ouais, super !
Léo. – Raconte...
Marc. – Ben, on avait un appartement à Vevey, près du Lac Léman. Tous les soirs, on se promenait le long du lac. C'est vraiment joli. T'as reçu mes photos ?
Léo. – Ouais. C'est rigolo la fourchette dans l'eau !
Marc. – En fait, c'est en face de l'Alimentarium, le musée de l'alimentation.
Léo. – Tu l'as visité ?
Marc. – Oui, je suis allé voir l'expo « Collectionnez-moi ». C'était bien. Plein de collections d'objets souvent liés à la nourriture.
Léo. – Dis, d'ailleurs, on pourrait aller au restaurant « Aphrodite », ils en parlent beaucoup dans la presse. Tu connais ?
Marc. – Non, c'est quoi ?
Léo. – C'est un chef étoilé, David Faure, qui propose des plats avec des insectes. Ça te dit ?
Marc. – Ben, pourquoi pas ?
Léo. – Si tu veux, je réserve pour demain soir. Comme ça, tu me raconteras tes vacances.
Marc. – Demain, ok, 20 h ?

# Unité 7

**Activités 1, 2 et 3, p. 136** 54

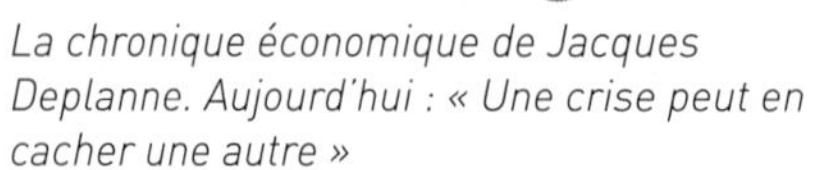

*La chronique économique de Jacques Deplanne. Aujourd'hui : « Une crise peut en cacher une autre »*
2006, c'est la crise immobilière aux États-Unis car de nombreux foyers américains sont endettés et ne peuvent plus rembourser leurs prêts. Petit à petit, la panique gagne les marchés.
2008, c'est l'année du krach boursier. La crise économique devient mondiale. À cause de cet événement, une partie de la population française découvre la précarité. Beaucoup se retrouvent au chômage ou font faillite. La société décide alors de se révolter ! En 2010, Stéphane Hessel publie son livre *Indignez-vous !*, et différents mouvements se forment, dont celui « des Indignés » en 2011, en Espagne. La colère se généralise.
Écoutons nos concitoyens :
« Aujourd'hui, la vie est plus chère. Seul mon salaire n'a pas augmenté, donc, je ne peux pas dire que tout va bien. »
« Les gens sont endettés, et les banques ne les aident pas ; pire, elles continuent à s'enrichir. C'est pour cela que les gens sont furieux ! »
« Je suis en colère parce que j'ai l'impression qu'on ne nous écoute pas ! Vraiment, ce n'est plus possible ! »
*Retrouvez lundi à 18 h, l'intégrale de l'émission « Le Monde en mouvement », animée par Damien Billy.*

**Activité 3 c, p. 136** 55

**1.** la chronique économique
**2.** la crise immobilière
**3.** Ils se retrouvent au chômage.

**Activités 4 et 5, p. 139** 56

Elle a fait le choix de vivre autrement. Elle vit sans argent depuis maintenant plus de 15 ans. Elle, c'est Heidemarie Schwermer, une Allemande de 69 ans, qui, du jour au lendemain, décide d'abandonner sa routine pour vivre différemment.
Elle commence par monter un projet appelé « Gib und Nimm » (« Donne et prends »), soit tout simplement un système de troc où les gens échangent des biens, des services et des compétences. Le succès est au rendez-vous : les retraités, les chômeurs et les étudiants rentrent facilement dans ce type de système D et grâce à eux, elle apprend à vivre encore plus modestement. Elle décide alors de se séparer de sa carte bancaire, de son chéquier et même, de fermer son compte bancaire.
À l'origine, l'expérience ne devait durer qu'un an. Aujourd'hui, Heidemarie a définitivement adopté ce mode de vie. Certains la croient folle ! Et pourtant, son objectif est simple : retrouver une qualité de vie, une richesse intérieure et une liberté. Une démarche qu'elle a souhaité pousser encore plus loin. Elle a naturellement remplacé le troc contre le partage totalement gratuit : elle ne demande plus rien en retour. Cela fonctionne étonnamment bien.

**Activité 6 b, p. 139** 57

**1.** maintenant – **2.** quinze ans – **3.** lendemain – **4.** simplement – **5.** Elle ne demande plus rien.

**Activité 2, p. 140** 59

**a.** banc – **b.** lin – **c.** saint – **d.** rang

**Activité 1, p. 142** 60

– Gwenaëlle, vous travaillez à « La ruche qui dit oui », qui est à l'origine d'une nouvelle façon de faire ses courses, sans passer par le supermarché. Pouvez-vous nous en dire plus ?
– Oui. « La ruche qui dit oui », c'est un réseau de distribution qui permet d'avoir directement accès aux produits alimentaires locaux. Nous avons décidé de ne plus avoir d'intermédiaires ! Comme le producteur est en contact direct avec les consommateurs, la qualité est essentielle.
– Il existe combien de ruches aujourd'hui ?
– On compte aujourd'hui près de 450 ruches en France, mais on envisage d'en ouvrir d'autres.
– Bravo ! Et d'après vous, quelles sont les raisons de ce succès ?
– La qualité des produits, la facilité du fonctionnement grâce à Internet, la volonté de consommer autrement. Les ruches répondent à tous ces avantages. Elles proposent une nouvelle manière de consommer, plus juste et de meilleure qualité.
– Merci Gwenaëlle, et félicitations pour ce pari réussi !

# Unité 8

**Activités 2, 3, et 4, p. 154** 

*Il a l'intention de monter une fondation caritative, le vainqueur de l'Euromillion. C'est sûr qu'avec 170 millions d'euros dans la poche, on peut faire des heureux. À la Trinité, dans les Alpes-Martimes, là où habite le gagnant, on espère que les associations locales ne seront pas oubliées. Tiphaine de Rocquigny.*

– Oui, le gagnant suscite beaucoup d'espoirs, car il y a énormément à faire dans cette banlieue populaire de Nice. Gilberte Sandrie est élue aux affaires sociales à la mairie de la Trinité, et elle cible une population en détresse : les personnes âgées.
« Nous, nous avons sur notre commune quelque 1 500 personnes âgées que nous avons répertoriées, et il y a des personnes âgées qui sont seules et qui sont vraiment dans le besoin. Si ce monsieur, d'aventure, était de la Trinité, sans nous dire son nom, mais s'il voulait qu'on se... je ne sais pas, par quel système on peut se rapprocher de lui, pour l'aider à monter cette structure pour les plus démunis, mais il est le bienvenu. »
– Eh oui, les infrastructures manquent cruellement à la Trinité, trop peu de maisons de retraites et trop peu de centres de loisirs pour les jeunes... Alors Fatia, bénévole à l'association Graines d'Espoir lance un appel au nouveau multimillionnaire.
« Moi, si j'étais à la place de cette personne, je créerais un endroit pour les enfants, où ils puissent jouer parce qu'ils ont pas d'espace, ils ont rien. Ce qu'on craint tous, c'est les bêtises, je veux dire, hein, voilà, quand ils sont là, à s'ennuyer à rien faire, voilà, ils font ce qu'il faut pas faire. »
– Le gagnant a peut-être été l'un de ces jeunes autrefois, il l'a déclaré à la Française des Jeux, il a connu la galère, et c'est pour cette raison qu'il souhaite aujourd'hui aider les plus démunis.
*Tiphaine de Rocquigny, correspondante de RTL sur la Côte d'Azur.*

**Activité 4 b, p. 154** 63

**1.** beaucoup – **2.** espoir – **3.** besoin – **4.** endroit – **5.** souhaite – **6.** moi

**Activités 4 et 5, p. 157** 64

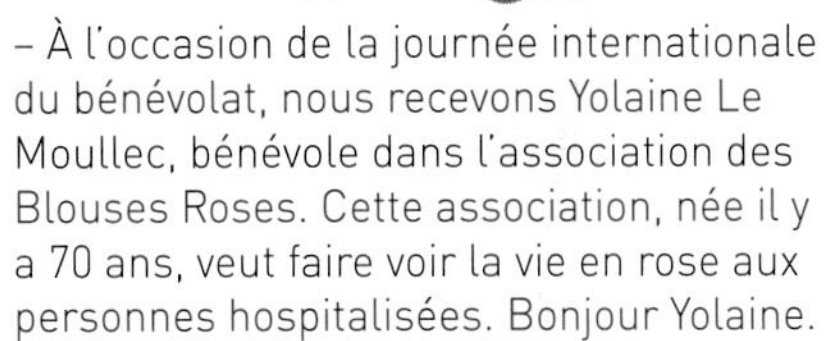

– À l'occasion de la journée internationale du bénévolat, nous recevons Yolaine Le Moullec, bénévole dans l'association des Blouses Roses. Cette association, née il y a 70 ans, veut faire voir la vie en rose aux personnes hospitalisées. Bonjour Yolaine.
– Bonjour.
– Est-ce que vous pourriez nous en dire plus sur votre association ?
– Bien sûr. Les Blouses Roses, c'est une association qui a pour but d'amener un peu de soleil aux personnes qui doivent vivre dans un milieu médical. Nous organisons des activités ludiques ou artistiques pour tous les âges, comme des ateliers créatifs, des tournois de jeux, des spectacles...
– Ça fait longtemps que vous êtes bénévole ?
– Bientôt cinq ans, j'ai commencé pendant mes études. J'avais envie de me sentir utile, mais je n'avais pas d'argent à donner. J'avais lu *Oscar et la dame rose*, d'Eric-Emmanuel Schmitt. L'auteur nous y décrit l'importance de cette association. Une amie connaissait le président des Blouses Roses de Bretagne, elle me l'a présenté, et j'ai tout de suite senti que ma place était là.
– C'est comment la première fois ?
– C'est intense. Vous savez, vous avez devant vous un enfant qui souffre, qui se bat contre sa maladie. Vous arrivez avec votre idée de jeu, vous la lui présentez, et vous voyez cet enfant qui oublie qu'il est un patient entouré de docteurs, et qui redevient un enfant comme les autres pendant une heure ou deux. Très vite, vous avez des habitudes, vous préparez vos rendez-vous à la clinique, vous savez qu'on vous y attend et vous êtes impatient aussi.
– Entre nous, c'est difficile de s'engager ?
– Oui, le plus dur c'est de se dire qu'on n'a pas de temps pour les malades, mais qu'on va leur en donner quand même. Et puis c'est dur d'entendre les gens en bonne santé se plaindre pour un rien, d'avoir mal pour une petite blessure ici ou là. Mais c'est surtout dur de trouver des bénévoles. On s'imagine une montagne de travail, et on ne pense pas assez à tout ce qu'on reçoit en retour.
– Merci Yolaine.

**Activité 5 e, p. 157** 65

**1.** association – **2.** personnes – **3.** organisons – **4.** comme – **5.** bonne

**Activité 2, p. 158** 66

**a.** moi – **b.** lin – **c.** pin – **d.** pois – **e.** Louis

**Activité 2, p. 158** 67

**a.** bon – bonne
**b.** donne – donne
**c.** an – Anne
**d.** devient – devienne

**Activité 1, p. 160** 68

Devant le flot d'images et d'informations déprimantes, inquiétantes qui inondent chaque jour les écrans de la planète, il est bien difficile de rester optimiste. Près de la moitié de la population mondiale a moins de 25 ans. Parmi eux, 150 millions sont des enfants de la rue, sans compter ceux qui n'ont accès ni aux soins de santé ni à l'éducation. Comment garder espoir quand l'avenir semble si sombre ? On peut encore changer les choses. On peut transmettre l'espoir aux jeunes générations pour espérer un monde meilleur. C'est en tout cas ce que démontrent chaque jour, aux quatre coins du monde, les « artisans du changement ». Sortir les enfants cambodgiens de la rue, redonner une dignité aux jeunes de Philadelphie et former la relève en Inde, c'est la vocation que se sont donnés Sébastien Maraud, Jane Golden et Ram Karan. Ils ont eu l'inconscience de croire qu'ils pouvaient apporter des solutions durables aux problèmes de notre temps. Ils les ont mises en pratique, et ils prouvent tout simplement que c'est possible.

# Unité 9

**Activités 2 et 3, p. 172** 

Des étudiants qui ne trouvent pas de logement, des agriculteurs qui auraient bien besoin de revenus supplémentaires... C'est à partir de ce constat qu'est né le projet des logements à la ferme. Tout commence à Béthune dans le Nord-Pas-de-Calais, en 1995. À cette époque, l'université d'Artois ouvre ses portes. Mais problème, les étudiants ne trouvent pas de logement malgré la construction de chambres universitaires. Philippe Amielh propose alors de les loger dans des granges.
« Le principe, c'est d'aménager des corps de ferme. Souvent il y a 2 ou 3 studios dans une même ferme, mais ça peut aller jusqu'à 6. Tous ont une surface supérieure à 21 mètres carrés, et on monte parfois jusqu'à 40, 45 mètres carrés. »
Aujourd'hui, l'association Campus vert propose plus de 300 studios à la ferme près de grandes villes universitaires, comme à Arras, Boulogne, Lorient, Amiens, Beauvais. Des logements à petits budgets aménagés avec soin.
« J'habite ici depuis un an, et c'est génial, je sais que je peux compter sur Jacques et Annie, ça veut dire que je ne suis jamais seule même si j'habite loin de mes amis. En ville, il y a pas mal de bruit, alors qu'ici c'est calme, c'est mieux pour étudier. En plus mon studio est grand et très bien équipé. Par contre, il faut avoir une voiture, sinon c'est pas évident. »
L'initiative séduit avant tout pour ses loyers relativement bas, mais l'isolement géographique reste en effet un problème pour les étudiants qui n'ont pas de permis ou de voiture. Des systèmes de covoiturage sont toutefois à l'étude, selon Philippe Amielh. Pour lui, c'est la confrontation entre le monde rural et urbain qui est essentielle.
« Moi je m'oppose un peu à toutes ces séparations des publics, c'est-à-dire, bon, on fait des campus, on met des étudiants tous au même endroit, les agriculteurs, on les regroupe ailleurs, tandis que là, dans la formule qu'on propose, on essaye de mélanger les publics. »

**Activités 4, 5, 6 et 8, p. 172** 

Page culture, maintenant, avec un événement exceptionnel à Marseille. Dans le cadre du festival « La folle histoire des arts de la rue », la compagnie Générik Vapeur a créé un quartier utopique où

l'on pourra évoluer différemment dans un espace urbain, en utilisant l'art pour rendre « plus belle la vie » des Marseillais. Ce quartier, la compagnie l'appelle le 17e arrondissement. Une cité faite de containers mêlera la vie quotidienne et l'expression artistique pour mettre en perspective notre rapport à la ville et à la vie de nos quartiers. De l'art, il y en aura partout, avec des peintres ambulants, des concerts improvisés... Une cinquantaine d'artistes en tous genres se relaieront pour animer ce quartier éphémère et utopique. Véronique Mondini est la chargée de production de Générik Vapeur.
« En fait, on avait envie de proposer une vision un peu différente du « vivre ensemble », pendant ces 6 jours. On a donc des containers, qui sont autant de lieux urbains miniatures, la poste, un restaurant, un café, par exemple. Les espaces vides, on les a organisés pour que les gens s'y installent, sur un banc, avec un livre par exemple, pour qu'ils s'approprient l'espace. On a aussi programmé des spectacles, ça peut être des contes, des funambules, du théâtre de rue évidemment, mais il y aura aussi des surprises. Ces surprises, je ne peux pas vous les expliquer bien sûr, mais gardez bien en tête que le principe, c'est que tout le monde vive ensemble, artistes comme public. Le mélange, ça peut donner des résultats, disons, inattendus. Les visiteurs, ils vont forcément jouer un rôle, on va leur proposer de participer à nos représentations, c'est la base des arts de rue, et c'est cet échange qu'on veut mettre au cœur du dispositif. »

**Activité p. 176** 72

**1.** Il loue tout. – **4.** Il a lui. – **8.** Il hérite. – **9.** Claude est gentille. – **17.** La plante est grande. – **21.** C'est trop long.

**Activité 1, p. 178** 

– Et je passe la parole à Marie Rivière, pour sa chronique quotidienne. Aujourd'hui, Marie, vous allez nous parler du mot « bobo ».
– Merci Denis. Hé oui, depuis une dizaine d'années, le terme « bobo » s'est invité dans le vocabulaire des Français. Mais qui sont-ils, ces « bobos » dont on parle tant ? Ce terme recouvre une catégorie de gens qui vivent de manière bourgeoise, mais qui se veulent libérés de toute norme sociale. Le bobo, tel qu'on l'imagine, a un bon salaire, un bon niveau de vie, il est écologiste, mange bio et il est cultivé. Autrement dit, le bobo est à la fois bourgeois et bohême : bo... bo !

# Transcriptions DVD

## Unité 1

**Activité 1, p. 24**

– Ah, bonjour, vous venez pour l'annonce du « boncoin » ?
– Exactement.
– ... Une raquette qui vaut à peu près 200 €. Elle est neuve. Si vous voulez la tester un petit peu avec Margaux.
– Si je vais taper la balle, je vais être un peu ridicule mais...
– Non non, il faut la tester.
– Ça va ?
– Allez, on y va.
– J'ai pas commencé, j'ai déjà chaud.
– Ça va bien se passer. On y va là !
– On peut commencer à jouer ?
– C'est bon ?
– Ouais, ça me va moi.
– Le test est fait.
– Merci.
– Merci beaucoup.
– Je suis mort !
– C'est vrai ?
– Merci pour le test produit.
– Ben, c'est cool.
– Merci Margaux.
– Ben, merci à vous.
– Tu es classée quoi ?
– 5 / 6. Vous jouez au tennis depuis combien de temps ?
– Je t'ai dit, j'ai joué quand j'avais, euh, peut-être ton âge. Et là, j'ai envie de reprendre un peu.

## Unité 2

**Activité 1, p. 42**

Toutes les personnes que l'on rencontre dans notre vie, il y a une raison pour ces rencontres. Des fois, on l'apprend une heure après la rencontre, une journée après la rencontre, une semaine après la rencontre, et puis des fois ça prend quinze ans à réaliser pourquoi sur notre chemin on a croisé une personne.
Je comprends aujourd'hui la richesse d'un réseau. C'est probablement ce que j'ai de plus précieux dans la vie, pas dans la vie professionnelle, mais dans la vie tout court. Dans chacune des personnes que l'on rencontre, on peut apprendre quelque chose. J'investis beaucoup dans les premières secondes à la rencontre d'une personne.
J'utilise mon réseau pour apprendre, j'utilise mon réseau pour m'appuyer, j'utilise mon réseau pour demander des services. Moi, il y a une chose dont je ne suis pas gênée, c'est de lever la main et puis de dire : « Je n'ai pas telle ou telle connaissance, est-ce que je peux te demander conseil ? »
Aujourd'hui, des fois je fais référence ou j'appelle des gens que j'ai rencontrés il y a vingt, vingt-cinq ans, à qui je n'ai pas parlé depuis dix ans. Et, lorsque la relation a bien été établie dès le début, ce n'est pas grave le nombre d'années qui s'est passé sans lui parler. Si tu la rappelles elle se souvient de toi et vice-versa.

## Unité 5

**Activité 1, p. 96**

Ça, c'était il y a un an, à Montréal. Des vacances plutôt sympas qui nous ont donné envie d'aller un peu plus loin. Nous, c'est Laure et Cyril. On a 30 ans et on vit à Strasbourg. Mais plus pour longtemps. On a décidé de faire le grand saut et d'immigrer chez nos lointains cousins du Québec. Pourquoi tout plaquer ? Les grands espaces n'y sont pas pour rien, le rêve américain et la crise économique non plus. Mais avant tout, ce qui nous motive, c'est de casser la routine, et de partir à l'aventure. Donc dès qu'on aura reçu notre visa d'immigration en tant que travailleur qualifié, direction Montréal et ses gratte-ciels. Et en attendant, c'est bouquin sur bouquin. Des guides de voyage aux revues pratiques en passant par les essais économico-géopolitiques, tout y est passé, même si j'ai pas tout compris.

## Unité 7

**Activité 1, p. 136**

« Alors, votre société s'appelle « ma boîte ». Hé bien, les jeux sont faits. »
*Deux couples.*
« Je viens d'être licencié. »
– Comment ça, licencié ? »
« Toutes les nuits je rêve du CAC 40. »
*L'un devient pauvre, l'autre riche.*
« Vous travaillez dans les coupons de réduction ? »
– En résumé, oui. »
« Plus de boulot, plus d'appart, plus rien, je suis obligée de travailler. »
*Pas si facile.*
« Bon, tu veux combien ? »
– 250 €.
– 100 !
– 200 ! »
« Et un week-end sur deux, la moitié des vacances scolaires, une semaine par mois et je te file 850 000 € ! »
Bankable, *une comédie anti-crise. Vendredi, à 20h40.*

## Unité 9

**Activité 1, p. 172**

L'avantage en Auvergne, c'est que quand on décide de faire un barbecue, et bien on n'est pas obligé d'importuner ses voisins. Moi, par exemple, je fais le mien au bout de mon jardin. Mon jardin, je vous le montre, vous voyez le petit chemin, là, qui monte ? Bon et bien vous le suivez, vous remontez le petit col, là, qui doit faire, je ne sais pas combien. Et ma maison, vous voyez la tache noire au fond, et bien ce n'est pas ça, ma maison elle est derrière la montagne. Quand je pense qu'à Paris je faisais mon barbecue dans la cave !
Ah, là, c'est le moment des petites herbes de Provence, chérie, s'il te plaît. Parce que moi, un barbecue sans herbes de Provence, ce n'est même pas la peine de m'en parler ! Moi je suis un intégriste de la saucisse.
– Merde, je crois qu'on les a oubliées... Ouais mais non.
– Bon. Tu as ton portable ? Ok. La boussole je la mets dans ta poche. Bon qu'est-ce que tu vas chercher ?
– Herbes de Provence.
– Ok, super. Et tu prendras du rapé en même temps. D'accord ? Bon, et bien, voilà.
– Chéri, fais attention à toi !
Ça lui arrive tout le temps d'oublier un truc.

**Références iconographiques**

**Couverture (b)** : Chris Gramly/E+/Gettyimages ; **Couverture (hd)** : Richard Susanto/Flickr/Gettyimages ; **5** : Brand New Images / GettyImages ; **6** : Bernhard/Gettyimages ; **7 hg** : Dimitri Otis/Digital Vision/Gettyimages ; **7 hd** : Cienpies Desing/123RF ; **8** : Janol Apin/Editions Lacarothe ; **9** : Thomas Barwick/Stone GettyImages ; **9** : Dinner in the Sky ; **10** : Emile Loreaux / Picturetank.com ; **11 hg** : Piccerella / Getty Images ; **11** : «Skin» installation, Mehmet Ali Uysal/Pi Artworks ;**13** : Brand New Images / GettyImages ; **14 hg** : «Le français, langue ouverte sur le monde», CSFL (Conseil Supérieur de la langue française/TVA Accès ; **14 md** : Laurent Cerine / Réa ;**15 bd** : Seyllou / AFP ; **15 hg** : Rue des Archives ; **15 mg** : Mychele Daniau / AFP ; **16 bd** : Ekaterina Pokrovsky - Fotolia.com ; **16 hg** : Ryan McVay / GettyImages ;**16 md** : Altrendo images / Getty Images ;**16 mg** : Stephen Simpson / GettyImages ; **17 bd** : Lasse Krisdensen/Flickr/GettyImages ; **17 hg** : «La langue française dans le monde 2010» , Editions Nathan/OIF ; **17 md** : Ryan McVay / GettyImages ; **18 bg** : Bruno Fert / Picturetank ; **19 hd** : Clémence Passot - Dorothée Caradec/Ministère de la Culture et de la CommunicationDélégation générale à la langue française et aux langues de France ; **20 bc** : Alizee Nielsen / Reporters-Réa ; **20 hg** : CIJF ; 21 1 : Tetra Images/Getty Images ; **21 (2)** : Carlos Davila / Getty Images ; **21 (3)** : Kate Mitchell / Agefotostock ; **21 (4)** : Chris Cheadle / Getty Images ; **21 (5)** : moodboard/Corbis ; **21 bg** :Institut français du Laos ; **22** : Bernhard/Gettyimages ; **24 bc** : Pierre Bessard/Réa ; **24 hg** : «Les incroyables rencontres leboncoin.fr. Margaux Rouvray», leboncoin.fr ; **24 mc** : Sebastien Ortola/Réa ; **24 md** : Stéphane Ouzounoff/Photononstop ; **25** : Village point Com ; **26 bg** : Marc-Fotolia.com ; **26 hg** : Mathias Lamamy-Fotolia.com ; **26 mbc** : Istockphoto ; **26 mhc** : Johann Frank-Fotolia.com ; **27 hg** : Westend61/Plainpicture.com ; **28** : Eldad Carin/Vetta/Gettyimages ; **30** : 2010, Real Jean Pierre Ameris, Benoit Poelvoorde,Isabelle Carre/Collection ChristopheL ; **31 hc** : Thibault Camus/ABACAPRESS.COM ; **31 hd** : Alban Wyters/ABACAPRESS.COM ; **31 hg** : Genin-Guignebourg/ABACAPRESS.COM ; **31 mc** : Alban Wyters/ABACAPRESS.COM ; **31 md** : Jean Pierre Muller/AFP ; **31 mg** : Nicolas Briquet/ABACAPRESS.COM ; **33 hd** : Mel Curtis/Photodisc/Gettyimages ; **33 hg** : Association un par un ; **36 hd** : Gilles Rolle / Réa ; **36 hg** : Denis Allard / Réa ; **37 hd** : London News Pictures / Zuma - Réa ; **37 mg** : Richard Damoret / Réa ; **37 md** : Richard Damoret / Réa ; **39 (1)** : Alexandra Karamyshev - Fotolia.com ; **39 (2)** : Alexei Gridenko - Fotolia.com ; **39 (3)** : Robert - Fotolia.com ; **39 (4)** : Redstard Studio - Fotolia.com ; **40** : Dimitri Otis/Digital Vision/Gettyimages ; **43** : Esenkartai/iStock Vectors/Gettyimages ; **44** : Pôle emploi ; **46** : Catalin Petolea-Fotolia.com ; **48 hd** : Delphine Mach ; **48 hg** : Alexey Astaktov-Fotolia.com ; **49** : Tilam-Laetitia Anding-Malandin/Mairie du XVIII ; **50** : Vladgrin-Fotolia.com ; **51** : Kemal Ba / Getty Images ; **54 bd** : goodluz - Fotolia.com ; **54 hd** : Jiho - Iconovox ; **54 hg** : Goddluz - Fotolia.com ; **55** : Cambon / Iconovox ; **57** : Astock - Fotolia.com ; **58** : Cienpies Desing/123RF ; **60 md** : Infor Jeunes ; **61 h** : Le Mur de la Presse ; **61 hd** : Rue 89 ; **61 hg** : LeMonde.fr ; **61 mcd** : Lefigaro.fr ; **61 mcd** : Xiongmao-Fotolia.com ; **61 mcg** : Liberation.fr ; **61 mcg** : ParisPhoto-Fotolia.com ; **61 md** : peshkova-Fotolia.com ; **61 mg** : Dondi Tawatao/AFP ; **62 hd** : Affiche Sara Campo/Mairie de Paris, paris.fr ; **62 hg** : Beatrice Logeais ; **62 md** : Mathilde Pieraut ; **63 hd** : Olivier Hédin, Mairie de Mayenne ; **64 mg** : MyLittleParis ; **66** : © Africa Media 2012. Africa n° 1, 33, rue du Fg St Antoine, 75011 Paris, Tél : 01 53 33 80 80 ; **67** : « La rumeur », 13 mars 2013 publiée sur le blog de Le Monde, Martin Vidberg ; **68 hd** : «25 histories 25 auteurs en 140 ca.» Réunis par Fabien Deglise, 2013, Le Devoir ; **69** : Jean Heintz / Hemis.fr ; **72 bd** : Sylvain Sonnet / Getty Images ; **72 hd** : Deligne / Iconovox ; **72 hg** : Jesussanz - Fotolia.com ; **73** : Only France / AFP ; **75** : Jean Claude Moschetti / Réa ; **76** : Janol Apin/Editions Lacarothe ; **78 hg** : « C'était mieux avant... », Haiku Desing ; **78 mc** : « La nostalgie heureuse » Amélie Nothomb, Albin Michel ; **78 md** : Ooyoo Vetta / Getty Images ; **79 hd** : « Anjou vélo vintage, une rando vélo rétro, organisée par le Conseil général de Maine-et-Loire ; **80** : Alexander Raths - Fotolia ; **81 (1)** : Ingram Publishing / Alamy ; **81 (2)** : Phisesit - Fotolia.com ; **81 (3)** : glOck-Fotolia.com ; **81 (4)** : Bombaert Patrick / Alamy ; **82 hg** : Simon Belcher/Alamy ; **84 hd** : Charlie Abad / Photononstop ; **84 hg** : Gérard Bloncourt/Musée de l'Histoire de l'immigration ; **85 hc** : Aaron Amat - Fotolia.com ; **85 hd** : isuaneye - Fotolia.com ; **85 hg** : lucadp - Fotolia.com ; **85 mc** : Ruslan Olinchuk-Fotolia.com ; **85 md** : Salvatoreru-Fotolia.com ; **85 mg** : Ruslan Olinchuk-Fotolia.com ; **86** : RMN ; **86 hg** : «Violon et feuille de musique», 1912, papiers collés, Musée Picasso de Paris (c) Succession Picasso, 2014/RMN ; **87** : Laurie Rubin / Gettyimages ; **90 bd** : Image Source/Corbis ; **90 bg** : Collection SDinet - Angel / Leemage ; **90 hd** : Brad Pict - Fotolia.cim ; **91 hd** : Stéphane Audras / Réa ; **91 mc** : Soulcié - Iconovox ; **91 md** : Jean Michel André / Réa ; **93 b** : Giuseppe Porzani - Fotolia.com ; **93 bg** : Eleza Snow - Getty Images ; **93 md** : Zack Blanton / Gerry Images ; **94** : Thomas Barwick/Stone/Gettyimages ; **96 bd** : Robert Harding/hemis.fr ; **96 hg** : «Maudits français», Faites un voeu, Alsace20, Les Productions Eurèka ! ; **96 mc** : Bruno Morandi/hemis.fr ; **96 md** : Joh Arnold/hemis.fr ; **97** : Alexey Klementiev-Fotolia.com ; **97** : www.routard.com ; **98** : Rémi MalinGrey/Iconovox ; **99 hg** : Belnd Images-Noel Hendrickson/Gettyimages ; **99 mc** : plainpicture/Image Source ; **99 md** : Eurasia/Photononstop ; **100 hd** : Unclesam-Fotolia.com ; **100 mg** : Venimo-Fotolia.com ; **102 b** : Liligo/Famille Atmani ; **102 h** ©Tourism Australia ; **103 hg** : Texte : Isabelle Sidibé - Image : Stéphanie Cazaentre - Extrait de «Karambolage», ARTE France ; **105** : Richard Damoret / Réa ; **108 bc** : JGI/Jamie Grill/ Getty Images ; **108 hd** : Guillaume Duris - Fotolia.com ; **108 hg** : Jean Gill / Getty Images ; **108 md** : Guillaume Duris - Fotolia.com ; **109** : Westend61 / Getty Images ; **111 bc** : Camille Moirenc / Hemis.fr ; **111 bd** : Jacques Gillardi / Hemis.fr ; **111 hc** : Robert Harding / Hemis.fr ; **111 hd** : Jon Arnold /Hemis.fr ; **111 mc** : Pierre Jacques / Hemis.fr ; **111 md** : Bertrand Rieger / Hemis.fr ; **112** : Dinner in the Sky ; **114 hg** : « Alimation – Annecy Festival », © Alexandre Dubosc, 2011 ; **114 mc** : Association contre Champs ; **114 md** : Alexandre Dubosc ; **115** : Les Francos Gourmandes ; **116 bg** : monique delatour - Fotolia.com ; **116 hg** : Herve This ; **116 mcb** : Taiga - Fotolia.com ; **116 mch** : yaviki - Fotolia.com ; **117 hd** : « Les insectes nourriront-ils la planète ? », Jean-Baptiste de Panafleu publié dans la collection Rouergue Litter, Editions du Rouergue, 2013 ; **117 hg** : On va déguster qui présente l'émission de François-Régis Gaudry/France Inter ; **118 h** : Sortir Nantes Grand Ouest ; **120 hd** : Alimentarium, musée de l'alimentation, CH-1800 Vevey ; **120 hg** : Nice MaTin ; **121** : Marie-Noelle Cocton ; **121** : Rose-Aimée Bélanger ; **122** : Brookllin-Fotolia.com ; **123** : «Cart & Banana Balloon», Carl Warner/Barcroft Media/Abacapress.com ; **126 hg** : Cosmos Condina Worth America / Alamy - Hemis.fr ; **126 hm** : D. Hurst / Alamy - Hemis.fr ; **126 mc** : Barrett & MacKay / Agefotostock ; **127 hd** : Jack Guez / AFP ; **127 hg** : Stock Food / es-cuisine / Studio X ; **128 mc** : P. Deliss / Corbis ; **128 md** : Emmanuelle Blanc / Picturetank.com ; **128 mg** : Ian Hanning / Réa ; **129 hc** : Jacek Chabraszewski - Fotolia.com ; **129 hd** : Fatman73 - Fotolia.com ; **129 hg** : M. Studio - Fotolia.com ; **129 mc** : Andrey Armyagov - Fotolia.com ; **129 md** : Lifeonwhite.com - Fotolia.com ; **129 mg** : Oliver Klimek - Fotolia.com ; **131 bc** : Auremar - Fotolia.com ; **131 bd** : Leena Yla-Lyly / Folio Images / Getty Images ; **131 bg** : Image Source / Getty Images ; **133** : Sea Wave - Fotolia.com ; **134** : Emile Loreaux / Picturetank.com ; **136 hg** : « Bankable », Dépôt Légal 2011© ARTE France / TOTALLY prod. / STORNER PROD / Fiction for Business – 2011" ; **136 md** : Apaydin Alain/AbacaPress ; **137** : Ipsos ; **138** : Luisa Preißler/Scarosso ; **139** : Patrick Lux / AFP ; **140** : JiSIGN-Fotolia.com ; **142 hg** : L'Accorderie ; **143** : Plantu ; **144 hd** : Damien Ravé ; **144 hg** : Ifixit.com ; **145** : Bulb in Town, site de financement participatif pour les commerces de proximité et associations de quartierwww.bulbintown.com ; **148 bc** : Thomas Pajot - Fotolia.com ; **148 hd** :Deligne / Iconovox ; **148 hg** : Chanpipat - Fotolia.com ; **148 md** : Izabela Habur / Getty Images ; **149 hd** : Image Source / Réa ; **149 md** : Jérôme Rommé - Fotolia.com ; **151 bc** : Anne Katrin Figge - Fotolia.com ; **151 bg** : Richard Villalon - Fotolia.com ; **151 hd** : Ilyashapovalov - Fotolia.com ; **151 mc** : Steve Lawrence / Getty Images ; **151 md** : Philippe Desmazes / AFP ; **151 bmg** : Denis Allard/Réa ; **152** : Piccerella / Getty Images ; **154 hg** : Conception et réalisation: ButterflyEffect. Musique: «Lonely Planet», The Wickets ; **155** : Euforia ; **156** : Bertrand Langlois/AFP ; **157** : Oto/Chu Bordeaux / BSIP ; **160 hd** : Sake Rijpkerna / HH-Réa ; **160 hg** : Banque alimentaire ; **162** : Atelier sans frontières ; **163** : Chris Schmidt / Getty Images ; **166 hc** : Jean Marquis / BHVP / Roger-Viollet ; **166 hg** : Victor Hugo (1802-85), from «Galerie Contemporaine», c. 1874-78 (b/w photo), French Photographer, (19+th century) / Private Collection / The Stapleton Collection / The Bridgeman Art Library ; **166 md** : Boris Horvat / AFP ; **167 b** : Rido - Fotolia.com ; **167 h** : William Andrew / Getty Images ; **168** : Keystone-France/Gamma-Rapho ; **169 bg** : Image Source / Getty Images ; **169 hd** : Mike Hewitt/Getty Imates / AFP ; **169 md** : Jérôme Chatin / Expansion-Rea ; **170** : «Skin» installation, Mehmet Ali Uysal/Pi Artworks ; **172** : Denis Bringard / Hemis.fr ; **172 hg** : « Les Urbanophiles. L'Auvergne, ça change une vie. Barbecue »,La Horde Productions/Aubergnelife ! ; **173** : F Laguet/maxppp.fr ; **174** : OakOak ; **175** : « Le 17ème Arrondissement. Quartier Utopique» de Générik Vapeur, Teatro Container, co-producteur Marseille Provence 2013 / Capitale Europeenne de la Culture/ Augustin Le Gall ; **176** : Jrwasserman - Fotolia.com ; **178** : Philippe Geluck ; **179** : Juan Mora ; **181** : Crée par Emmanuelle Houdart, création graphique de Corinne Salvi (c) La Poste, 2013 ; **184 bd** : Sylvain Sonnet / Hemis.fr ; **184 hc** : Andre Lebrun / Agefotostock ; **184 hd** : Bravo-Anne/Only France/AFP ; **184 mg** : Horacio Villalobos / Corbis ; **185 mc** : Nicolas Lambert / AFP ; **185 md** : Collection Christophe L (c) Zootrope films /DR ; **186** : Denis Bringard / Hemis.fr ; **187 b** : Anne Christine Poujoulat / AFP ; **187 m** : Stephane de Sakutin / AFP

**Références des textes**

**48** : Anothertranslator.eu ; **63** : «Ouest-France/Julien Belaud, 13/03/2011 ; **86** : «Il n'a jamais tué personne mon papa», Jean-Louis Fournier, (c) Editions Stock, 1989 ; **142** : La Dépêche de Midi ; **156** : Pérec s'attaque au marathon de New York pour la bonne cause », 09/09/2013 par Gregory Fortune, Jean-Michel Rascol/RTL ; **160** : Le Berry Républicain ; **173** : Le Point, 06/11/2008 ; **174** : www.brain-magazine.fr ; **180** : Fanny Kopf ; **208** : rfi, un extrait du programme «Les mots de l'actualité», «Francophonie, 18/03/2006. Audio et article dans son intégralité dispnibles sur le site rfi.fr ; **210** : « Emmenez-moi » par Brigitte Patient du 3 mai 2012, « dans les pages de votre livre avec Pierre Nozières », France Inter/INA

**Références audio**

**14 p1** rfi, un extrait du programme «Les mots de l'actualité», «Francophonie, 18/03/2006. Audio et article dans son intégralité dispnibles sur le site rfi.fr
**48 p19** Nicolas POTTIEZ, copyright Université Lille1, projet Demain l'Universitéhttp://demainluniversite.fr/
**84 p36** « Emmenez-moi » par Brigitte Patient du 3 mai 2012, « dans les pages de votre livre avec Pierre Nozières », France Inter/INA
**84 p36** Pierre Nozières
**102 p44** « C'est tendance – Co-voyager au lieu de partir seul », Le journal de samedi de Sacha Horovitz du 30 juin 2012, rts.ch
**154 p62** «Le gagnant d'Euro Millions va créer une fondation caritative» du 24/11/2012/RTL
**160 p68** « Transmettre l'espoir /Lato Sensu Productions

**Direction artistique et conception graphique :** Vivan Mai ; **Conception de la maquette :** Marie-Astrid Bailly-Maître et Léo Pico ;
**Conception et réalisation des pages culture :** Dany Mourain ; **Édition :** Justine Daffas ; **Mise en page :** Sabine Beauvallet ;
**Illustrations :** Florence Bamberger (p. 32), Domas (p. 154), FLEC (p . 161), Pascal Lemaître (pp. 18, 27, 42, 45, 64, 68, 81, 103, 121, 122, 123, 139, 154, 175), Charlène Letenneur (p. 118) ; **Carte :** Jean-Louis Liennard ;
**Enregistrements, montage et mixage :** Olivier Ledoux (Studio EURODVD) ; **DVD** : INIT Productions



Les Éditions Didier, Paris 2014 - ISBN : 978-2-278-07753-3 – Dépôt légal : 7753/08 8713/02 et 8769/01
Achevé d'imprimer en Italie par L.E.G.O. en novembre 2016